CONNAISSANCE RELIGIEUSE
ET HERMÉNEUTIQUE
CHEZ CLÉMENT D'ALEXANDRIE

CONNAISSANCE RELIGIEUSE
ET HERMÉNEUTIQUE
CHEZ CLÉMENT D'ALEXANDRIE

PAR

RAOUL MORTLEY

LEIDEN
E. J. BRILL
1973

Ouvrage publié avec le concours du
Centre National de la Recherche Scientifique

ISBN 90 04 03748 9

PRINTED IN BELGIUM

TABLE DES MATIÈRES

INTRODUCTION

Nous disposons de très peu de renseignements sur les maîtres de Clément d'Alexandrie : on ne sait presque rien de ses amitiés intellectuelles. Il a donc fallu avoir recours à une méthode générale pour présenter la formation de sa théologie, en exposant les correspondances existant entre sa pensée et celle de son milieu, ce qui explique la première partie de cet ouvrage. En effet j'ai essayé d'esquisser l'essentiel de l'herméneutique de l'époque, en prenant comme point de départ la définition de Dieu, et en passant ensuite à des considérations cosmologiques et aux problèmes du discours (allégorie, symbolisme etc.).

Tous ces thèmes se retrouvent dans la pensée clémentine, mais cet auteur n'est pas le seul à pouvoir nous éclairer sur l'herméneutique de la fin de l'antiquité et du début de l'ère chrétienne. Dans la rédaction de cette étude notre souci principal a été de trouver une réponse à une question très simple, telle que se la posait Clément : comment parvenir à la connaissance ? Les dimensions de ce problème sont énormes ; il intéresse bien sûr l'histoire de la philosophie, mais il requiert surtout une description phénoménologique du fonctionnement de l'imagination de l'homme dans l'antiquité. Je n'aurais pas la prétention d'affirmer que j'ai réussi dans cette tâche, mais tel a été l'objectif de mon travail.

L'histoire des idées demande une certaine pénétration spéculative : l'étude de la pensée d'un auteur ne peut se limiter à un examen de ses écrits et de son vocabulaire ; ceux-ci ne représentent que l'incarnation de sa pensée. Il s'ensuit que la tâche de l'exégète n'est pas de regrouper tous les passages qui se rapportent à un certain sujet, mais bien plutôt de faire ressortir les rapports cachés, les hypothèses et les perspectives générales qui les inspirent [1]. Les écrits sont les symboles de la pensée. Les citations de notre auteur ne constituent donc que des données : il reste un travail de déduction à faire, à partir de celles-ci.

Clément fut un πολυμαθής. C'est pourquoi ses interprètes ont souvent pu le revendiquer pour telle ou telle école de leur préférence. Mais le problème du Clément philosophe, du Clément chrétien ou du Clément gnostique ne devrait pas se poser sauf dans la mesure où il peut appor-

---

[1] Voir les remarques méthodologiques de R. M. Grant (Journal of Religion, 30 (1950) 109-116) qui approuve « the hypothetico-deductive method » de H. Wolfson, ou de J. Daniélou.

ter une contribution à la compréhension de l'auteur. A mon sens, la pensée de Clément représente un effort pour donner une version philosophique du Christianisme : c'est-à-dire qu'il se servait des systèmes de pensée de son temps pour exposer un christianisme philosophique. A. Méhat affirme : « On est donc averti de ne pas trop se fier à la place occupée dans les *Stromates* par le langage philosophique. Ce langage est un voile... » [1]. Il est vrai que Clément affecte la terminologie philosophique pour se donner une forme de respectabilité intellectuelle, mais il faut reconnaître que cet usage « publicitaire » de la philosophie dissimule des intentions philosophiques plus profondes. La pensée clémentine est foncièrement philosophique, dans la mesure où la matière brute du Nouveau Testament est intégrée dans un schéma ontologique. (Cette manière de concevoir le problème s'accorde avec celle de S. Lilla dans son récent ouvrage.) A certains points critiques (l'incarnation par exemple) la philosophie influe sur la position théologique de l'auteur.

En conclusion, il reste à dire que la thèse qui forme l'essentiel de cette étude était dirigée par M. Marcel Simon, qui m'a très chaleureusement accueilli à Strasbourg dès mon arrivée d'Australie, consacrant toute son attention à l'avancement de mes travaux. MM. Jean Pépin et André Méhat m'ont considérablement aidé par leurs encouragements et leurs critiques ; plus récemment, mon intégration à l'équipe du Centre d'Analyse et de Documentation Patristiques à l'Université de Strasbourg, sous la direction de M. André Benoît, m'a fourni un cadre d'enseignement et de recherche qui m'a grandement facilité la poursuite de mes travaux. Tous mes remerciements vont également à M. François Blanchetière qui m'a fortement aidé pour les questions de langue : cependant la responsabilité de la rédaction définitive du texte m'incombe à moi seul.

Université de Strasbourg, 1972.

---

[1] *Étude...*, p. 128.

PREMIÈRE PARTIE

LA PRÉPARATION CLÉMENTINE

A. ASPECTS PHILOSOPHIQUES

CHAPITRE PREMIER

LA TRANSCENDANCE DE DIEU

Les origines de la conception du Dieu transcendant

> D'après qui pourriez-vous imaginer Dieu ?
> Et quelle image pourriez-vous en fournir ? [1]

Par cette citation de l'Ancien Testament [2] Clément affirme la transcendance de dieu, retrouvant ainsi Philon et les Platoniciens contemporains. Beaucoup d'autres passages présentent la même notion du dieu inconnu, et ils seront examinés plus tard : il est ici important de passer en revue les sources différentes qui auraient contribué à la formation de cette idée.

Dans un ouvrage publié en 1948, H.A. Wolfson [3] a prétendu que la thèse du Dieu inconnu était développée pour la première fois par Philon et que c'est lui qui a déterminé la théodicée des Néoplatoniciens qui lui ont succédé. La notion philonienne peut se résumer ainsi :

(I) Dieu est infini, et donc incompréhensible. (Wolfson démontre [4] que la notion de l'infinité implique l'incompréhensibilité. Dans la terminologie d'Aristote, ce qui est infini est au-delà des sens, et même de l'intellect [5]. Il peut être connu dans son existence, mais non dans son essence [6]. Il est inengendré ($\dot{\alpha}\gamma\acute{\epsilon}\nu\eta\tau\sigma\varsigma$) [7], innommable ($\dot{\alpha}\kappa\alpha\tau\alpha\nu\acute{o}\mu\alpha\sigma\tau\sigma\varsigma$) [8]. invisible ($\dot{\alpha}\acute{o}\rho\alpha\tau\sigma\varsigma$) [9], il ne peut être circonscrit ($\dot{\alpha}\pi\epsilon\rho\acute{\iota}\gamma\rho\alpha\phi\sigma\varsigma$) [10] et il est ineffable ($\ddot{\alpha}\rho\rho\eta\tau\sigma\varsigma$) [11].

(II) Dieu est sans qualités ($\ddot{\alpha}\pi\sigma\iota\sigma\varsigma$) [12] : le mot « qualité » s'emploie

---

[1] *Strom.* V. 14. 117. 3.

[2] *Is.* 40. 18.

[3] *Philo*, deux tomes, Cambridge Mass. 1948 : t. II, pp. 94-164.

[4] *Religious Philosophy*, p. 6.

[5] Aristote, *Physica* I 4 187 b, 7 ; *Metaph.* II 2 994 b, 27-30.

[6] *De Post. Caini* 48. 167., par exemple.

[7] *De Vit. Mosis* II. 32. 171.

[8] *De Somniis* I. 11. 67.

[9] *De Cherubim* 30. 101.

[10] *De Sac. Ab. et Caini* 15, 59.

[11] *De Somniis* I. 67.

[12] *Leg. Alleg.* I. 36.

chez Philon dans le sens stoïcien d'une propriété corporelle. Cette affirmation constitue un démenti de l'anthropomorphisme épicurien [1]. Lié à cette notion est le concept biblique que Dieu n'est semblable à rien, et que rien n'est semblable à Dieu [2] : chez Philon ce concept devient une affirmation de l'incorporéité de Dieu.

La thèse de l'originalité de Philon s'appuie sur ses justifications bibliques du concept du dieu au-delà du monde visible, car ces textes étaient hors de la portée et de l'intérêt des philosophes grecs. Ainsi le principe biblique que Dieu ne ressemble à rien, et que rien ne ressemble à Dieu, constitue le facteur essentiel dans le développement moyen-platonicien du dieu transcendant : sans l'influence juive, prétend Wolfson, l'idée du dieu inconnu n'aurait pas pu se développer. Avec ses perspectives bibliques, Philon poussait Dieu encore plus loin de la compréhension humaine que ne l'avaient fait Platon et Aristote [3]. Le problème donc se réduit à un choix entre deux points de vue : ou bien Philon, par sa formation juive, a déterminé la théodicée platonicienne qui le suivait ; ou bien il a profité des idées contemporaines pour interpréter l'Ancien Testament, et la notion du dieu inconnu était un lieu commun hellénistique. [4]

Il est bien évident que la thèse selon laquelle un auteur est original risque d'être très facilement réfutée, et Chadwick dans son compte rendu [5] a cité un texte qui constitue une grande difficulté pour le point de vue de Wolfson, tel qu'il est formulé. Il s'agit d'un texte de Cicéron, probablement de caractère traditionnel : l'épicurien Velleius offre une liste des théodicées diverses, y compris celle de Platon, « qui, dans le Timée, dit qu'on ne peut nommer le Père de ce monde » [6] : A.-J. Festugière cite un passage de Philon même, qui signale l'existence d'une tradition semblable avant Philon [7] : plusieurs autres passages,

---

[1] Voir Wolfson, *Philon*, II pp. 101 ss ; Bréhier *Les Idées philosophiques et religieuses de Philon d'Alexandrie* p. 71 ss.. Bréhier s'oppose à Guyot (*l'Infinité divine*, pp. 45-48) qui interprète l'affirmation que Dieu est sans qualités dans le sens que Dieu n'est pas déterminé. Cependant la détermination qui est écartée par Philon n'est que celle du plan corporel.

[2] *De Somniis* I 73 ; *Leg. Alleg.* II 1.

[3] Voir l'article de Wolfson : *The Knowability...*

[4] Comme l'avait affirmé J. Geffcken, *Der Ausgang des griechisch-römischen Heidentums*, 1920. Cf. Dodds, *The Parmenides of Plato* ... (p. 132 n. 1) qui affirme que l'éclectisme de Philon est celui du « Jackdaw » plutôt que du philosophe.

[5] Classical Review, 63 (1949) p. 24.

[6] *De Nat. Deorum*, I 30. Ce même texte est cité par Boyancé (*Fulvius Nobilior* ...) contre Wolfson.

[7] *La Révélation...*, t. IV p. 307.

peu connus, jusqu'à ici, sont suggérés par M. Boyancé [1] qui met l'accent sur la littérature pythagorisante concernant l'interprétation du *Timée* de Platon. (Un texte d'Ovide, par exemple, sur l'enseignement de Pythagore affirme que Dieu n'est accessible qu'à l'intellect (*mens*), et qu'il est situé au-delà des dieux-astres.)

Face à ces critiques de la position de Wolfson, il faut réexaminer le rôle de Philon dans le développement de la thèse de *l'agnostos theos* [2]. Il n'y a aucun doute qu'il a revendiqué trop pour l'Alexandrin : le texte de Cicéron, et celui de Lydus [3] sur Fulvius Nobilior, rapportée par M. Boyancé [4], affirment que Dieu est ineffable. Philon donc n'est pas le seul à proposer l'ineffabilité de Dieu : cependant il faut reconnaître que la thèse du Dieu innommable est assez imprécise. Est-ce que ce concept entraîne l'incognoscibilité de Dieu ? La notion est, en effet, trop vague pour qu'on puisse en spécifier les conséquences pour la théorie de la connaissance, à moins qu'elle ne soit renforcée par un point de vue sur la position de Dieu dans la hiérarchie des êtres. Sans de telles précisions, l'adjectif « ineffable » pourrait constituer un simple refus de l'anthropomorphisme, ou une affirmation du mystère divin [5] : si, en revanche, Dieu se trouve en-dehors des idées, de l'existence, et et du *Nous*, le terme « ineffable » prend un sens très fort. Or, Platon nous dit dans le *Timée* qu'il est difficile de trouver Dieu et de décrire sa nature [6]; pour Philon cela est impossible. Quelles sont les données ontologiques qui entraînent ce jugement négatif sur le langage ?

La particularité de cet auteur, c'est qu'il envisage la notion de l'ineffabilité divine à la lumière du principe selon lequel Dieu est incomparable à tout être visible. La signification philosophique de cette

---

« D'autres affirment que l'Inengendré n'a rien de commun avec les êtres créés, mais les transcende si complètement que l'intelligence la plus vive reste loin en arrière de sa représentation et doit s'avouer vaincue. » (*De Somniis* I. 32. 184). Le contexte indique que les philosophes mentionnés ne peuvent être que Platon et Aristote réinterprétés par un penseur hellénistique.

[1] *Op. cit.* M. Boyancé met l'accent sur les sources néo-pythagoriciennes de Philon.

[2] Le dieu « inconnaissable » plutôt que le dieu « inconnu » (voir la nuance suggérée par Festugière, *La Révélation*, ... t. IV p. 2.).

[3] Lydus, *De Ostentis* 16 : « ... mais il est encore bien plus aisé de découvrir par les œuvres elle-mêmes la providence toute sage du Père ineffable de toutes... »

[4] *Op. cit.*

[5] Albinos prétend que Dieu est ineffable *et* intelligible. (Voir les pages 13-17.)

[6] *Timée* 28 c.

position est que Dieu est soustrait au plan des ressemblances [1]. Selon Bréhier :

> ... Or si les Idées sont les exemplaires des choses, il s'ensuit que les Idées sont semblables aux choses : chez Philon lui-lême le Logos qui est un intelligible peut trouver son image dans le monde sensible ; Dieu au contraire ne le peut pas [2].

Ainsi Philon repousse Dieu au-delà même de l'Idée suprême, et ce faisant, s'oppose à la pensée néo-pythagoricienne, dans laquelle Dieu est identique à l'Un. En revanche, chez Philon, Dieu est « plus fort que le Bien, plus ancien que la monade, et plus pur que l'Un » [3]. Il s'agit d'une séparation radicale de Dieu et le monde, avec le plan de l'intelligible entre les deux. En somme :

(I) Dieu est au-delà de l'Un.
(II) Dieu est au-delà du Nous.

En conséquence

(III) Dieu ne peut pas être conçu par l'intellect [4].

> ... ces mots « je suis ton Dieu » sont employés improprement et non dans leur sens propre. Car l'être, en tant qu'il est être, ne fait pas partie des relatifs ... [5].

Voilà donc le sens de l'indicible chez Philon : il constitue un démenti du pouvoir de l'intellect par le fait qu'il place Dieu non seulement en dehors de l'intellect, mais aussi en dehors de l'Un.

Cependant, malgré cette contribution importante à la théologie du Dieu ineffable, on ne peut pas considérer Philon comme le créateur de l'idée. En outre, il est trop simpliste de considérer la postérité platonicienne et chrétienne comme une simple continuation de la théo-

---

[1] C'est-à-dire, il n'y a aucune ressemblance immédiate entre le monde et Dieu. Le monde ressemble au Logos, qui à son tour ressemble à Dieu : cependant il existe une barrière entre le monde visible et Dieu, insurmontable sauf au Logos (Wolfson, *Philo*, I 238 ss.). Origène exprime bien la pensée philonienne : « Nam cum invisibilis Dei ipse sit imago invisibilis, participationem sui universis rationalibus creaturis invisibiliter praebuit ... » (*De Princ.* II. 6. 3 ; aussi IV. 4. 1.). Bréhier (*op. cit.* p. 73) souligne l'importance de la rupture avec l'hellénisme : le but moral, plus ou moins explicite, de la philosophie grecque était la similitude du sage avec dieu. Mais le dieu de Philon est au-delà de cette relation.

[2] *Op. cit.*, p. 72.

[3] *De Praem. et Poen.* 6.

[4] *Leg. Alleg.* 2. 46.

[5] *De Mut. Nominum* 27.

dicée de Philon : en fait, cette postérité est loin d'être unanime [1]. Plotin affirme que l'Un se trouve au-delà du rang de l'intelligence et ses objets [2]. Pour Celse aussi, Dieu est au-delà de l'existence et de l'intelligence.[3] En revanche Albinos hésite entre les deux conceptions d'un dieu intelligible, et d'un dieu qui dépasse l'intelligence [4]. Origène affirme qu'il n'y a pas de solution claire au problème [5]. Finalement, la confusion se manifeste très nettement chez Justin, qui affirme que Dieu est *un être au-delà de l'être* [6].

Il nous semble donc que la tendance à amenuiser le concept de Dieu n'est pas due à Philon seul, mais à un ensemble de mouvements qui alimentait toute la pensée du milieu. Il est simpliste de postuler une ligne de pensée redevable uniquement à Philon, parce que cette hypothèse simplifie trop l'extrême confusion de cette époque. Néanmoins l'exagération wolfsonienne à propos du rôle de cet auteur nous rend service : il s'agit d'une réévaluation de Philon au plan de l'histoire des idées. On se demande si Numénius ne s'est pas laissé influencer par l'œuvre de Philon : on connaît sa remarque frappante que Platon n'était que Moïse parlant Grec [7], et il semble en quelque sorte que Numénius tenta une réconciliation de la pensée juive et la pensée grecque [8].

Mais son influence se manifeste plus clairement dans la pensée chrétienne : cet Alexandrin juif est en fait le père de l'arianisme. En adaptant les structures conceptuelles de la Bible à celles de la philosophie hellénistique, il créa la présentation patristique du dieu inconnu. Son interprétation du principe biblique de l'incomparabilité de Dieu ne sera pas perdue ; au contraire elle durera pendant des siècles dans la pensée juive et chrétienne également. Justin l'adoptera, comme Clément, qui l'hérite sans doute de Pantène. Cet auteur peu connu répondit aux problèmes posés par la transcendance de Dieu de la façon suivante :

> Car il n'est pas possible que ce qui se trouve en-dessus de ce qui est, soit saisi au moyen de ce qui est.[9]

---

[1] Philon lui-même manifeste des tendances d'assimiler Dieu au rang de l'Etre et des Idées. *Vita Mosis* I, 158 : Dieu est l'essence exemplaire sans forme, invisible et incorporelle des êtres. (Voir Bréhier, *op. cit.*, p. 154.)

[2] *Enn.* V. 1.

[3] *Contra Celsum* VII. 45.

[4] *Epitomé* 10. 3. ; 9. I. ss. Voir Merlan, *Cambridge...* p. 66.

[5] *Contra Celsum*, VI. 64 ; VII. 38.

[6] *Dial.* 4.

[7] Fr. 10, Leemans ; voir Clément *Strom.* I. 22. 150. 4.

[8] Voir Whittaker, *Moses Atticising* (Phoenix 21 (1967) 196-201).

[9] Routh, *Reliquiae Sacrae* I p. 379. (Voir Whittaker, *ΕΠΕΚΕΙΝΑ ...*, p. 93.)

La conséquence de la notion du dieu inconnu est le besoin d'un intermédiaire, un être qui fait partie du plan des ressemblances. La pensée chrétienne, bien entendu, attribuait ce rôle au Fils de Dieu ; ayant assimilé le Fils à ce rang dans la hiérarchie des êtres, les chrétiens platonisants ne pouvaient pas éviter la notion de l'infériorité du Fils. En un sens il est vrai que cette hérésie provient directement de Philon, car c'était lui qui définit le rôle du logos comme lien entre les opposés, Dieu et le monde. En somme, l'importance de Philon pour la pensée chrétienne demeure dans son hypostatisation de Dieu et du Logos dans la hiérarchie des êtres.

Dieu dans le moyen-Platonisme

Le moyen-Platonisme aussi connaît un Dieu ineffable. A-J. Festugière a rassemblé un certain nombre de textes qui traitent précisément de ce problème [1]. Apulée de Madaure, platonicien/prêtre de la génération d'avant Clément, parle d'un Dieu qui est créateur et père de tout ce qui existe, incompréhensible, d'une grandeur inconcevable et indicible. La connaissance de ce Dieu est comme la vision de l'éclair qui « sillonne un instant les plus épaisses ténèbres » [2]. Dieu lui-même est incorporel, incommensurable, céleste, ineffable et innommable : ces épithètes tendent bien entendu vers la négation [3]. Certains passages plus difficiles de l'*Apologie* présentent une conception semblable du premier dieu : le père de tous, ce Dieu est concevable pour peu de mortels et ineffable pour tous [4].

Maxime de Tyr témoigne d'un dieu unique [5], roi et père de toutes choses, ineffable, qui pense toujours, toutes choses, toutes à la fois [6]. Albinos aussi souligne l'ineffabilité de Dieu [7]. Le premier dieu est le

---

[1] *Révélation...* t. IV, p. 106 ss.

[2] *De Deo Socratis*, 3 (p. 9, 9 Thomas).

[3] *De Platone* 1, 5 (p. 86 Thomas).

[4] Voir mon article *Apuleius and Platonic Theology* sur ce passage : *Apol.* 64, 7. On note la distinction entre la conception et la parole : si Dieu peut être conçu, il ne peut pas être exprimé par la parole. *Effabilis* constitue un *hapax* chez Apulée ; *ineffabilis* se trouve à *Mét.* XI. 11, 15 ; VIII, 87 ; *De Deo Socratis* 3. Cf. aussi *Timée* 28c sur le dieu indicible. Apulée cite un passage de Platon (*De Platone* 1. 5 ; IIe Lettre) pour démontrer le caractère trinitaire de Dieu : sur ce passage voir Clément, *Strom.* V. 14. 103. 1 et Eusèbe, *Prép. Evang.* XI. 20 ; Celse, dans Origène, *Contra Celsum* VI. 19 ; Plotin, *Enn.* V. 18 ; Albinos, *Epit.* 10.

[5] *Philosophoumena*, éd. Hobein, p. 132, 5.

[6] *Ibid.*, p. 139, 5.

[7] *Epit.* 10, 1 (Louis).

moteur qui fait agir sans cesse l'intelligence du ciel tout entier [1]. Celse souligne que Dieu « n'a ni bouche, ni voix, ni aucune des qualités que nous connaissons... il ne ressemble à aucune autre forme » [2].

Justin entrerait peut-être difficilement dans cette catégorie moyen-platonicienne, mais il fournit des textes qui s'accordent tout à fait avec les passages déjà cités. Il est impossible, affirme-t-il, que Dieu soit circonscrit dans un endroit particulier du monde visible [3] : une forme précoce de l'arianisme se manifeste dans ces propos, car c'est le Fils qui assume ce rôle inférieur de révélateur.

> « ... lorsque vous lisez ces paroles : « Le Seigneur disparut de devant Abraham », ou bien : « Le Seigneur dit à Moïse » ..., ce n'est pas le Dieu incréé qui est descendu ou monté de quelque endroit. Car le père, le souverain maître de toutes choses, dont le nom est ineffable, ne va pas d'un lieu à un autre, il ne marche, ni ne dort .. » [4].

On peut donc conclure avec A.-J. Festugière que l'idée du dieu inconnu est plus ou moins classique dans les écoles platoniciennes. En outre, il est évident que cet article de foi trouve un certain accueil dans la théologie alexandrine et chrétienne. Dans cette perspective le dieu transcendant ne se laisse pas conceptualiser : il ne fait pas l'objet de la connaissance proprement dite. La pensée platonicienne n'ignore pas ce problème : comme solution elle nous offre les célèbres trois voies de la connaissance du divin, la *via negationis*, la *via analogiae* et la *via eminentiae*.

---

[1] *Ibid.* 10, 2.

[2] *Contra Celsum* VI. 62-64.

[3] *Dialogue* 55.

[4] *Ibid.* 127. Cf. H. Chadwick, *Christianity and the Classical Tradition*, p. 15 ; selon Huber, *Das Sein und Das Absolute*, 1955, p. 118, le concept platonicien des ἐπέκεινα τῆς οὐσίας devient en platonisme vulgaire (dont la pensée de Justin est un exemple) la théorie de la *Jenseitigkeit* de Dieu.

CHAPITRE II

LE DIEU TRANSCENDANT ET LE SAVOIR;
NÉGATION, ANALOGIE

La voie de la négation

L'amenuisation de Dieu mit en question la valeur de la théologie, et de tout système de pensée qui prétendait décrire le divin. Ainsi le gnostique ne parlait-il pas de Dieu, mais d'une sphère de la transcendance : « la plénitude » [1]. La théologie négative est née de cette méfiance de la pensée, qui est commune à toute spéculation sur la notion d'un dieu transcendant : on en trouve des traces, bien entendu, chez tous les philosophes grecs à partir de Parménide. Cependant la simple affirmation de la faiblesse des concepts humains ne constitue pas la théologie négative, telle qu'elle est conçue par les Néoplatoniciens. L'apophase, formulée d'abord chez Albinos et ses contemporains, s'achève chez Porphyre, chez lequel elle devient un principe directeur [2].

L'admission de l'insuffisance du langage humain fait partie de presque tout système théologique : elle constitue un lieu commun, même dans les théologies les plus rigides. Or, la théologie négative dépasse une simple affirmation de ce genre, car elle représente la transformation de cette notion en une méthode de connaissance. Selon Plotin :

> Surtout n'essaie pas de le voir à l'aide de ce qui n'est pas lui ; ce que tu verrais ainsi, c'est seulement sa trace et non pas lui. Mais saisis-le intuitivement tel qu'il est, dans sa pureté sans mélange [3].

Loin d'être l'arrière-pensée d'un système théologique, l'apophase devient, pour les Néoplatoniciens, le principe essentiel de toute théologie.

Comme l'a remarqué A. Frenkian [4], la théologie « cataphatique » (ou affirmative) consiste en l'emploi des superlatifs : l'homme est *bonus*, Dieu est *optimus* ; l'homme est *potens*, Dieu est *omnipotens*.

---

[1] Voir Jonas, *The Gnostic Religion* p. 179-186, sur la spéculation valentinienne.

[2] *Elém. Théol.* Prop. 8, avec le commentaire de Dodds, p. 194ss.

[3] *Enn.* v. 5. 10.

[4] Rivistica Clasica, XV (1943) p. 11 ss.

Cependant cette relation dépend de certaines données ontologiques. La théologie cataphatique ne souligne pas la distance entre Dieu et le monde, et, en conséquence, elle peut s'exprimer en termes positifs. En revanche, les Néoplatoniciens tendaient à écarter même les adjectifs superlatifs en raison de leur concept de la transcendance de Dieu : l'abîme était trop grand. Il semblait donc plus exact de dire : l'homme est *bonus*, et Dieu est *non bonus*. Voilà une des idées que nous voulons mettre en relief : à savoir que le système ontologique d'un auteur détermine sa théorie de la connaissance.

Commençons par la voie de l'abstraction d'Albinos :

> La première manière de concevoir Dieu se fera donc par mode d'abstraction de ces choses, tout de même que nous sommes parvenus à concevoir le point en l'abstrayant du sensible, ayant conçu d'abord la surface, puis la ligne, enfin le point [1].

Or, le terme ἀπόφασις n'apparaît pas, car il s'agit de l'abstraction (ἀφαίρεσις). Néanmoins c'est bien la théologie négative qui est en jeu : Wolfson signale un passage de Simplicius qui met en rapport la négation et l'abstraction.

> Dixit propterea Sambelichius : Punctum ideo negando Euclides diffinivit, diminutione superficiei a corpore, et diminutione lineae a superficie, et diminutione puncti a linea. Cum ergo corpus sit tres habens dimensiones, punctus necessario nullum earum habet, nec habet partem [2].

Si l'on traduit *diminutio* par « *abstraction* », ce passage offre un rapport intéressant entre la négation (*negando*) et l'abstraction. En plus, dans la logique d'Aristote la privation (στέρησις), dont l'abstraction constitue une forme, fait partie de la négation en général [3]: ἡ δὲ στέρησις ἀπόφασίς ἐστιν ἀπό τινος ὡρισμένου γένους [4]. (Il est peut-être contestable d'assimiler ainsi l'abstraction et la privation [5] : néanmoins il est évident que l'abstraction se fonde sur le démenti d'un aspect de la chose conçue. Afin de passer de la surface à la ligne, il faut « priver » la surface de son étendue.)

---

[1] 10. 5. (Louis).

[2] Ce passage, tiré du commentaire perdu de Simplicius sur les *Eléments* d'Euclide, se trouve dans le commentaire d'al-Nairizi sur les Eléments. (*Anaratii in decem libros priores Elementorum Euclidis commentarii ex interpretatione Gherardi Cremonensis*, éd. M. Curtze (1899), p. 2, 11 ss.

[3] *Métaph.* 1056 a 24 (ἀπόφασις στερητική).

[4] *Métaph.* 1011 b 19 ss.

[5] Voir J. Whittaker, *Neopythagoreanism* ... (Symbolae Osloenses, 14 (1969) p. 122).

Ainsi l'abstraction d'Albinos signifie-t-elle une certaine forme de la négation : prenons par exemple la proposition;

Les dieux ne sont pas temporels.

Cette négation, en démentant la temporalité des dieux, en enlève une certaine caractéristique — celui de la temporalité. Vue sous cette perspective la négation et l'abstraction se rejoignent : ce fait est rendu clair par un examen des prédicats fournis par Albinos.

Dieu (a) n'a pas de parties
    (b) est donc immobile
    (c) est incapable de changer de lieu ou de forme
    (d) est incorporel [1]
    (e) n'est ni genre, ni espèce, ni différence spécifique
    (f) ne subit aucun accident, ni mal, ni bien, ni choses indifférentes
    (g) n'a pas de qualité (car il est étranger à la qualité et sa perfection n'a pas été réalisée par la qualité.)
    (h) ni absence de qualité (car il ne manque d'aucune de celles qui peuvent lui convenir)
    (i) n'est ni la partie de quelque chose
    (j) ni un tout qui possède des parties
    (k) ni identique à quelque chose, ni autre
    (l) il ne donne ni ne reçoit de mouvement [2].

Chacune de ces propositions constitue la négation d'un prédicat qui est propre au monde visible : souvent le contraire du prédicat est nié aussi. Par exemple il est affirmé que Dieu n'est ni la partie de quelque chose, ni un tout qui possède des parties. Ainsi Dieu est exclu du plan visible : logiquement leur relation est celle de la contradiction. C'est-à-dire, aucun prédicat qui s'applique au monde ne peut s'appliquer à Dieu. Aucun rapport conceptuel ne se présente entre Dieu et le monde.

Cependant ce n'est pas tout : dire que Dieu et le monde sont en contradiction, du point de vue conceptuel, ne peut pas suffire. Pour Albinos certains prédicats sont admissibles, malgré le fait que Dieu est ineffable.

Dieu est (a) éternel
    (b) ineffable
    (c) parfait en soi, c'est-à-dire sans besoin
    (d) toujours parfait, c'est-à-dire parfait dans tous les temps
    (e) partout parfait, c'est-à-dire, parfait en tous lieux

---

[1] 10. 7.
[2] 10. 7. ss.

(f) divin
(g) participant à l'essence
(h) la vérité
(i) la proportion
(j) le bien
(k) la beauté
(l) le père.

Une analyse de cette liste montre que les attributs sont de deux sortes : les attributs a-f sont à ajouter aux négations parce qu'ils constituent, malgré leurs formes positives, des négations des attributs propres au monde visible. Ils découlent de l'opposition de Dieu et du monde, et ils soulignent la relation de contradiction entre le langage sur Dieu et celui sur l'homme. Quant au reste, la situation est différente : Dieu est la beauté, par exemple, dans le sens qu'il est la vraie Beauté, la source de la beauté. Il en est de même pour les attributs h-l. Ici il ne s'agit pas de la contradiction : ces attributs constituent une affirmation de la transcendance de Dieu, ou de sa supériorité [1].

Ces deux aspects manifestent, en effet, le paradoxe qui est au cœur du Platonisme, celui de la relation entre le devenir et l'être : *ce sont des opposés qui se ressemblent*. Le Platonicien tient à la fois à la continuité entre Dieu et le monde visible, et à la différence entre ces deux plans de l'existence [2]. Cette ambiguïté nous fournit l'explication de la confusion terminologique dans les témoignages sur la *via negativa*. Les termes ἀπόφασις (négation) [3], ἀφαίρεσις (abstraction) [4] et ἀνάλυσις (séparation) [5] étaient tous courants.

Ainsi, d'une part, chaque abstraction successive représente une

---

[1] Les deux notions se réunissent chez Plotin : « Ces « noms » eux-mêmes ainsi juxtaposés pour qu'ils se neutralisent (voir *Enn.* VI. 5. 9), il va falloir non seulement les affubler de préfixes superlatifs — parler, par exemple, de « sureffluence » et de « superplénitude », non seulement les corriger à l'aide d'adjectifs privatifs — écrire, par exemple, que la puissance de l'Un est « indicible », — mais, plus résolument encore, recourir enfin à la pure négation ». M. de Gandillac, *La Sagesse de Plotin*, p. 237. M. Armstrong distingue trois formes de la négation chez Plotin (*The Architecture* ... p. 29) : la théologie négative mathématique, ou de la Tradition ; la théologie négative de la transcendance positive ; la théologie négative du sujet infini (où la distinction entre le sujet et l'objet cesse d'être observée.)

[2] Chaque être est donc une unité de l'identité et de la différence.

[3] Plotin (voir la suite).

[4] Albinos, *loc. cit.*

[5] Celse VII, 42 et Clément *Strom.* V. 11. 71. 2. Festugière (*Révélation...* t. IV p. 122) constate le parallélisme entre l'ἀνάλυσις de Celse et l'ἀφαίρεσις d'Albinos : Andresen (*Logos und Nomos* p. 294) accepte cette identification.

négation, une exclusion des concepts « bas » afin de monter aux concepts plus abstraits. Or cette méthode suppose un rapport continu entre chaque étape, sans lequel elle ne peut pas réussir : chaque étape contient en soi la prochaine [1], et il s'agit donc de l'isoler par la méthode de la négation. Voilà la théologie négative mathématique, soulignée par M. Armstrong [2] : cette conception se rapporte à la notion de la construction de la réalité à partir des nombres. Dans une certaine mesure, l'Un des moyen-Platoniciens se liait à la logique de cette unité : Speusippe fit de l'Un le premier d'une série d'ἀρχαὶ, de nombres, de grandeurs et ensuite de l'âme [3].

On est donc justifié de tirer la conclusion que la méthode de la négation a deux significations au début : d'abord la négation par abstraction, supposant la continuité des choses ; deuxièmement la négation par la contradiction, supposant le caractère opposé des choses. Les deux notions (et tous les trois termes) se retrouvent chez Plotin, qui explicite les termes de ses prédecesseurs à plusieurs reprises : tous les prédicats que l'on emploie vis-à-vis de notre monde sont niés dans le cas de l'ultime réalité. La matière est absolument opposée à l'un : elle représente la négation et la privation, vidée de toute réalité, sans aucune trace du Bien. Dieu, par conséquent, est tout à fait autre, et ce fait est le fondement de la *via negativa*. Dieu est sans dimension, sans figure et sans nom, et il échappe à la définition. Ainsi les prédicats du monde sensible sont contredits à l'égard de l'Un : pour Plotin le choc de cette affirmation et de ce démenti simultanés forme une partie indispensable de la préparation de l'esprit pour son ascension.

Toutes les deux formes de la négation sont rapprochées dans la perspective plotinienne. Là elle est conçue comme purification, purification de l'esprit et du processus mental. Ce rite intellectuel s'effectue par la négation successive des concepts limitatifs, soit négation de contradiction soit négation d'abstraction. Les autres textes que

---

[1] Le principe de la continuité des niveaux ontologiques se trouve déjà chez Platon : « Quant à leur génération, dans quel cas, pour toutes, se produit-elle ? Evidemment lorsque leur principe, ayant pris son premier accroissement, en vient à son second stade, puis, de là, au stade suivant, jusqu'à ce que, parvenu à trois, il soit devenu sensible pour tout être doué de sensation ». (*Lois* 894 a 1-5) Il est vrai que Platon n'applique jamais ce principe à la génération du point, de la ligne, et de la surface. Cependant l'interprétation néoplatonicienne rapproche à sa place les deux idées (Alexander Polyhistor; Simplicius *Phys.* III 4 p. 454 19).

[2] Voir p. 23 n. 12.

[3] Aristote *Métaph.* Z 2.

nous considérerons, surtout du côté chrétien, maintiennent aussi cette double conception de la *via negativa*.

Il est probable que Numénius employait la voie de négation : cependant nous n'avons qu'une affirmation de l'ineffabilité de Dieu, qui, selon Numénius, ne ressemble à rien, échappe à toute détermination et à toute conceptualisation : il habite le désert de l'esprit [1]. Plus explicitement, dans les oracles chaldaïques : [2]

> Il faut chercher à le saisir non par une vue directe, mais, portant sur lui le pur regard de ton âme qui s'est détourné des sensibles, tendre vers l'Intelligible un intellect tout vide de pensée, jusqu'à ce que tu parviennes à le connaître : car il échappe aux prises de l'intellect.

Ici donc se manifeste l'élément essentiel de la méthode de la négation : l'intellect doit être purifié, vidé de pensée. On reconnaît aussi la négation par l'opposition dans la mesure où la penseé doit être éliminée plutôt qu'affinée.

Un texte de Justin est capital :

> Car le Père, le souverain maître de toutes choses, dont le nom est ineffable, ne va pas d'un lieu à un autre, il ne dort ; il demeure dans son séjour qui est partout ; il n'est rien qu'il ne discerne, qu'il n'entende parfaitement sans yeux et sans oreilles ; mais par sa seule vertu ineffable il voit tout, il entend tout ; personne ne lui échappe, il ne change point de lieu ; l'espace, que dis-je !, le monde tout entier, ne peut le contenir, car il était avant le monde... [3].

La vraie conception de Dieu n'est pas anthropomorphique, car tous les prédicats propres à l'être humain sont démentis. Pourtant on retrouve la même ambiguïté au sein de la négation justinienne : elle découle également de la différence de Dieu (il ne marche, ni ne dort), et de la similitude de Dieu : l'apologète se permet de dire que Dieu « voit et entend », mais « parfaitement », et sans « yeux ou oreilles ». Voilà donc l'abstraction, qui part d'une similitude fondamentale.

En dernier lieu, un passage d'Hippolyte pourrait éclairer l'usage clémentin de la notion de l'abstraction à partir de la surface jusqu'au point : cet auteur nous dit que les Naassènes identifiaient le point géométrique avec le grain de sénevé de *Matthieu* 13.31. Cette assimilation suppose une interprétation sans doute néopythagoricienne [4] du

---

[1] Voir le thème de l'ἐρημία dans les fragments.

[2] Frag. p. 11 (Kr.).

[3] *Dial.* 127.

[4] Voir E. R. Dodds, *Proclus : The Elements of Theology* p. 312, qui suggère qu'Albinos utilisait la même source.

texte biblique — ce qui est extrêmement significatif pour notre étude.
Il est évident donc que déjà avant Clément, le christianisme avait
emprunté la notion de l'abstraction aux pythagoriciens pour sa propre
conception de la connaissance.

> Le royaume des cieux est ceci : le grain de sénevé — le point indivisible, qui
> existe dans un corps. Mais ce fait est ignoré de tous sauf des spirituels [1].

En somme, la *via negativa* naît de la thèse de la transcendance divine :
elle constitue une méthode de purification de l'esprit. Cette purification s'effectue par des négations, qui sont de deux types : celles qui
dérivent de l'opposition entre Dieu et le monde, et celles qui éliminent
ce qui n'est pas essentiel dans une ligne de continuité entre Dieu et le
monde.

Via eminentiae

> Il existe une troisième manière de se faire une idée de Dieu, on contemple
> d'abord le beau qui réside dans le corps, puis on passe à la beauté de l'âme,
> de là au beau dans les mœurs et dans les lois, et enfin au vaste océan du beau [2].

L'idée de la gradation successive de la connaissance se fonde directement sur un passage de Platon, *Banquet* 210 a, b, c, d. : l'on commence
par le beau qui réside dans le monde sensible, et on le poursuit jusqu'à
ses origines. Il s'agit de tracer les lignes causales jusqu'à la cause finale.
Il est évident que cette notion-ci, et celle de l'abstraction, sont très
proches : la distinction est pourtant simple. La *via eminentiae* suppose
la *via negativa*, puisque chaque étape de l'ascension doit se réaliser
par un acte négatif en même temps qu'un acte positif. Avant d'atteindre un concept, il faut en supprimer un autre : voilà le rôle de la théologie négative, et en voici la preuve :

> ... lorsque les hommes se proposent de concevoir l'intelligible, ils y mêlent
> quelque apparence sensible, comme l'idée de grandeur, de figure ou de couleur
> qu'ils y joignent souvent... [3].

Le caractère mixte des conceptions humaines demande la thérapeutique
de la négation; une fois effectuée, cette opération permet l'ascension
de l'esprit. Les deux méthodes se complètent.

---

[1] *Haer.* 5. 9. (P.G. 16, 3154).

[2] Albinos *Epit.* 10. 6. Witt (*Albinos...* p. 124) et Festugière (*Révélation...* t. IV p. 95)
rapproche ce passage et la voie de l'induction.

[3] 10. 1.

La voie de l'analogie

Il reste à examiner une méthode qui est devenue un des principes de base de la théorie de la connaissance religieuse : il s'agit de la théorie de l'analogie. Chez Albinos, par exemple, elle s'explique ainsi :

> Le soleil est avec la vision et avec les objets visibles dans le rapport que voici : il n'est pas lui-même la vue, mais il permet à la vue de voir et aux objets visibles d'être vus. C'est dans le même rapport que se trouve le premier esprit avec l'intelligence de l'âme et avec les objets intelligibles [1].

Mais la comparaison du soleil n'est pas l'invention d'Albinos, car elle trouve ses débuts chez Platon et se développe dans le Néoplatonisme. Elle remonte, en premier lieu, au célèbre passage de la *République* de Platon, où le Bien et ses fonctions sont expliqués par l'exemple parallèle du soleil :

> Eh bien, maintenant, sache-le, repris-je, c'est le soleil que j'entendais par le fils du bien, que le bien a engendré à sa propre ressemblance, et qui est, dans le monde visible, par rapport à la vue et aux objets visibles, ce que le bien est dans le monde intelligible, par rapport à l'intelligence et aux objets intelligibles [2].

Les Néoplatoniciens, en identifiant Dieu et le Bien [3], ont fait de ce passage un *locus classicus* sur la relation de Dieu et le monde. A part le témoignage d'Albinos, Celse, parlant de la voie de l'analogie, cherche à éclaircir la fonction cosmique de Dieu en la mettant en rapport avec celle du soleil :

> Eh bien donc, ce qu'est le soleil pour les visibles—il n'est ni œil ni vue, mais il est cause, pour l'œil, du fait de voir, pour la vue, de ce qu'elle existe, pour les visibles, de ce qu'ils sont vus, pour tous les sensibles, de ce qu'ils viennent à l'existence ; bien plus, il est lui-même cause de ce qu'on le voit —, Dieu l'est pour l'intelligible [4].

Il est évident que le soleil joue un double rôle : d'abord il éclaire, en fournissant la visibilité — il n'est pas lui-même la vue, mais il assure la vue. En deuxième lieu, le soleil nourrit ; comme la croissance des plantes est due au soleil, l'existence des choses vient de Dieu.

Cette juxtaposition de rôles ne se retrouve pas chez Albinos [5] ;

---

[1] 10. 5.

[2] *Rép.* 508 b, c. (Trad. Chambry, Budé).

[3] On passera sous silence le problème du Bien chez Platon : il suffit de remarquer l'interprétation postérieure.

[4] *Contra Celsum* VII 45.

[5] 10. 5.

mais elle est dans la version de Platon lui-même (... le soleil donne aux objets visibles non seulement la faculté d'être vus, mais encore la genèse, l'accroissement et la nourriture...) [1]. Il en découle qu'on peut postuler une relation causale entre Dieu et le plan sensible et que l'analogie du soleil peut servir de modèle pour cette relation. En son essence, Dieu est ineffable, mais sa fonction cosmique permet de parler des effets visibles de son existence. Cette notion représente une démarche importante dans l'histoire de l'analogie, car son utilité comme principe de philosophie religieuse dépend précisément de la supposition d'une relation fondamentale entre Dieu et sa création [2].

De plus, le soleil nous enseigne que Dieu assure l'intellection humaine. L'existence de Dieu signifie la possibilité du savoir. De même que la lumière permet le fonctionnement des yeux, Dieu assure le fonctionnement des facultés intellectives :

> ... il lui donne de concevoir et aux choses conçues d'être conçues, car il révèle par sa lumière ce qu'il y a en eux de vrai [3].

Ainsi le scepticisme et le solipsisme sont-ils écartés.

Ayant examiné les témoignages différents, il est nécessaire que nous précisions les sens du terme « analogie ». L'ἀναλογία se retrouve assez souvent chez Plotin et elle est souvent liée à la comparaison du soleil. Le concept plotinien de la lumière est déjà étudié : dernièrement un article de Beierwaltes [4], qui approfondit ce problème, examine toute la question de la puissance de la métaphore chez Plotin. En particulier cet auteur parle de « Die Reduktion der Licht-Symbolik auf Licht-Metaphysik » [5], et cette remarque rappelle que l'idée de l'analogie chez les Néoplatoniciens est assez particulière. Si nous avons admis certains rapprochements entre la philosophie moderne de l'analogie et la philosophie ancienne, ce n'était pas pour les assimiler [6].

L'analogie. comme elle est conçue depuis St. Thomas, constitue une défense de la possibilité du langage religieux et de la théologie. Partant d'une ressemblance entre le visible et l'invisible, la théorie de l'analogie affirme que la relation causale entre Dieu et le monde justifie le

---

[1] *Rép.* 509b. (Trad. Chambry, Budé).

[2] Wolfson (*Albinos and Plotinus on Divine Attributes* ...). met en relief le concept de la *causalité* : voir p. 32.

[3] 10. 5.

[4] Zeitschrift für Philosophische Forschung, 15 (1961) pp. 334-362.

[5] *Op. cit.*, p. 336 n. 6.

[6] Wolfson (*Albinos and Plotinus*...) démontre clairement que la notion d'une relation causale entre Dieu et le monde est présente dans l'analogie de ces deux auteurs.

développement d'un langage religieux. Devant le bon, le beau, et le juste dans le monde visible, l'humain postule une source de ces qualités : il attribue, par analogie, ces qualités au divin. Voici *l'analogie d'attribution*, distinguée par St. Thomas de *l'analogie de proportion* [1].

En deuxième lieu, le sens vague du terme inclut toute ressemblance entre les choses, et toute comparaison. Selon Blondel [2] :

> Les analogies se fondent moins sur des ressemblances notionelles (*similitudines*) que sur une stimulation intérieure, sur une sollicitation assimilatrice (*intentio ad assimilationem*).

Voici l'analogie « arbitraire », qui est inventée pour expliciter ou convaincre, et qui est purement subjective.

La question se pose alors : quels sont les rapports entre l'analogie des moyen-Platoniciens, et celle des acceptions esquissées ci-dessus ? Il est à remarquer d'abord que le terme ἀναλογία ne se trouve pas dans le passage de Platon ; pourtant les niveaux de la Réalité sont analogues (ἀνάλογον) [3]. Socrate prétend qu'il s'agit d'une similitude (εἰκόνα) [4] entre le plan visible et le plan invisible : le but de la discussion n'est pas la nature du Bien, mais la nature de sa progéniture. Platon n'emploie que rarement le terme ἀναλογία, d'habitude dans le sens de proportion et de similitude : il n'envisage jamais l'usage attributif d'ἀναλογία [5]. Platon donc propose une similitude. Quant à Albinos, le caractère condensé du style de son manuel nous empêche de dire dans quel sens il concevait l'analogie : est-ce qu'il nous offre une analogie qu'il considère valable à cause de sa consécration par Platon ? Dans ce cas la voie de l'analogie se réduirait à l'emploi d'une seule comparaison. Ou s'agit-il d'un exemple d'un principe général ? Autrement dit, est-ce qu'Albinos proposait que les similitudes réelles se prêtent au développement d'un langage analogue ? Il semble difficile d'aller si loin, d'affirmer qu'Albinos, partant de son analogie, envisageait toute une théorie d'attribution : sa notion est, en effet, plus primitive. Ἀναλογία se

---

[1] « Riant, appliqué à un visage et à un jardin, est analogue. Tous les noms d'attributs appliqués à Dieu doivent être entendus au sens analogique ». A. Lalande : *Vocabulaire technique et critique de la philosophie*, sub Analogie.

[2] *L'Être et les êtres* p. 225-226 : cité chez Lalande, *op. cit.*

[3] 508 c.

[4] 509 b.

[5] Voir P. Grenet, *Les Origines de l'analogie philosophique dans les dialogues de Platon* p. 21-97. Selon cet auteur, le sens le plus important de l'analogie chez Platon est le sens mathématique : la proportion lui fournit un moyen de trouver l'unité en pluralité du cosmos.

traduit ici par « similitude » ou « proportion » : elle possède une signification ontologique. L'analogie se trouve dans la structure de l'être.

L'analogie d'attribution découle, bien entendu, de cette première
notion : sans analogie réelle, aucune analogie attributive n'est possible.
Il est vrai aussi que Plotin au moins s'est aperçu de cette conséquence :

> Transportant des êtres inférieurs les attributs inférieurs, en raison de notre
> impuissance à rencontrer ce qu'il convient de dire de lui, nous pouvons parler
> de lui [1].

Il est évident donc qu'il y a deux conceptions en jeu : l'analogie considérée comme une relation entre les termes, et comme une relation entre
les êtres. Mais c'est la deuxième notion qui est fondamentale dans
la philosophie moyen-platonicienne de l'analogie. De plus, il faut
préciser que cette forme de l'analogie n'a rien de subjectif. Il ne s'agit,
ni d'une comparaison arbitraire, ni de *l'intentio ad assimilationem*.
L'analogie n'est pas choisie; elle s'impose au sujet puisqu'elle est
réelle.

L'analogie des êtres

Dans son livre *The Analogy Between God and the World*, H. Lyttkens
affirme que l'interprétation néoplatonicienne de l'analogie ressort du
principe de « distribution cosmique ». Deux textes sont suggestifs :

> L'intelligible ($\tau\grave{o}\ \nu o\eta\tau\grave{o}\nu$) est la cause de tout autre être, et l'être est com-
> muniqué aux autres choses de façon homonymique [2].

> ... Ce qui, par son existence, produit un caractère dans d'autres choses, possède
> ce caractère à un degré plus élevé [3].

Chaque être se reproduit, sous sa propre forme, selon le niveau [4].
Chaque niveau constitue, vis-à-vis du niveau supérieur, une union
de l'identité et de la différence. Ainsi s'explique l'affirmation de
Philon [5], que le créateur imposa un système d'égalités à l'univers et
que parmi ces formes se trouve l'analogie [6]. Sa conclusion est capitale :

---

[1] *Enn.* VI. 8. 8.

[2] Asclep. *In Met. Comm. in Aristot. Gr.* VI 2 p. 119 ss.

[3] Proclus *El. Théol.* 19. Cf. la traduction de Dodds, p. 21.

[4] *Op. cit.*, 103; voir Dodds p. 254.

[5] *Quis rerum Div. Heres.* 146.

[6] *Op. cit.*, 152; cf. 145 « Mais il est nécessaire de distinguer encore un autre type
d'égalité, l'égalité proportionnelle ($\delta\iota\grave{a}\ \dot{a}\nu a\lambda o\gamma\acute{\iota}a\varsigma$), selon laquelle le petit nombre
est considéré comme égal au grand nombre, les petites quantités sont égales aux grandes ».

en vertu de ces similitudes, la comparaison est possible. Le monde peut être contemplé analogiquement : (Ceci rappelle *Timée* 28, où l'*ἀναλογία* se présente comme l'instrument de l'unité du cosmos [1] : cependant, tandis que chez Platon l'analogie retient son sens mathématique, chez Philon elle unit par *égalité*, mathématique et autre).

Ces similitudes se produisent horizontalement et verticalement : une sympathie universelle se montre entre les éléments du monde visible aussi bien qu'entre ce monde et l'intelligible. Le fait de cette sympathie éclaire l'idée que nous avons formulée dans le chapitre 4 — celle de l'exégèse exemplariste. On ne saurait surestimer les effets de la notion de la sympathie [2] des êtres sur la *Weltanschauung* du Néoplatonicien : nous verrons plus tard que l'herméneutique de Plutarque s'appuie sur le concept de la similitude. Le soleil, les triangles, les nombres sont tous des images de la Réalité : les rites du culte d'Isis sont des imitations des expériences de la déesse [3]. Aubin, dans son article sur l'image chez Plotin, nous dit :

> En résumé, on voit comment la sympathie universelle est la conséquence de ce fait que tout vient d'une même origine et que tout a une ressemblance de famille... D'une certaine façon, on peut dire que dans ce domaine la ressemblance est réciproque. C'est le domaine du *λόγος*. C'est à ce niveau seulement que la notion de signe pourrait avoir quelque parenté, bien lointaine d'ailleurs, avec la notion d'image [4].

Mais cette famille de ressemblance est aussi tournée au-delà d'elle-même, vers son origine. Cette relation est analogique : elle n'est pas statique, car elle représente une aspiration positive vers l'un [5].

C'est là, dans ce context, qu'il faut placer le concept de l'analogie qui est employé par Clément : pour lui cette méthode consiste en la contemplation analogique de la réalité. De plus, la structure analogue de la création nous conduit vers sa source, Dieu. Ainsi le tabernacle, par sa forme et par ses dimensions, achemine l'esprit aux réalités célestes [6].

La *via analogiae*, considérée sous cette perspective, côtoie la « preuve

---

[1] Voir ma note, Hermes 97 (1969) p. 373.

[2] La notion de la sympathie entre les éléments de l'univers vient surtout de Posidonios : son concept de l'unité du cosmos se fonde sur l'idée d'une tension unifiante. (Reinhart, *Poseidonios*, p. 346, 352.)

[3] Voir les pages 79 ss.

[4] Recherches de science religieuse 41 (1953) p. 372.

[5] *Ibid.* Selon Albinos, le premier dieu met en mouvement le *désir* des visibles. 10. 2. (Louis).

[6] *Strom.* VI. 11. 86. 1.

par la vue du monde » dans laquelle les structures du monde visible signalent leur source. Selon Maxime de Tyr, quand l'âme voit le monde

> elle prononce que tout est l'œuvre de Dieu, elle est saisie d'amour pour l'Artisan et elle a quelque pressentiment de son art [1].

Un texte de Paul rejoint aussi à ce thème, et ne pouvait qu'alimenter le concept clémentin de l'analogie :

> En effet ses perfections invisibles, son éternelle puissance et sa divinité sont, depuis la création du monde, rendues visibles à l'intelligence par le moyen de ses œuvres [2].

Il reste un texte important qui rapproche explicitement cette notion et le concept de l'analogie — le Livre de la sagesse 13, 5 :

> De la grandeur et de la beauté de son œuvre, le créateur est contemplé analogiquement.
> (ἐκ γὰρ μεγέθους καὶ καλλονῆς κτισμάτων ἀναλόγως ὁ γενεσιουργὸς αὐτῶν θεωρεῖται.)

Ce texte a fait l'objet d'une étude approfondie par George [3], qui démontre que le terme ἀναλόγως doit être entendu en un sens philosophique. Il est vrai que cet écrit manifeste de nombreux concepts et de termes philosophiques, et les lieux communs des Stoïciens et des des Néoplatoniciens ne lui étaient pas étrangers [4]. L'idée que le cosmos proclame son créateur est attestée dans toutes les deux traditions :

> *Platon* :
>
> Il y a d'abord la terre, le soleil, les astres et l'ensemble de l'univers, et les alternances des saisons si bien agencées, et leur distribution en années et en mois ; et le fait que tous, Grecs et Barbares, croient qu'il y a des dieux [5].

> *Cicéron* :
>
> La quatrième, et la cause la plus puissante de la croyance en dieu, était le

---

[1] p. 133, l. 4.

[2] *Rom.* I 20.

[3] *Festschrift Hirschberger* p. 189 ss. : voir les interprétations différentes regroupées par cet auteur (p. 188-192). Notamment *cognoscibiliter* (Cornely, *Commentarius in Librum Sapientiae* p. 467) ; *consequentur* ... (Hilaire, *De Trinitate* I 7). Lyttkens le cite (*op. cit.* p. 101) comme exemple de l'analogie néoplatonicienne. C. Larcher (*Lumière et Vie* 14 (1954) 197-206) : ce concept « suppose un rapport de proportion entre deux réalités et renvoie aussi (cf. le verbe grec correspondant) à une démarche de l'esprit procédant d'une chose connue à une autre par voie de comparaison ou de déduction. »

[4] George, *op. cit.* p. 193.

[5] *Lois* X. 886a. (Trad. Diès, Edn. Budé.)

mouvement uniforme et la révolution des cieux, et les groupes différents et la beauté ordonnée du soleil, de la lune, et des astres [1].

Cette perspective optimiste est celle du *Livre de la Sagesse* : la beauté et l'ordre du monde tournent l'esprit vers leur créateur. L'homme se trouve entre Dieu et le monde, mais il passe de l'un à l'autre par la pensée analogique. En plus, la foi se lie avec le raisonnement analogique, car l'athéisme signifie un echec intellectuel [2]. En revanche, le croyant est celui qui voit la relation causale entre le monde et le créateur. Voilà ce qui est significatif pour le concept de l'analogie : il s'agit d'une perspective, une forme de la contemplation du monde. La voie de l'analogie consiste en la reconnaissance de la structure analogique du Réel : l'athée ignore la vraie relation entre le monde visible et le monde invisible. L'analogie — reprenons le terme « similitude » — constitue la manière d'être du Réel.

La similitude est à la base du concept platonicien de la reconnaissance : lorsqu'on reconnaît Socrate après l'avoir oublié, c'est parce qu'on éprouve une sensation semblable à celle de sa première rencontre [3]. La similitude entre les choses provoque le processus mental qui les rapproche. Cette notion quasi-psychologique confirme notre interprétation de l'analogie, parce qu'elle éclaire le fondement de l'affirmation que la structure analogique des êtres visibles conduit l'esprit à l'invisible.

---

[1] *De Nat. Deorum* II. V. 15.

[2] George, *op. cit.*, p. 196 : « Theisten und Atheisten sind nicht identisch mit Glaubigen und Ungläubigen, sondern mit guten und schlechten Denkern ».

[3] C'est l'exemple d'Albinos, *Epit.* 4. 5 (Louis).

B. ASPECTS CULTURELS ET RELIGIEUX

LE MILIEU SYNCRÉTISTE

Il est évident que Clément, avec sa culture riche et éclectique, employait beaucoup de termes et de techniques propres à la pensée syncrétiste qui fleurissait sous l'Empire. Un des résultats de cet important mouvement s'est manifesté dans la tendance vers le développement d'une théorie du symbolisme : cette préoccupation du symbole ne manque pas dans la gnoséologie clémentine :

> Quant à moi, toute mon ambition, et je pense avoir raison, est de vivre selon la Parole, d'en retrouver le sens profond, et, sans jamais prétendre à la beauté du style, de faire entrevoir l'idée à travers le symbole [1].

En second lieu, le syncrétisme apporte une méthode, qui dérive de la croyance en une foi fundamentale à toutes les cultures. Le désir de réaliser une synthèse entre les traditions différentes joue un rôle important dans la méthodologie de notre auteur, surtout dans son traitement de la notion du symbolisme. Il est donc necessaire d'esquisser les grandes lignes de l'approche syncrétiste, afin de spécifier les influences dont Clément s'inspirait.

Définitions

D'abord le terme : $\sigma\upsilon\gamma\kappa\rho\eta\tau\iota\sigma\mu\acute{o}\varsigma$ signifie l'union politique, la fédération [2]. Cependant le terme français est plus large : il peut désigner le processus par lequel on rapproche des idées de souches différentes, pour en composer un système nouveau. Ainsi on peut parler d'un syncrétisme philosophique, tel que l'éclectisme : cependant nous nous bornerons à ce que signifie le mot $\theta\epsilon o\kappa\rho\alpha\sigma\acute{\iota}\alpha$ [3], la combinaison de systèmes théologiques. Cette activité, qui a pour but l'enrichissement d'un système par l'apport des autres, se caractérise parfois comme une

---

[1] *Strom.* I. 11. 48. 1.

[2] Plutarque, *De Fraterno Amore*, 490 b.

[3] Ce terme paraît dans le titre d'un ouvrage perdu de Phérécyde de Samos, sur le syncrétisme (Suidas s.v.).

maladie spirituelle [1] et parfois comme le contraire, un bienfait né d'un esprit cosmopolite. Néanmoins, il n'est pas de notre propos de reprendre cette question, mais plutôt celle de la contribution de la méthode syncrétiste à la théorie de la connaissance religieuse.

La disparition de la cité avait lancé le Grec dans un monde plus vaste et moins fermé que celui de sa πόλις. Il a dû tenir compte des habitudes et des croyances différentes qui l'entouraient, et se situer vis-à-vis de ses voisins d'Asie et d'Afrique. Cette prise de conscience se précipita avec les conquêtes d'Alexandre le grand; la langue grecque se répandit à travers le monde antique et s'enrichit de nouvelles conceptions et pratiques qui cherchaient une formulation. Etant sortie de l'abri, la culture grecque se trouvait au large. L'âge hellénistique était l'âge du cosmopolite, de celui qui goûtait et expérimentait, et qui menait une vie influencée par des cultures autres que la sienne [2].

Dans cette ambiance donc, une religion éclectique était presque obligatoire pour l'intellectuel: on trouve, en effet, de nombreuses références à des voyages d'étude, entrepris sous forme de pélerinages spirituels. Apulée fit un voyage de ce genre entre quinze et vingt-cinq ans: il mentionne avec fierté qu'il traversa l'Orient, la Grèce, et l'Italie [3]. Plutarque parle favorablement de quelques contemporains qui ont fait un pareil voyage [4]. C'était une époque qui respectait l'insolite et l'exotique en matière de religion, la mode intellectuelle s'intéressant surtout aux mystères de l'Egypte.

Le processus religieux

A part les changements sociaux qu'a subi le monde grec à cette époque, la religion en Grèce et en Egypte se développait vers une forme qui pourrait s'adapter au syncrétisme. En premier lieu, il est à remarquer que les dieux grecs furent souvent liés à des fonctions spécifiques: sans les confondre avec les *numina* romains qui n'avaient guère de personnalités affirmées, il est néanmoins vrai que leurs attributs personnels allaient de pair avec leur fonctions cosmiques. Chez Empédocle, Aphrodite se présente comme la force qui unit les éléments opposés [5]:

---

[1] Voir, par exemple, D. W. Gundrey, Hibbert Journal 44 (1945-1946) p. 344-352 (sur Plutarque).

[2] Voir Rohde, *Psyche*, p. 507 (Trad. française).

[3] *Apol.* p. 459; *Florides* VI.

[4] *De Defectu Oraculorum* 410 a-c; 419 f - 420 a. (Démétrios le grammairien et Cléombrotos de Lacédémone).

[5] Pourtant Aphrodite n'est pas la personification de cette force: il ne s'agit pas d'une

Zeus était d'abord un dieu du ciel, la source de l'humidité [1]. La méthode syncrétiste se fonde sur la notion de fonction : Plutarque se permet d'identifier Dionysos et Osiris, le dieu du Nil, à cause de leur communauté de fonction [2]. De plus, cette comparaison des fonctions des dieux grecs et étrangers se fondait sur une certaine vérité, car les religions de la région méditerranéenne se ressemblaient dans la mesure où elles étaient de caractère cosmique. Sur le plan de la fonction donc, certaines coïncidences se manifestaient : ce fait, et le fait de la « démythisation » des aspects personnels des dieux, ne pouvaient que faciliter le processus syncrétiste. L'adoration du soleil offre un exemple de cette similarité : Héraclite nous dit [3] :

> Qu'Apollon est identique au soleil et qu'un seul dieu soit aussi orné de deux noms, cela nous est rendu clair par les discours initiatiques que l'on rapporte sur les dieux dans les initiations secrètes.

Le soleil jouait un rôle aussi important chez les Egyptiens, à cause de son association avec la fertilité : cette convergence des religions antiques au plan du cosmos a attiré l'attention des savants modernes [4], aussi bien que celle de leur précurseur antique, Plutarque [5] :

> De même que le soleil, la lune, le ciel, la terre, qui sont communs à tous, portent chez les différents peuples des noms différents, pareillement la sagesse unique qui a tout disposé, la providence unique qui gouverne tout, et les puissances inférieures qui ont collaboré à l'action souveraine portent des noms différents, reçoivent des honneurs différents déterminés par des lois différentes, chez les différents peuples.

Cette affirmation classique [6] du syncrétisme nous permet de comprendre la méthode par laquelle l'intellectuel de l'antiquité a pu réagir au défi du pluralisme de son environnement : il a dû trouver une for-

---

simple métaphore, mais d'un rapprochement de sa nature et sa fonction. Selon Hersman (*Studies...* p. 7) cette relation est de nature allégorique, ce qui est vrai dans la mesure où la fonction du dieu grec symbolisait sa personnalité.

[1] Voir A. B. Cook, *Zeus* p. 1 ss.

[2] *De Iside et Osiride* 356 b, 364 d. ss.

[3] *Quaestiones Homericae* VI, 6.

[4] E. O. James (*The Conception of God*) dans son chapitre intitulé *The Worship of Nature* traite de ces coïncidences : Eliade adopte le terme « hiérophanie » pour les caractériser.

[5] *De Iside et Osiride* 377 f - 378 a.

[6] Une forme christianisée de cette affirmation se trouve chez Irénée, qui souligne la nature universelle de la vérité chrétienne (*Adv. Haer.* 1. 10. 2) : « Comme le soleil, créature de Dieu, est unique dans le monde entier et toujours identique à soi, ainsi la vérité est partout prêchée et illumine tous les hommes qui veulent parvenir à la connaissance de la vérité ».

mulation de l'éclectisme religieux qui pourrait établir une unité fondamentale derrière les éléments divers de son expérience. Cette unité s'est réalisée dans une religion cosmique, fondée sur les réalités cosmiques-hiérophanies-qui faisaient partie de toutes les religions.

Faiblesse de la religion grecque

Cependant le processus de θεοκρασία n'aurait pas été possible si les personnalités divines n'avaient pas commencé à perdre leur credibilité. Les débuts de cette désacralisation des personnages divins se manifestent le plus clairement chez Euripide, avec ses caractérisations iconoclastes : une tendance pareille se montre plus tôt, presqu'au point de départ de notre connaissance de la littérature grecque. Hérodote pratiquait la critique rationaliste des contes traditionnels [1] : déjà avant lui Xénophane avait ressenti les difficultés de l'anthropomorphisme ; les dieux d'Homère se manifestaient si humains dans leur comportement, leurs désirs et leurs ambitions que bientôt ils perdirent leur capacité de stimuler la crainte, condition essentielle de toute religion. Xénophane, pour sa part, affirma l'existence d'un dieu au-delà de ces dieux humains, un dieu unique et tout-puissant. D'ailleurs le monisme religieux de Xénophane n'est pas étranger au monisme des philosophes milésiens, qui cherchaient un principe premier de toute matière et de tout être [2].

Ainsi la faiblesse des mythes grecs, surtout dans le domaine des personnages divins, a permis le rapprochement de ces mêmes dieux et de dieux étrangers : finalement, en effet, le syncrétisme s'est séparé des aspects personnels des dieux, s'appuyant plutôt sur leur rôle cosmique.

---

[1] L'on pense à son traitement du mythe d'Hélène, par exemple.

[2] La démonologie peut être considéré comme un résultat direct de cette tendance vers le monisme : la conception du Dieu unique et des dieux inférieurs à lui est courante à cette époque. (Apulée *De Plat.* 1. 5 ; 1. 11 : Maxime de Tyr XI. 5 (Hobein) : d'autres textes chez Peterson, *Der Monotheismus als politisches Problem*, Leipzig 1935, p. 48 ss.). L'affirmation d'un dieu unique entraînait le problème du reste du Panthéon : chez les Stoïciens ces divinités superflues ont disparu sous les attaques de l'allégorisme philosophique. (Cicéron *De Nat. Deorum* II. 23. 60 : voir aussi l'hymne de Cléanthe, von Arnim S. V. F. I, 537, 535.). Une autre façon de s'en débarrasser, pour ainsi dire, se manifeste dans l'affirmation que les noms représentaient des aspect différents du même être. (Serv. *ad Georg.* 1, 5 : Apulée *Met.* XI, 5 ; *De Mundo* 37). En dernier lieu la démonologie est un moyen de subordonner certains dieux à certains autres, en faisant des intermédiaires, ou « fils ».

Les formes diverses du comparatisme : le credo syncrétiste

Quant aux formes de ce syncrétisme, nous avons déjà cité le passage de Plutarque, et cette affirmation que Dieu appartient à tous les peuples et à tous les pays était, en effet, le premier article de la foi syncrétiste. Maxime de Tyr reprend la même idée [1] :

> Si les Grecs sont réveillés par l'art d'un Phidias, qui leur rappelle Dieu, et les Egyptiens par l'hommage aux animaux, et d'autres par le fleuve, et d'autres par le feu, je ne m'indignerai pas des différences.

Apulée de même :

> Dans tous les cas, il est certain que la lune et le soleil sont reconnus sans hésitation, par les Barbares comme par les Grecs, pour être des dieux [2].

Il est vrai que chacun de ces auteurs, en même temps qu'il affirme la diversité de la religion, suivant le pays, y trouve un aspect essentiel et un accord fondamental qui unit et inspire la religion mondiale. La conséquence de ce parallélisme est déjà évidente : les termes, les images et les idoles de toutes les cultures sont équivalents. Leur diversité trahit une unité symbolique, la κοινὴ ἔννοια. Ainsi est née la conception du symbolisme : l'affirmation que deux mythes différents signifient la même chose entraîne la conclusion que les mythes n'ont pas de valeur effective. Leur vérité n'est pas immédiate ; elle se trouve, en effet, au plan du symbolisme.

Une forme historico-religieuse du syncrétisme nous mène à la théorie du plagiat, ou de l'emprunt. Un exemple de ce genre est constitué par l'usage juif de la légende d'Alexandre : l'histoire de ses exploits dans certaines villes, notamment à Jérusalem et en Alexandrie sert à Josèphe de justification ultérieure des droits dont les juifs alexandrins de son temps étaient les bénéficiaires [3]. Cette

---

[1] P. 29, 9 ss. (Hobein). La même conception se trouve ailleurs chez Maxime, notamment sous la forme suivante : ταῦτα καὶ ὁ Ἕλλην λέγει, καὶ ὁ βάρβαρος λέγει, καὶ ὁ ἠπειρώτης, καὶ ὁ θαλάττιος, καὶ ὁ [σοφὸς καὶ ὁ] ἄσοφος. (Hobein p. 132, 6-8. H. signale que cette antithèse entre grec et barbare, qui néanmoins partagent la vraie connaissance du divin, reparaît chez Dion Chrysostome (12. 27) : celle du σοφός et l'ἄσοφος chez Cicéron (*De Nat. Deorum* 1. 17. 44).

[2] *De Deo Socratis* 118.

[3] *Antiquités juives* 11. 8. 5 : Josèphe rapporte le decret de la liberté religieuse et de l'exemption d'impôts tous les sept ans. Ces privilèges seraient fondés sur des dispositions plus tardives, mais leur association avec Alexandre semble leur conférer une assise plus sérieuse. Voir l'étude détaillée de M. Simon, *Alexandre le Grand, juif et chrétien*, dans *Recherches d'histoire judéo-chrétienne*, p. 127-140.

façon de remanier l'histoire selon les besoins du moment exis
littérature chrétienne, juive et païenne : on peut même la c
comme une des manifestations majeures du syncrétisme, car
historiques sont souvent associés dans un but religieux.

Le syncrétisme historique se retrouve dans la tendance des apologètes à rapprocher les traditions de l'Ancien Testament et celles des
Grecs. L'annexion des philosophes aux prophètes et la confusion de
l'Olympe et du Sinaï proviennent aussi de la tendance de rechercher
des vérités communes, qu'il s'agisse des païens ou des chrétiens [1].
Justin employait la notion comme argument principal pour défendre
le christianisme, et Clément suivait son exemple. Il s'agit, bien entendu,
de la théorie du plagiat [2], selon laquelle ce qui était bon parmi les
idées religieuses des Grecs remontait directement à la doctrine de
l'Ancien Testament. Justin affirme [3] que la doctrine platonicienne du
cosmos est un plagiat des premiers chapitres de la Genèse : la formulation inverse de cette critique consiste en l'affirmation que ce qu'il y a
de faux chez les Grecs représente des plagiats mal faits, des récits
bibliques déformés par le diable [4]. D'autre part Celse démontre, lui
aussi, que les mythes judéo-chrétiens sont des plagiats des traditions
grecques, en affirmant que la notion de Satan est tirée des mythes
relatifs à la guerre des dieux [5]. Le décalage évident entre les deux
conceptions s'explique simplement par l'ineptie des emprunteurs chrétiens : ce sont des « plagiaires maladroits » [6].

A première vue la théorie du plagiat n'a aucun rapport avec le

---

[1] Les apologètes juifs utilisent bien entendu la même technique : Hermippe (Origène
Contra Celsum 1. 1-5); Aristobule (Eusèbe *Prép. Evang.* 13. 12); Eupolemos (*ibid.*
9. 17, 26); Philon (textes réunis par J. Martin *Philon*, p. 43-47).

[2] La polémique mutuelle des mythes chez les païens et les chrétiens de l'antiquité
se présente sous plusieurs formes : pourtant c'est plutôt la théorie du plagiat qui est relative au syncrétisme. Autres notions : la justification des mythes hébreux par des mythes
grecs (Justin *Apol.* 1, 20-28) : l'absurdité des mythes grecs par rapport à l'Ancien Testament (Ps. Justin *Discours aux Grecs* 1, 2; Athénagore *Supplique au sujet des chrétiens*
21); la critique de l'anthropomorphisme des dieux grecs (Ps. Justin *Discours aux Grecs*
1, 2, 3 : Athénagore *Supplique...* 17, 18). On trouve chez Celse des parallèles remar-
quables : l'absurdité des mythes hébreux, en particulier du personnage du Christ (II.
40-41; II. 79); la critique morale et philosophique (II. 7, 8; V. 65); la critique de l'anthropomorphisme et en conséquence de la notion de l'incarnation (VI. 62-64; IV. 30;
IV. 43).

[3] *Apol.* I. 59.

[4] *Apol.* II. 69.

[5] III. 76.

[6] III. 95.

syncrétisme puisqu'elle ne s'intéresse ni au dialogue, ni à la synthèse : cette théorie semble constituer un mouvement de prosélytisme, transposé dans le passé. C'est-à-dire que les apologètes ne se contentent pas de convertir les âmes de leurs temps; mais ils veulent en plus convertir toute l'histoire en la conformant à l'enseignement chrétien. Cependant le désir même de rapprocher les traditions différentes manifeste une tendance syncrétiste. L'entrée d'Alexandre dans l'histoire juive et l'entrée de Platon dans l'enseignement de Moïse trahit un certain respect des traditions grecques, dites inférieures. Ce même respect, bien que dissimulé, se développera chez les pères grecs jusqu'au point où ils n'envisageront plus le christianisme sans une certaine coloration grecque : ce climat théologique se manifeste surtout chez Clément, qui développe ses idées sur le symbolisme en se situant à cheval sur les cultures de son temps.

En conclusion, la version peut-être la plus amusante de la combinaison de dieux (θεοκρασία) est celle de Lucien : dans le *Zeus Tragédien* il avait demandé où il fallait installer ces « divinités étrangères et trop somptueuses ». De plus, dans *l'Assemblée des dieux* il se plaint des nouveaux venus, et il trouve que la faute en incombe à Zeus, qui, par ses amours fréquents et insouciants, a peuplé le ciel de bâtards. Ce mauvais exemple a été suivi par les « bâtards », à leur tour, avec ce résultat que les cieux sont surpeuplés [1]. Ces déclarations, à première vue assez différents de celles de Justin, de Clément ou de Celse, leur ressemblent néanmoins d'une certaine manière : il s'agit du syncrétisme dans la mesure où tous les dieux dérivent de Zeus. Cette notion est donc doublement syncrétiste, car on y trouve à la fois la tendance vers le monisme, avec sa subordination des dieux inférieurs, et la combinaison de systèmes différents. L'idée, bien entendu, est beaucoup plus osée que celle des apologètes : ceux-ci expliquent le lien culturel par la théorie du plagiat, ou de l'emprunt, tandis que le satirique grec invoque l'activité amoureuse de Zeus.

Encore une forme de ce comparatisme est exprimée admirablement par Apulée, dans le discours célèbre d'Isis [2] :

... Puissance unique, le monde entier me vénère sous des formes nombreuses, par des rites divers, sous des noms multiples. Les Phrygiens, premiers-nés des hommes, m'appellent mère des dieux, déesse de Pessinonte; les Athéniens

---

[1] Lucien se moque, selon Croiset, « du procédé mythologique de l'esprit humain ». (*Essai sur la vie et les œuvres de Lucien*, p. 220). Voir aussi Caster, *Lucien et la pensée religieuse de son temps*, p. 344-345.

[2] *Mét.* XI, 5. (Trad. Vallette, Budé).

autochtones, Minerve Cécropienne... Mais ceux que le dieu Soleil éclaire à son lever de ses rayons naissants, de ses derniers rayons quand il penche vers l'horizon, les peuples des deux Ethiopies, et les Egyptiens puissants par leur antique savoir m'honorent du culte qui m'est propre et m'appellent de mon vrai nom, la reine Isis.

De tels rapprochements se trouvent aussi dans les ouvrages de Plutarque, surtout dans son essai sur le culte d'Isis et Osiris. Il déclare son intention de démontrer que le mythe d'Isis est compatible avec le *Timée* de Platon et avec la religion grecque : en revanche Apulée accepte le mythe dans sa forme primitive. Plutarque ne l'accepte qu'après l'avoir remanié par une interprétation allégorique. Athena s'appelle Isis chez les Egyptiens, et Zeus devient Amoun [1] : cependant, malgré ces parallèles, Plutarque choisit toujours la divinité grecque comme fondamentale :

$$Z\epsilon\dot{\upsilon}s \ \dot{\alpha}\rho\chi\dot{\eta}, \ Z\epsilon\acute{\upsilon}s \ \mu\acute{\epsilon}\sigma\sigma\alpha, \ \varDelta\iota\grave{o}s \ \delta'\dot{\epsilon}\kappa \ \pi\acute{\alpha}\nu\tau\alpha \ \pi\acute{\epsilon}\lambda o\nu\tau\alpha\ [2]$$

Ceci dit, il est à remarquer que l'assimilation des religions étrangères à la religion grecque entraînait la transformation de la religion grecque : le fait d'appeler Isis Athena ne réduisit pas les différences entre les deux [3]. L'interprétation allégorique du culte egyptien entraînait donc un élargissement des termes et des conceptions de la religion grecque. Voilà une conséquence de l'assimilation des noms : l'élargissement *ad infinitum* des concepts de base [4]. La pensée de Clément offre la même impression : les idées de notre auteur ne sont jamais précises, car elles sont trop riches.

L'assimilation des noms reparaît sous une forme plus extrême lorsque aucun nom, aucun dieu n'est retenu comme fondamental. Maxime de Tyr, en empruntant à l'exégèse stoïcienne, interprète les

---

[1] *Op. cit.* 354 c.

[2] Citation par Plutarque d'un fragment orphique (VI 10 21 a 2) dans *De Defectu Oraculorum* 48.

[3] Plutarque employait aussi la technique du syncrétisme « historique », car il remarque que le nom Isis dérive d'οἶδα, et Typhon de Τυφῶ. Ensuite, à ces étymologies douteuses se joint la suggestion que des émigrants grecs portèrent leurs conceptions religieuses et leur vocabulaire en Egypte. Ainsi, par une hypothèse linguistique et une hypothèse historique, Plutarque s'efforce de trouver une unité historique entre les deux cultes.

[4] Apulée, en revanche, représente une autre attitude; il appelle Isis par son nom : Plutarque, comme Tirésias, joue peut-être le rôle de « l'hypocrite ecclésiastique » — le « Broad Church Dean » (selon le mot de Dodds dans son commentaire sur le *Bacchae* d'Euripide). Le célèbre discours de Tirésias (170 ss. : voir Dodds p. 91) constitue une satire très fine d'un prêtre qui cacherait par sa terminologie les différences entre la religion formelle et vide de l'Etat, et le culte vivant d'un pays Asiatique.

noms divins comme des représentations de certaines idées [1]. Cette approche reprend un thème déjà traité, c'est-à-dire celle de la dissociation des noms et des fonctions qui s'est réalisée dans la religion grecque aussi bien que dans la religion romaine. Cette dissociation se prêtait à une exégèse immanentiste chez les Stoïciens, et à une exégèse transcendante chez les Néoplatoniciens. Les uns réduisirent les noms à certaines fonctions, les autres en cherchaient la signification plus loin.

Les conséquences de l'approche syncrétiste.

La philosophie du symbolisme.

La philosophie avait déjà eu un certain effet sur les mythes : en bref elle avait détruit la primauté de l'expérience mythique. Platon expulsa les poètes de son état et ses disciples, au cours des siècles, ont épousé fidélement sa méfiance vis-à-vis des traditions religieuses : φιλοσοφία demeurait l'ultime but de l'homme [2]. Les penseurs donc avaient à leur disposition un énorme corpus de matériel mythique qu'il fallait interpréter et expliquer. Il aurait été possible, bien entendu, de condamner les mythes comme de simples erreurs, mais, en général, une telle rupture entre le plan philosophique et le plan religieux ne se réalisa pas. Au lieu de laisser tomber leurs mythes, les grecs ont réagi avec des théories riches et diverses afin de garder leur héritage imaginatif.

Il s'agit donc d'une dévalorisation des mythes, et ce processus s'est trouvé renforcé par le syncrétisme qui amena un résultat identique: c'est-à-dire un décalage entre l'intellection et le plan de l'intelligible. L'appréhension directe et immédiate de la conscience mythique a cédé la place à une appréhension indirecte et raisonnée : la rapprochement syncrétiste des mythes différents entraîne la conclusion que les mythes eux-mêmes n'ont plus de valeur véridique. Leur lien direct avec la réalité est rompu [3] : loin d'être acceptés inconsciemment ils font l'objet d'interprétations difficiles et tortueuses. Le fait de cette lacune intellectuelle fut le fondement de tous les efforts de l'antiquité pour formuler une théorie du symbolisme, dont l'interprétation allégorique était une expression.

---

[1] Ἀθήνα/φρόνησις : Ποσειδῶ/ἁρμονία (p. 50, 5 Hobein).

[2] Voir Mlle A.-M. Malingrey, *Philosophia*, ch. 2 par exemple.

[3] Nous employons la distinction de Cassirer (*Sprache und Mythos*, trad. anglaise p. 17 ss.) qui propose trois étapes : la religion primitive, prélogique, avec sa conception dynamique des dieux ; deuxième étape — la systématisation des dieux au moyen des notions logiques (classe etc.) ; enfin la désacralisation des mythes sous l'influence de la pensée logique.

Ainsi la dévalorisation des mythes avait été déjà accomplie par la philosophie : le syncrétisme acheva ce travail mais apporta en même temps un élément nouveau, à savoir, un renouveau de l'intérêt aux formes de l'expression religieuse. Le fruit de ce renouveau se manifeste surtout dans le *De Iside et Osiride*, peut-être un classique de cette forme, mais Clément lui-même, avec ses cinquième et sixième *Stromates*, joua un rôle important dans la même tradition. Ainsi la religion comparée fait son apparition : les lieux communs qui se retrouvent à travers les auteurs de cette époque constituent un signe de l'importance de ce courant intellectuel. Selon Goodenough [1] :

> L'ensemble des traditions littéraires, dont Plutarque, Apulée, et Chaerémon sont les représentants, est perdu. Il a dû constituer le développement du Pythagorisme platonicien-orphique, qu'eux-mêmes ils spécifient dans la nouvelle typologie de l'Egypte et de l'Iran.

Ce renouveau devait s'achever dans la théologie chrétienne, malgré le fait qu'il fleurit d'abord chez les païens, même ceux qui donnaient la primauté à la philosophie. Plutarque, par exemple, réunit en lui-même la dévotion platonicienne de la philosophie et la dévotion mystique de l'initié aux mystères : la même tension se manifeste chez Apulée et Maxime de Tyr [2]. Pourtant dans la pensée néoplatonicienne les mythes ne pouvaient jouer qu'un rôle faible, puisque sa gnoséologie n'en tenaient pas compte. *L'Epitomé* ne mentionne pas la mythologie ; Celse se montre très hostile. Même chez Plotin, où l'on trouve une mythologie relativement développée [3] dans la mesure où les mythes peuvent aider l'esprit dans son ascension, cette étape est très vite dépassée. En bref leur fonction est pédagogique, destinée aux esprits simples, mais ce rôle disparaît au moment de l'apophase. Les mythes restent donc en marge du processus conceptuel.

---

[1] *By Light, Light* p. 5.

[2] Maxime est le plus accueillant aux mythes, parmi les moyen-Platoniciens. Selon M. Pépin : « (il) garde la nostalgie de l'expression mythique » (*Mythe et Allégorie* p. 189). Selon Maxime les avantages de l'expression mythique sont multiples : elle stimule la recherche, exigeant un certain effort et de la dévotion ; elle prête à la vérité de la dignité ; elle sauvegarde l'arcane. L'expression mythique est parfois préférable à la philosophie : « Tout est plein d'énigmes, chez les poètes comme chez les philosophes, la pudeur dont ils entourent la vérité me paraît préférable au langage direct des auteurs récents. Dans les questions dont la faiblesse humaine ne se rend pas clairement compte, le mythe est en effet un interprète plus convenable. » (IV. 5 ; Hobein, p. 45, 10 ss., traduit par M. Pépin *op. cit.*, p. 189). On ne doit pas remplacer la « douce musique » des mythes par de la philosophie insuffisamment éclairée. Ainsi le rôle des mythes dans la pensée de Maxime dépend du progrès de la philosophie.

[3] Voir les analyses de M. Pépin (*op. cit.* p. 191-209).

Par ailleurs, la théorie du symbolisme eût plus de succès dans le christianisme platonicien. Chez Clément le symbolisme ne pourrait pas rester en marge de sa gnoséologie : la révélation parvenue aux chrétiens s'est déroulée au plan de l'histoire, sous forme d'un mythe historique : celui qui voulait croire a dû accepter non pas une philosophie, mais une histoire de Dieu et de ses actes. En conséquence le chrétien platonisant se trouvait devant un problème énorme, puisque sa connaissance ultime se présentait sous forme d'un récit : l'être transcendant s'était manifesté sous forme immanente. Ce problème, propre au christianisme, a stimulé Clément pour développer une théorie du symbolisme : c'est-à-dire une théorie de la relation entre la Réalité divine et les concepts humains qui prétendent saisir cette Réalité. Cette théorie constitue le sujet de notre étude.

(b) Le syncrétisme peut être considéré comme une source de la gnoséologie de Clément, mais il reste à remarquer qu'il constitue en plus une source de sa méthodologie. La question du but littéraire des *Stromates* a longuement intrigué les commentateurs, et nombreux sont ceux qui expliquent le manque de système dans cet écrit par un certain manque de puissance intellectuelle [1]. Néanmoins Clément souligne que son ouvrage est rédigé selon une méthode réfléchie :

> Les Stromates ressemblent, non à ces jardins [2] soignés et plantés en quinconces pour le plaisir des yeux, mais plutôt à une montagne ombreuse et touffue, peuplée de cyprés et de platanes, de lauriers et de lierre, ... [3].

Les aspects « ombreux » et « touffus » de son travail proviennent d'abord de son intention de rendre son écrit énigmatique, incompréhensible aux profanes, mais clair aux initiés : en second lieu ils proviennent du caractère « multi-systématique » [4] de sa méthode. Munck [5] a employé l'exemple de Kierkegaard pour expliquer l'approche clémentine : cette analogie a été suivie par Osborn [6] qui met en jeu la notion de la « théologie du paradoxe ».

L'explication essentielle est peut-être plus proche : le caractère multi-systématique de son œuvre constitue une simple extension méthodologique de l'approche du πολυμαθής. Clément, en s'appuyant sur Platon, Eschyle, la poésie orphique et sur Paul pour démontrer

---

[1] Voir Tollinton, *Clément of Alexandria* ..., Préface.

[2] Peut-être « paradis », ou bien un jeu de mots sur les deux sens (παραδείσοις).

[3] *Strom.* VII. 18. 111. 1.

[4] Cf. Osborn, *The Philosophy of Clement of Alexandria*, p. 8, 9.

[5] *Untersuchungen über Klemens von Alexandria*, p. 81 ss.

[6] *Op. cit.*, ibid.

son point de vue, suscite souvent la critique des commentateurs postérieurs. Néanmoins cette approche est d'origine syncrétiste : Apulée
avait déjà avoué :

> Mais moi… animé du zèle de la vérité et d'un sentiment du devoir à l'égard
> des dieux, j'ai étudié une foule de religions, de pratiques mystérieuses, de
> cérémonies saintes [1].

Maxime, l'auteur païen peut-être le plus proche de Clément, affirme
l'existence d'une pensée commune (ὁμόφωνος νόμος καὶ λόγος) [2],
qui se trouve à la base de toutes les cultures, malgré les différences
apparentes. Il y a donc un lien essentiel qui unit le Grec, l'Egyptien
et le Perse et qui rend superficielles les disparités entre leurs systèmes
conceptuels.

Voilà la base de la méthode clémentine : dérivée du syncrétisme,
elle tâche de découvrir les concepts communs de tous les auteurs qui
se présentent dans son écrit. La mentalité moderne mettrait peut-
être l'accent sur les différences entre les auteurs cités, en rejettant la
synthèse comme superficielle. Clément, en revanche, renverse cet
ordre en considérant la synthèse comme le résultat final de la recherche ;
ainsi les termes « accord » et « harmonie » paraissent à travers les expo-
sitions de ses idées, et l'affirmation suivante devient typique :

> De plus, le même Dieu qui a fourni les deux alliances, a donné aux Grecs
> leur philosophie, par laquelle le Tout-Puissant est glorifié parmi eux [3].

Toute théorie du plagiat et toute forme de syncrétisme historique se
rapportent à cette notion de la « supposition commune », et tendent à
minimiser les barrières culturelles qui auraient séparé le Grec et le
chrétien, le Juif et l'Egyptien. Il s'agit d'un comparatisme culturel [4],
un essai d'expliciter les liens entre des phénomènes culturels : en fait,
la thèse de la supposition commune constitue une notion qui n'est pas
trop loin du structuralisme moderne. L'usage polémique de ces notions

---

[1] *Apol.* 55. 9.

[2] P. 132, l. 4. Il n'y a aucune preuve d'une rencontre entre les deux auteurs, mais
les coïncidences de pensée, soulignes par Tollinton (*op. cit.* t. I., ch. 4.) sont incontes-
tables. Sur les notions communes, le terme κοινὴ ἔννοια est à étudier : Dr. G. R. Stanton
me signale que Plutarque emploie cette expression, ou πρόληψις, pour désigner l'ensemble d'idées communes qui s'exprime dans le Stoïcisme. (Voir *Moralia* 1059 f - 1060 e,
1073 c-d, 1084 a). Voir aussi κοινὴ ἐπίνοια, Polybios 6. 5. 2.

[3] *Strom.* VI. 5. 42. 1.

[4] A propos de cette notion, voir la critique de J. Pépin, *Les deux approches du christianisme* p. 15-28.

n'inclut pas toute leur signification, car il s'agit d'une apologétique qui attaque et rapproche d'un seul coup.

Voilà donc les grandes lignes de la méthode clémentine, qui se démontre syncrétiste à deux reprises : dans sa gnoséologie symbolique, et dans sa méthode éclectique.

CHAPITRE IV

SYMBOLISME, ALLÉGORIE ET MYTHE

L'interprétation allégorique

Nous avons remarqué la disparition de la force effective des mythes, et le fait que ce processus nécessite une méthode d'interprétation de ces mêmes mythes. Il faut maintenant considérer les grandes lignes de ces méthodes afin de démontrer leur signification pour la théorie de la connaissance, car elles constituent un effort de réaliser un lien entre la conceptualisation et la réalité — en rétablissant les mythes.

Les méthodes interprétatives peuvent se résumer en un mot : l'allégorisme. Il est nécessaire de comprendre ce terme dans sa généralité : une définition trop limitative empêcherait notre enquête.

Un synonyme de ἀλληγορία était ὑπόνοια (sens allusif) : ἀλληγορία paraît pour la première fois chez le stoïcien Cléanthe [1]. Plutarque affirme que les deux sont équivalents, en disant que le terme ἀλληγορία a remplacé le terme ὑπόνοια [2]. A côté de la conception de Plutarque, il faut considérer la définition de Quintilien : μεταφορά *continuata* [3]. L'idée d'un récit continu est donc ajouté à la définition de Plutarque : en plus, l'auteur des Τύποι Επιστολικοί nous rappelle l'aspect énigmatique de l'allégorie, en remarquant qu'une lettre allégorique est une lettre écrite d'une façon énigmatique afin de dérouter le lecteur qui n'est pas le destinataire [4].

Tate, dans trois articles importants [5], a démontré à l'égard de l'allégorisme de la période classique que la recherche des ὑπόνοιαι (positive allegorism) était beaucoup plus importante que l'allégorisme apologétique (negative allegorism) : pourtant, en ce qui concerne l'époque hellénistique cette distinction s'est perdue. Etant donné le climat syncrétiste, la recherche des ὑπόνοιαι est devenue un moyen d'inter-

---

[1] A. C. Pearson, *The Fragments of Zeno and Cleanthes*, fr. 66, p. 293. (Ce texte ne se trouve pas dans von Arnim, S. V. F.) Apollon. Soph. *Lex. Homer*, p. 114, éd. Bekk., v. μῶλυ : Κλεάνθης δὲ ὁ φιλόσοφος ἀλληγορικῶς φησὶ δηλοῦσθαι τὸν λόγον ...

[2] *De Audiendis Poetis* 4 19 e.

[3] *Instit. Orat.* IX. 2. 46.

[4] 15, p. 8. (V. Weichert, Leizig 1910).

[5] Classical Quarterly, 28 (1934) 105-114; 23 (1929) 142-154; 24 (1930) 1-10.

prêter la religion de n'importe quel pays; et une façon de manier la diversité de l'expérience hellénistique.

L'allégorisme envisagé par Plutarque s'applique aux mythes religieux qui se fondent sur des réalités [1]. Ce noyau de vérité est suggéré par le mythe sans être le mythe lui-même :

> De même que l'arc-en-ciel, selon les mathématiciens, est un reflet du soleil ..., ce mythe constitue le reflet d'un autre qui réoriente notre pensée [2].

Ainsi le but du *De Iside et Osiride* est-il de démythiser la légende d'Isis et Osiris selon les données de la cosmologie platonicienne, et de démontrer l'harmonie entre le *Timée* et les mythes égyptiens. Les vérités retrouvées sont du genre de celles de l'exégèse philonienne, consistant surtout en des notions morales et cosmologiques [3] : dans l'emploi de cette méthode Plutarque devance les apolcgètes chrétiens dans leur annexion des traditions païennes à la vérité chrétienne.

Une perspective essentielle sur l'allégorisme

Pourtant l'allégorisme de Plutarque ne se limite pas à l'interprétation des mythes, car la recherche des ὑπόνοιαι ne se limite pas aux « métaphores continues ». Plutarque s'efforce de dégager les significations cachées des phrases, des objets et mêmes des mots, employant ainsi le concept du sous entendu dans toute son ampleur. Les ὑπόνοιαι sont à chercher aussi bien dans les aspects rituels et symboliques du culte, que dans son contenu mythologique [4]. La table suivante fournit quelques témoignages :

> (I) Interprétation allégorique des *mythes* : *De Is. et Os.* 358 f, 358 e, 359 a, 371 ; *De E apud Delphos* 394 a (les noms divins)
> (II) Interprétation des *objets* : *De Is. et Os.* 365 b, 352 b, 376 c.
> (III) Interprétation des *rites* : *De Is. et Os.* 361 d, e [5].

L'allégorisme de Plutarque s'exprime dans la recherche des sous entendus à tous les niveaux : il est évident qu'il est influencé par l'exemplarisme platonicien, qui envisage une réalité unie par un

---

[1] *De Is. et Os.* 358 e.

[2] *Ibid.* 358 f, 359 a.

[3] *Ibid.* 358 e, 374 e. f.

[4] L'interprétation juive possédait une ampleur semblable. Voir la discussion de cette tradition chez M. Simon, *Verus Israël* p. 178-182.

[5] A joindre à ce passage : la fin du fr. 47 des commentaires sur Hésiode; Plutarque offre une explication «psychologique» des rites. Le besoin d'expliquer que manifeste cette remarque, provient de son allégorisme.

système de ressemblances. Tout est suggestif, tout est symbolique : le symbolisme des mythes n'est qu'un aspect du symbolisme universel, dont la réalité d'ici-bas est imprégnée. Le concept de « suggestivité », à la fois grec et juif, sera examiné dans les pages suivantes : ici nous constatons simplement sa relation avec l'allégorisme.

Il est très utile de considérer le traitement par Apulée du mythe d'Isis, car les *Métamorphoses* nous révèlent des expériences faites par l'auteur dans la pratique du culte. Tandis que Plutarque tient à une interprétation allégorique de ce culte, Apulée nous décrit ses rencontres avec les dieux du culte d'Isis. Plutarque remplace la rencontre objective des mortels et des dieux par une rencontre symbolique, qui mène l'esprit vers la connaissance de l'ultime dieu : Apulée, en revanche, n'allégorise pas. Les dieux lui apparaissent sous forme humaine, ils communiquent avec lui et ils le consolent : en somme, Apulée affirme avoir rencontré les divinités auxquelles il rend hommage. Plutarque évite l'anthropomorphisme d'Apulée afin de maintenir son orthodoxie platonicienne face aux cultes égyptiens.

L'allégorisme de Philon.

L'interprétation allégorique constitue un élément essentiel de la méthodologie philonienne, car elle détermine presqu'exclusivement son approche de l'Ecriture. Elle consiste en la recherche d'un contenu philosophique derrière la forme de l'Ecriture, et elle entraîne l'annexion de la pensée grecque aux écrits hébreux.

De même que Plutarque, Philon trouve dans l'allégorie l'instrument de son éclectisme. Les Ecritures, en tant que don de Dieu, ne contiennent rien de superficiel, rien de fortuit [1] : elles sont donc susceptibles d'une interprétation très détaillée. Leur signification spirituelle se trouve sous leur mythologie, et peut se laisser entrevoir dans la forme du texte aussi bien que dans la lettre du texte. Philon commente le texte d'Exode 2, 23 :

> Après ces longs jours, le roi d'Egypte mourut, et les fils d'Israël poussèrent de grands gémissements.

en affirmant :

> Pris à la lettre, le texte n'a pas de sens satisfaisant : mais si on le prend par rapport aux facultés de l'âme, on découvre qu'il est parfaitement cohérent [2].

---

[1] *De Leg. Alleg.* III. 147 ; *De Fug. et Invent.* 54.
[2] *Quod Deterius...* 93 ss. (Trad. Mme Feuer, Budé).

Cette exégèse suppose que la juxtaposition des deux phrases indique un lien caché, une connexion causale qui ne se manifeste pas dans la lettre du texte.

La croyance en l'inspiration divine des Écritures (et de leur traduction en Grec [1]) remonte peut-être à l'herméneutique rabbinique, mais les résultats obtenus par Philon dans son interprétation ne s'accordent pas du tout avec les résultats de l'exégèse halachique. Son interprétation habituelle est une affirmation morale ou quasi-psychologique : son commentaire de la Genèse [2] impose son système philosophique au texte. Selon l'exégèse philonienne (comme le remarque Hanson [3]), le terme « femme » signifie la perception : l'inceste des filles de Lot avec leur père représente la séduction de l'Esprit par Conseil et Accord [4]. Les « sous-entendus » de Philon sont donc des préceptes dérivés de sa formation néoplatonicienne, avec son contenu stoïcien.

Un aspect important de la méthode philonienne se manifeste dans son manque d'intérêt pour l'histoire. L'interprétation allégorique lui a fourni le moyen de se libérer de l'histoire. Son attitude, bien entendu, est ambiguë, mais l'idée déterminante vient de l'exemplarisme platonicien, avec son affirmation que le monde visible constitue une réalité secondaire.

Ainsi il admet, presqu'à contre-cœur, que Samuel était un être humain :

> Peut-être y a-t-il eu un homme appelé Samuel; en réalité, nous voyons en lui non un être vivant composé, mais un esprit qui n'a de joie que dans le culte et le service de Dieu [5].

Il est évident que Philon voulait retirer Samuel du plan historique, puisque la nature composée fait partie de l'existence historique et n'a aucun rapport avec la Réalité en soi. Ailleurs il accepte un sens littéral

---

[1] Cet auteur juif utilisait le texte des Septante et non le texte hébreu (il est généralement admis que Philon ne connaissait pas l'hébreu : Hanson, *op. cit.* p. 47 n. 4; Chadwick dans *The Cambridge History of Later Greek and Early Medieval Philosophy* p. 137. Voir aussi une bonne mise au point de la question dans *Philon d'Alexandrie* (Colloques nationaux du Centre National de la Recherche Scientifique), communication de Mme S. Daniel p. 221-240, et la page 241.) Philon accorde une confiance absolue à la traduction grecque : son attitude est justifiée par l'affirmation que cette version représente le résultat d'un accord miraculeux de la part des traducteurs. (*De Vita Mosis* II. 40).

[2] *De Leg. Allegoria*, 1.

[3] *Op. cit.*, p. 48.

[4] *De Post. Caini*, 175 ss.

[5] *De Ebrietate* 144.

et allégorique à la fois [1] : la question de l'historicité des passages
difficiles est mise en cause [2], ce qui implique que la valeur historique
d'un passage avait néanmoins un certain poids. Cependant, pour l'essentiel, Philon est allégoriste, et la conclusion de M. Simon semble justifiée [3] :

> Les perspectives historiques se diluaient dans la pensée philonienne.

ou bien celle de M. Hanson :

> Philon n'a pratiquement aucun sens de l'histoire [4].

Exégèse juive et chrétienne

Bien qu'absente de la pensée philonienne, la typologie apparaît
d'abord dans l'exégèse juive et se retrouve chez Justin et Clément.
La typologie est une méthode d'interpétation par laquelle on trouve
une préfiguration du Messie, ou d'un événement futur. En un sens cette
méthode est historique, puisqu'elle dépend des faits historiques, qui
sont rassemblés selon une perspective « pneumatique », c'est-à-dire
selon une préoccupation messianique ou eschatologique [5]. L'on sait que
la typologie était enracinée dans l'interprétation juive bien avant et
après le temps du Christ : Daube [6] affirme, par exemple, qu'un Rabbin
Johanan ou Jonathan du troisième siècle après J.C. a pu faire une
liste de dix interprétations typologiques du texte de Ruth II 14. La
typologie devint chez les Juifs un instrument de l'apologétique après
le défi du Christ au Judaïsme traditionnel : l'auteur des *Reconnaissances
clémentines* [7] et Ephrem [8] mentionnent des disciples de Jean-Baptiste
qui affirmaient, au moyen d'une exégèse messianique, la prééminence
de leur maître sur Jésus. Selon le jugement de Lods [9], qui relève ces
témoignages, ces disciples seraient des polémistes juifs du troisième

---

[1] *De Somniis* I, 120; *De Abrahamo* 88.

[2] *De Leg. Alleg.* III. 69.

[3] *Les Sectes juives au temps de Jésus*, p. 121.

[4] *Op. cit.*, p. 52.

[5] Cette préoccupation manque chez Philon : il est vrai qu'il considère Abraham comme
le type (κανών) du bon prosélyte (*De Virt.* 219), mais il n'y a aucun rapprochement avec
les événements contemporains.

[6] *The New Testament and Rabbinic Judaism*, p. 48.

[7] I. 60.

[8] *Evangelorium Concordantiae Expositio*, éd. Moesinger p. 288.

[9] *Etudes sur les sources juives de la polémique de Celse contre les chrétiens*. Rev. d'histoire
et de phil. 1941, p. 1-31 ; p. 12.

et du quatrième siècles : il est à remarquer aussi que Celse, qui était
bien documenté en littérature juive, porte un jugement favorable
sur Jean (I. 47).

La typologie juive est liée à l'interprétation allégorique : le Fragment
Zadocite [1] contient plusieurs exemples d'une typologie qui côtoie
l'allégorie. Des événements contemporains font l'objet de l'interprétation du passé, mais il n'y a aucun effort de souligner le parallélisme de la situation. Les rapprochements sont faits d'une façon purement arbitraire, sans tenir compte des détails historiques qui pourraient
justifier les comparaisons [2].

Cette tendance allégorisante semble être juive d'origine, se développant en dehors de toute influence hellénistique [3], et elle a été reprise par
l'exégèse de la communauté chrétienne primitive. Ainsi Daniélou :

> Nous aboutissons donc à la conclusion, qui rejoint celle à quoi l'étude d'autres
> figures de l'Ancien Testament nous a conduit par ailleurs, que l'exégèse de
> l'Ancien Testament dans le Christianisme primitif est dans le prolongement
> de l'exégèse juive, telle qu'on la trouve dans les derniers livres de l'Ancien
> Testament et dans les écrits du judaïsme préchrétien [4].

En plus, la tendance à restreindre l'usage [5] de ce mode d'interprétation reparaît dans le Nouveau Testament. Il est vrai que Paul semble
consacrer l'allégorisme dans l'Epître aux Galates (IV. 24), texte qui fit
toujours difficulté à l'école d'Antioche [6]. Cependant une telle conclusion serait trop rapide. En étudiant ce texte, il faut noter d'abord que
cet usage du verbe ἀλληγορέω (ἅτινα ἐστιν ἀλληγορούμενα) est un
des premiers cas ; il paraît chez Philon aussi. Néanmoins la conclusion
de Grant [7], que ce passage représente un rapprochement de la part de
Paul de l'exégèse hellénistique et l'exégèse rabbinique, semble douteuse.
La dite allégorie est, en effet, très proche de la typologie, parce qu'elle
rapproche des phénomènes courants et des personnages du passé.

---

[1] Ed. R. H. Charles, *The Apocrypha and Pseudepigraphica of the Old Testament in English*, II p. 785-834.

[2] Voir Hanson, *op. cit.*, p. 22.

[3] En proposant cette antithèse entre l'allégorie alexandrine et l'allégorie palestinienne, nous nous opposons à la thèse de Büchsel (ἀλληγορέω Kittel, *Worterbuch*), que celle-ci est dérivée de l'allégorisme alexandrin.

[4] *Sacramentum Futuri*, p. 103.

[5] Voir M. Simon, *Verus Israël* p. 179 : « ... les rabbins ne font de l'allégorisme à proprement parler qu'un usage assez modeste et toujours prudent ». Bonsirven, *Exégèse Rabbinique* p. 36 cite le principe : « L'écriture ne doit pas sortir de son sens simple ».

[6] Voir Guillet, *Les Exégèses d'Alexandrie et d'Antioche ...*, p. 257 ss.

[7] *The Letter and the Spirit*, p. 48, 54.

Deuxièmement, l'allégorie n'est pas essentielle à l'argument : il s'agit d'une technique d'illustration [1].

Ce point est décisif, car la typologie respecte l'histoire, s'inspirant des faits comme ils sont. Par contre, l'exégèse philonienne tendait à oblitérer l'histoire, à l'effacer. En revanche, «l'allégorisme» de Paul est tout à fait autre chose : le sens de l'Ancien Testament est obscur [2] pour celui qui le lit sans l'esprit du Christ, qui brise le mystère. Ainsi l'interprétation christologique de l'histoire fournit à l'histoire son vrai sens : la personne de Jésus est préfigurée par Adam [3], et par le rocher [4]. Mais ces textes, loin de nier le sens littéral de l'Ancien Testament, le mettent en valeur. La typologie est une façon de comprendre l'histoire, en l'interprétant par rapport au Christ. Même dans le cas où la figure n'est pas le Christ [5], le sens littéral ne compte pas moins.

Guillet affirme qu'il y avait de nombreuses ressemblances entre l'exégèse d'Alexandrie et celle d'Antioche, malgré les apparences. Il suggère, en effet, que les textes polémiques sont moins suggestifs que les commentaires eux-mêmes, qui offrent souvent des coïncidences frappantes. Ainsi les remarques d'Origène et de Théodore sur des passages identiques sont souvent du même genre [6], et d'autre part, Origène était bien capable d'utiliser la typologie messianique [7]. Cependant la conclusion tirée par Guillet, qu'on doit faire la distinction entre les résultats obtenus, plutôt qu'entre les méthodes employées, exagère la proximité des témoignages cités. On pourrait admettre, bien entendu, que l'allégorisme peut donner des résultats typologiques, mais l'inverse n'est pas vrai. La typologie est une méthode qui s'en

---

[1] Voir Lampe, *Essays on Typology* p. 35 : « a sermon illustration. » La thèse de Hanson (*op. cit.* p. 82) et de Woollcombe (*Essays* p. 53) que le contenu de l'interprétation n'est pas philonien et qu'en conséquence la technique n'est pas philonienne, ne paraît pas convaincante non plus. Le sens imposé ne peut pas être le seul critère : on peut distinguer, en effet, entre la méthode et le contenu d'une interprétation allégorique. Cependant il est vrai, du point de vue de la méthode, que la figure de Paul est très proche de la typologie.

[2] II *Cor.* III. 13-17.

[3] *Rom.* V. 14.

[4] I *Cor.* X. 4.

[5] Quelques exemples sont signalés par M. Pépin (*Mythe et Allégorie* p. 249) : le baptême chrétien (I Cor. X. 1-2) et la conquête du Christianisme (Gal. IV. 21-31) sont des « types » préfigurés par des événements de l'Ancien Testament.

[6] Voir le commentaire d'Origène sur le Psaume 3 (P.G. 12, 1117-1132), et celui de Théodore (Devréesse, *Le Commentaire de Théodore Mopsueste sur les Psaumes*, Rome 1939, p. 17 ss.).

[7] *In Jer. hom.* 1. 6 ss.

tient à l'histoire [1], tandis que l'allégorisme peut s'en éloigner beaucoup [2].

Les discussions précédentes peuvent se résumer de la façon suivante. L'herméneutique clémentine a été préparée par l'exégèse juive aussi bien que par l'exégèse grecque. Ces traditions se rapprochent dans la notion de « suggestivité », l'idée du sens allusif des mots ou des objets qui appartiennent au monde visible. De même dans l'allégorisme grec, ainsi que dans l'allégorisme judéo-chrétien, il faut trouver la ὑπόνοια, ou le sens caché, qui consiste en une perspective philosophique pour les uns et une perspective typologique pour les autres.

Cependant il ne faut pas négliger certains aspects du littéralisme juif : la typologie même dépend de l'histoire, car elle la valorise. Il y a un respect du sens littéral du texte qui se reproduit chez Clément — qui est donc héritier d'une double influence. Notre auteur emprunte

(I) aux Grecs la notion de l'exemplarisme, avec le corollaire que l'intelligence doit dépasser le monde visible, et

(II) aux Hébreux la notion d'une révélation sur le plan visible, avec le corollaire que l'intelligence doit respecter l'incarnation écrite et l'incarnation historique du Verbe.

La conciliation de ces notions aboutira à une philosophie du symbolisme : stimulé par cette antithèse dans sa pensée, Clément en trouve la solution dans une théorie symboliste de la connaissance.

La notion de « suggestivité ».

Un des principes de l'herméneutique juive était la doctrine selon laquelle le texte des Ecritures est inspiré de Dieu, même dans ses derniers détails [3]. En conséquence, les exégètes tendent à trouver quelque chose de suggestif dans un mot, un nombre ou un objet. Ainsi

---

[1] Voir pour le même point de vue de Lubac « *Typologie* » et « *allégorisme* » Rev. de sc. rel. 24 (1947) p. 180 ss. : critiqué par Daniélou, *Traversée de la mer rouge*, Rev. de sc. rel. (33, (1964) p. 416). T. E. Pollard *Journal of Religious History* 1 (1960-1961) p. 145 propose l'emploi des termes « exegesis » et « eisegesis » afin d'éclairer la distinction entre les deux méthodes.

[2] En ce qui concerne les développements entre le Nouveau Testament et Clément d'Alexandrie, Justin est un personnage important qui s'attache à la tradition typologique : en fait le *Dialogue* entier représente un essai de démontrer que le Christ est préfiguré par l'Ancien Testament. Parfois sa typologie semble devenir allégorique : Genèse 49. 10 ss. signale les deux avents du Christ « par parabole et énigmatiquement » (ἐν παραβολῇ δὲ καὶ παρακεκαλυμμένως) (*Dial* 52, 1 ss).

[3] Voir p. 67 ss.

Justin voit une signification typologique dans l'usage des mots « bâton » et « bois » [1] : les noms bibliques sont aussi susceptibles d'une interprétation étymologique [2]. La source de cette technique est juive : Bonsirven [3] donne des exemples d'interprétation allégorique de détails qui sont apparemment accidentels.

Il est frappant de constater une tendance semblable dans la pensée hellénistique, née probablement de l'exemplarisme pythagoricien et platonicien. Sans vouloir confondre les deux cultures, nous insistons néanmoins qu'un tel rapport est important parce qu'il facilite le syncrétisme pratiqué par Clément. Nous verrons que la parabole est compatible avec l'exégèse stoïcienne, au moins pour celui qui a intérêt à les rapprocher : la notion de suggestivité, employée par les Grecs et les Juifs à la fois, alimente aussi la pensée clémentine.

Or, Plutarque cherche des « sous-entendus » non seulement sur le plan des mythes, mais aussi sur le plan des objets et des pratiques symboliques [4]. Cette supposition de l'existence d'une signification cachée s'étend à travers toute l'experience humaine : tout ce qui existe peut être un signe ; un triangle, un animal, un roi, etc. (Le vrai roi, par exemple, reflète le Nomos universel en tant que l'incarnation du Logos) [5]. Chaque phénomène visible est donc imprégné de signification, puisqu'il porte l'empreinte de la Réalité : le principe de cette ressemblance systématisée est l'exemplarisme.

On est tenté d'examiner la pratique des étymologies dans cette même perspective. La « preuve » par l'étymologie est caractéristique de la littérature grecque : l'exemple célèbre est celui d'Apollon, l'antinom de la théologie négative [6]. L'étymologie suggérée (d'α et $\pi o \lambda \lambda \acute{a}$) est fausse, mais elle explique une certain conception d'Apollon. Plutarque nous offre une liste d'étymologies courantes [7], et d'autres se trouvent ailleurs. Par exemple :

L'$I\sigma\epsilon\hat{\imath}o\nu$ (le temple d'Isis) : dérivation postulée $\epsilon\grave{\iota}\sigma o\mu\acute{\epsilon}\nu\omega\nu$ $\tau\grave{o}$ $\check{o}\nu$. (Une conception philosophique d'Isis se reflète dans le nom de son temple [8].)

---

[1] *Dial.* 86, 1-6.

[2] Clément *Eclogae Propheticae* 32 ; Origène, *Les Homélies sur les Nombres*, dans le passage sur les « stations ».

[3] *Op. cit.*, p. 298 : voir aussi M. Simon *Verus Israël* p. 178.

[4] Voir p. 80.

[5] *Moralia* 820 c, e, f. Voir Scott : *Plutarch and the Ruler Cult* ...

[6] Voir *Strom.* I. 24. 164. 3 ; Plotin *Enn.* 5. 5. 6 ; Plutarque *De Is. et Os.* 354 f.

[7] *De E apud Delphos* 394 a.

[8] *De Iside et Osiride* 352 a.

τελεῖσθαι (s'initier) : dérivation postulée τελευτᾶν (mourir)[1]. (La notion de la mort de l'âme dans les mystères se reproduit dans le terme cité.)

La pratique des étymologies remonte jusqu'aux origines de la culture grecque, avec l'ἔτυμος λόγος de Stésichore, par exemple. Platon stigmatise[2] l'habitude des sophistes d'expliquer les mythes par des confusions étymologiques, mais cette thèse fait l'objet d'un examen détaillé dans le *Cratyle*[3]. Dans ce dialogue, l'affirmation suivante est discutée, et ensuite rejetée : les noms se composent de syllabes (ou de noms simples), et ces atomes linguistiques révèlent leur signification par leur connexion avec les objets qu'ils désignent. Ainsi Platon refuse l'idée que les noms sont paradigmatiques, et en conséquence il n'accepte pas le concept de la « suggestivité » des noms.

Pourtant le défi platonicien à la pratique des étymologies ne fut pas déterminant : la preuve, ou la confirmation, par étymologie continue à s'employer jusqu'à l'ère hellénistique[4]. Nous avons remarqué quelques exemples chez Plutarque, et il n'en manque pas d'autres. Sans doute la raison principale de cette approche était une théorie du langage selon laquelle les éléments linguistiques seraient dans un rapport constant et *significatif* avec la réalité. Plutarque, en proposant ces étymologies, ne vise pas à élucider leurs racines linguistiques, mais plutôt à trouver une ressemblance entre le terme et sa référence[5]. Il s'agit donc d'une forme de l'allégorisme, par laquelle on trouve dans le nom les signes de sa signification.

Revenant sur le côté juif de la question, M. Simon[6] signale certaines combinaisons de textes qui sont amalgamés dans une citation unique chez Justin, Barnabé et pseudo-Grégoire[7]. Ce genre d'interprétation est sans aucun doute d'origine juive, car il dépend de la notion d'un texte sacré et inspiré : on pense aussi à la notion de la mystique des

---

[1] Fragment cité dans Tricker et Prickard, *Essays on the Moralia*, p. 215.

[2] *Phèdre* 229 c, d.

[3] 391 e - 241 d. Voir K. Barwick, *Probleme der Stoischen Sprachlehre und Rhetorik*, p. 70-79.

[4] L'emploi philosophique des étymologies dans la période classique est traité par Lloyd, *Polarity and Analogy*, p. 71.

[5] La technique ne s'inspire pas d'un intérêt philologique, proprement dit. Les étymologies, selon leur usage grec, doivent être suggestives plutôt que correctes : elles alimentent l'imagination, plutôt que la science de la linguistique.

[6] *Verus Israël*, p. 187.

[7] *Dial.* 76. 7 ; Ps. Grég. *Test.* 1 (P.G. 46, 196) ; Barnabé, 12. 10-11.

mots et des lettres [1]. Un exemple de l'exégèse de Barnabé est typique de cette forme de l'interprétation :

> (Abraham) « l'accomplit ayant en esprit les regards sur Jésus : car il avait reçu l'enseignement contenu en trois lettres. L'Ecriture dit en effet : Abraham circoncit des hommes de sa maison au nombre de dix-huit et trois cents. Remarquez que l'on nomme d'abord les « dix-huit », puis, après un intervalle, les « trois cents ». Dix-huit s'écrit par un iota qui vaut dix et un eta qui vaut huit : vous avez là Jésus... » [2].

Cependant ce processus perd son caractère juif chez les pères grecs, en se combinant au symbolisme platonicien et pythagoricien.

Ainsi, chez Origène, à la fin des *Homélies sur les Nombres*, chaque « station » du désert s'accompagne d'une analyse étymologique qui « démontre » sa significatoin dans l'ascension de l'âme [3] : il défend cette forme de l'analyse de la façon suivante :

> Pourquoi refuser de croire que le nom de chaque station et l'étape qui va de l'une à l'autre, et de celle-ci à une troisième, marquent les progrès de l'intelligence et signifient l'accroissement des vertus [4] ?

C'est dans ce sens que la notion de « suggestivité » se développe, et ses rapports avec le symbolisme sont évidents : chaque mot, chaque détail peut évoquer toute une richesse de signification.

---

[1] Voir supra, p. 47 et M. Simon, *op. cit.* p. 412.

[2] 9. 8-9 ; cité par M. Simon, *op. cit.* p. 182.

[3] Ainsi l'explique-t-il W. Völker, *Das Vollkommenheitsideal des Origenes*, p. 62-75.

[4] *Homélies...* 27.

CHAPITRE V

LE THÈME DE LA VÉRITÉ CACHÉE

De la similitude à l'énigme

Le symbolisme de Plutarque se fonde sur deux thèmes différents : celui de la similitude et celui de l'énigme. Si la poésie abandonne la similitude de la vérité elle perd son attrait : par conséquent la poésie est présentée dans le *Quomodo Adolescens Poetas* (25 c) comme une copie de la réalité. Le même exemplarisme se retrouve dans sa conception des idoles, qui sont des images matérielles des dieux [1]. Le soleil, affirme-t-il, a été mal compris par ceux qui l'adorent parce qu'en fait il constitue une représentation visible d'une réalité invisible [2].

> Le souverain est l'image de Dieu, qui ordonne tout : il n'a besoin ni de Phidias ni de Polyclète ni de Myron pour faire son modèle; il s'assimile à Dieu par sa vertu [3].

Cependant l'aspect exemplariste ne couvre pas tous les symboles de Plutarque, parce que certains d'entre eux se présentent sous forme énigmatique : la notion de similitude cesse de jouer un rôle. La figure énigmatique, qui cache et révèle simultanément mérite un examen plus approfondi : le thème de l'énigme se rapporte à la notion du silence devant le divin, et le rapprochement de ces idées peut éclairer l'arcane observé chez les chrétiens et les païens à la fois.

Les figures employées par Plutarque se retrouvent souvent chez Clément. La mention des hiéroglyphes [4] constitue un point commun : ce sont des symboles énigmatiques dans la mesure où leur signification ne se manifeste pas à celui qui ignore les conventions de leurs symbolisme [5].

---

[1] Telle est en général la position de Plutarque : cependant son attitude est parfois ambiguë. Voir dans *Vit. Cam.* 6. 116 et *De Pyth. Orac.* 404b, 405e, des explications naturalistes des signes de vie dans les idoles, ou des théophanies en général. Ailleurs il semble admettre la divinité des idoles (*Vit. Cam.* 6, *De Pyth. Orac.* 397 e).

[2] *De Def. Or.* 433d, e; *De E apud Delphos* 21.

[3] *Ad Principem Ineruditem* 780e.

[4] *De Is. et Os.* 354ss.

[5] Hersman (*Studies ..*, p. 59 ss.) s'avoue perplexe devant l'affirmation que les hiéroglyphes sont symboliques : cependant le passage est moins difficile vu à travers l'analyse plus précise de Clément (*Strom.* V. 4. 20) qui affirme que les hiéroglyphes possèdent une

Comme dans le cas des maximes pythagoriciennes, la forme de leur expression est énigmatique, et l'interprétation est réservée aux initiés. Le sphinx est le symbole même de la nature énigmatique de la vérité [1] : de même que le fruit se dérobe derrière les feuilles d'un arbre, tout ce qui est de valable dans la poésie est à rechercher [2].

Plutarque, comme son successeur chrétien, semble joindre la notion de la ressemblance et la notion de l'énigme dans un concept apparemment contradictoire :

> ... leur philosophie, qui pour la plupart est voilée par des mythes et par des paroles qui contiennent des reflets et des aperçus de la vérité... [3].

Ainsi la vérité est voilée par ses reflets : la même antinomie se trouve chez Clément. Il est évident que l'idée du symbolisme énigmatique est peu compatible avec l'idée du symbolisme exemplariste, mais il est néanmoins vrai que les deux éléments convergent dans Clément. Afin d'aborder le problème de leur rapprochement, il est d'abord nécessaire d'approfondir la notion de la vérité cachée. Ce concept se présente, en effet, sous des formes très diverses, exigeant une enquête à partir de différentes perspectives. Comme toujours Clément se situe à cheval sur plusieurs traditions : il est vrai que certains mot-clefs se présentent (παραπέτασμα, κάλυμμα, μυστήριον, σύμβολον, αἴνιγμα etc.), mais ils ne font pas l'objet d'une définition étroite. Clément ne définit jamais : il vise à libérer ses termes de cet enchaînement.

Le silence des mystères

L'initié aux mystères se trouvait dans une position privilégiée pour la connaissance du dieu qu'il adorait, mais il n'exerçait ce droit qu'au sein des mystères. En dehors de la pratique de ces cultes il était obligé de ne rien révéler de ses expériences. Ainsi l'Hymne homérique à Cérès [4] affirme qu'on ne peut ni entendre ni expliquer ses mystères : le terme ἄρρητα (indicible) s'applique souvent au contenu de ces

---

valeur symbolique, mais que ce symbolisme n'est pas évident de lui-même. Il est adopté : il s'agit donc d'une convention, dont l'interprétation ne se livre qu'aux initiés. Plutarque lui-même semble confirmer cette thèse par sa comparaison avec les maximes pythagoriciennes.

[1] De Is. et Os. 354 c. Le sphinx constitue le symbole traditionnel de l'énigme : voir aussi Sophocle Oed. Tyr. 1525 ; Euripide Phoen. 1688 ; Plutarque Moralia 407 b, 409 c ; Orac. Sib. 3, 811.

[2] Quomodo Adolescens Poetas 28 b.

[3] De Is. et Os. 354 c.

[4] 475-479.

mystères [1]. Hérodote même, avec son penchant pour l'exposition des cultures étrangères s'arrête devant les mystères :

οὔ μοι ὅσιόν ἐστι λέγειν [2].

Les règles du silence ne s'imposaient pas seulement aux croyants et et aux initiés, elles pénétraient jusqu'aux fondations de la société, en revêtant une forme légale. La célèbre profanation [3] des mystères d'Eleusis par Alcibiade entraîna sa condamnation devant un tribunal athénien [4] : ainsi le silence représentait le devoir de chaque citoyen, devoir exigé à la fois par les dieux et par l'Etat. On a constaté aussi un « silence » littéraire, qu'on peut désigner « l'allusionisme » [5], qui consiste en une façon de parler d'un secret sans révéler les détails de ce secret. Pausanias nous fournit un exemple de cette technique [6] :

> Celui qui a vu les Mystères d'Eleusis ou qui a lu les ouvrages appelés Orphiques sait ce que je veux dire.

De même Plutarque parle des « symboles mystiques des initiations de Dionysus, que nous connaissons, nous qui y avons participé » [7]. Le silence donc constituait une certain discrétion révérencielle de la part de l'initié, et il s'imposait à chaque niveau de la vie civique, soit en conversation privée, soit dans la vie civile, soit en écrits rendus publics.

---

[1] Xénophon *Hellen.* VI. 36 ; Schol in Aristoph. *Nub.* 303. Casel *De Silentio Mystico* ... p. 7 donne une liste des verbes grecs qui désignent la révélation impie des mystères. Cette étude fort intéressante offre une collection très complète des passages qui se rapportent au *silentium mysticum*.

[2] Hérod. II. 61 ; voir aussi II. 47 ; II. 171.

[3] Plutarque *Vit. Alcib.* 22.

[4] Voir aussi Sopater *Rhet. Gr.* VIII. 117 w : ἐάν τις τὰ μυστήρια εἴπῃ, τιμωρεῖσθαι. Néanmoins on peut distinguer entre les connaissances permises aux initiés et celles qui étaient permises aux profanes. Sénèque (*Ep.* 95, 64) : « ... in philosophia arcana illa admissis receptisque in sacra ostenduntur, at praecepta et alia eiusmodi profanis quoque nota sunt ». Clément fait les mêmes distinctions (*Protrept.* II. 21. 2 ; 22. 4). Casel en conclut (*op. cit.* p. 19), avec raison, que le *silentium mysticum* s'appliquait aux actes et aux rites du culte, plutôt qu'au contenu théologique.

[5] Terme employé par Méautis (*Plutarque et l'Orphisme...* p. 577-8) comme critère pour distinguer entre les cultes vivants et les cultes morts : l'emploi d'une allusion ou d'une référence peu explicite, implique que le culte fonctionne encore. Ce critère est souvent utile, mais il faut rappeler que parfois l'allusion est employée pour des raisons stylistiques — pour éviter la redondance ou pour éviter le répétition de ce qui est déjà connu. « L'allusionisme » ne se lie pas forcément avec la discrétion.

[6] I. 37. 4.

[7] *Consol. ad Uxorem* 611 d-e.

L'aspect civique du *silentium mysticum* a peut-être poussé Lobeck [1]
à tenter de démontrer que le mystère aux origines était exclusivement
familial. Le contenu des rites demeurait la propriété privée de chaque
famille, afin que les bienfaits de cette piété restassent au sein de la
famille. Cependant ce point de vue ne tient pas compte de la force
extraordinaire de l'opinion publique contre Alcibiade [2]. Une certaine
sensibilité se manifeste, une crainte devant la majesté du divin.
Selon Casel [3] :

> Maiestas (σέβας, ἄγος, ὁσιότης) vero timorem et terrorem incutere
> solet.

La crainte de Dieu enchaîne la langue : épouvanté par la présence de
Dieu, l'homme est rendu muet. Cette idée du *mysterium tremendum et
fascinans*, qui a été mise en valeur surtout par Rohde et Otto [4], est
bien attestée : Platon (*Phèdre* 275 d) parle d'une piété qui s'exprime
σεμνῶς πάνυ σιγᾷ. Les termes « saint » et « terrible » se juxtaposent
fréquemment, par exemple dans la θέη φρικτή de Callimaque [5] : Plutarque aussi rapproche la crainte et le silence révérenciel [6]. Ces témoignages (dont beaucoup plus encore sont fournis par Casel) [7] mettent
en relief un concept de Dieu qui se rapporte à la notion philosophique
de la transcendance, qu'on trouve surtout chez les moyen-Platoniciens.
Ce rapprochement entre les dieux des philosophes et le dieu terrible
des mystères a été déjà fait par Strabon [8] :

> ἥ τε κρύψις ἡ μυστικὴ τῶν ἱερῶν σεμνοποιεῖ τὸ θεῖον, μιμουμένη
> τὴν φύσιν αὐτοῦ φεύγουσαν ἡμῶν τὴν αἴσθησιν.

L'originalité de Strabon réside en ce qu'il offre une justification du
« silence » en employant la notion de la ressemblance (μίμησις) : le
silence donc constitue la seule « description » qui convient à cette Réalité fuyante et lointaine. Voilà donc une trace primitive de la théologie
négative : de même que l'initié se trouve muet devant la majesté de

----

[1] *Aglaoph.* 270-282.

[2] Ceci dit, la suggestion de Lobeck offre une perspective intéressante sur la distinction
entre les initiés et les profanes : « l'arcane » remonte peut-être à la distinction entre la
famille et les étrangers.

[3] *Op. cit.* p. 22.

[4] Rohde (*Psyche* I, p. 280) discute le thème de la crainte de Dieu; voir aussi le
célèbre ouvrage de R. Otto, *Das Heilige*.

[5] *Aet.* Oxyrrh. Papyr. VII p. 25, 6.

[6] *De Prof. in Virt.* 81 e.

[7] *Op. cit.*, p. 22.

[8] X. 467 c.

Dieu, le philosophe rejette tout prédicat qui pouvait le saisir. La voix s'éteint et la plume s'arrête : la lumière divine jette son ombre sur l'intelligence humaine [1].

Le voile

Le thème de la vérité voilée connaît une histoire juive et une histoire grecque. Pour Clément tout ce qui est précieux se cache : la foi chrétienne ne se livre pas à n'importe qui, mais plutôt à un cercle privilégié. Il utilise la métaphore du voile ($\pi\alpha\rho\alpha\pi\acute{\epsilon}\tau\alpha\sigma\mu\alpha$) [2], parlant d'abord du voile devant le saint des saints, qui signifie, selon la pensée clémentine, l'aspect énigmatique de l'Ecriture, ou la façon symbolique de parler de Dieu. En second lieu, ce thème rappelle l'idée de la réserve de la vraie connaissance, notion philonienne reprise par Clément dans la métaphore du voile. Il semble que, malgré la révélation du divin dans la prédication et dans l'Ecriture elle-même, les vérités de l'au-delà restent obscures et hors de la portée même de l'esprit humain. Il faut ajouter, d'ailleurs, que ce n'est pas malgré la révélation que la vérité reste cachée mais à cause même de cette révélation : paradoxalement pour Clément l'Écriture cache et révèle en même temps le vrai Dieu. Autrement dit, la parole de la doctrine chrétienne ne suffit pas en elle-même pour révéler Dieu, puisque celui qui lit sans l'esprit illuminé ne peut pas arriver à l'interprétation exacte de ce qu'il lit [3]. Ainsi Platon écrit-il, selon la citation de notre auteur [4] :

> Je dois t'écrire en énigmes, afin que, si cette lettre est saisie sur mer ou sur terre, celui qui la lira ne puisse la comprendre.

Il est donc utile de rappeler le sens de certains termes principaux qui transmettent la tradition de la vérité obscure.

$\alpha\ddot{\iota}\nu\iota\gamma\mu\alpha$

Ce terme se retrouve de nombreuses fois chez Clément : il apparaît une fois dans le Nouveau Testament.

---

[1] « Viso deo intelligentia humana excaecatur ». Casel op. cit., p. 77.

[2] Strom. V. 3. 19. 4, V. 4. 24. 2, V. 6. 34. 4, V. 5. 32. 3, V. 5. 33. 1.

[3] L'illumination vient d'abord de Dieu lui-même, et en second lieu de l'activité de l'église qui transmet la « tradition secrète ». (Voir Péd. 1. 6. 42 ; et chapitre IX de cette thèse.)

[4] Strom. V. 10. 65. 1.

Maintenant nous voyons dans un miroir, d'une manière obscure, mais alors nous verrons face à face... [1] (βλέπομεν δὶ ἐσόπτρου ἐν αἰνίγματι)

Notre perception actuelle de la vérité est mise en contraste avec la perception parfaite eschatologique : c'est-à-dire que maintenant nous ne comprenons qu'indistinctement. La présence du mot ἐσόπτρον suggère qu'il ne s'agit pas d'une énigme à résoudre, mais plutôt d'un manque de clarté [2]. En grec classique, d'ailleurs, un rapport existe entre l'αἴνιγμα et l'expression prophétique; Kittel donne les passages suivants : Sophocle *Oed. Tyr.* 1525; Euripide *Phoen.* 1688; Plutarque Moralia 407 b, 409 c; *Orac. Sib.* 3, 811. En conséquence de cette association, l'énigme perd son sens strict et commence à désigner simplement l'expression indistincte, comme dans ce passage de Plutarque :

Si donc les plus connus parmi les philosophes, ayant remarqué l'énigme du divin dans les choses qui sont inanimées et incorporelles... [3].

Il est évident, à partir du contexte, que le terme se rapporte à l'image obscure du divin qui se manifeste au plan sensible. Le texte néotestamentaire doit être compris à la lumière de cette citation : il ne s'agit pas d'un rébus, comme un oracle delphique, mais plutôt d'une vision partielle. Ce qui est important pour nous est l'équivocité du terme, car Clément en profite. Il applique le terme αἴνιγμα à la Foi chrétienne, mais dans son sens primitif de « rébus » : ainsi sa notion de l'arcane est-elle renforcée.

κάλυμμα

Chez Clément le concept du voile s'exprime en deux mots : παραπέτασμα n'a pas d'histoire néotestamentaire, mais le terme κάλυμμα représente un thème principal, à cause de sa relation avec ἀποκαλύπτω, verbe qui signifie révéler, au sens chrétien.

Parmi les nombreux sens de κάλυμμα, Oepke [4] distingue quatre aspects théologiques qui se rapportent tous à la notion du voile.

(a) Le voile qui couvre la tête : signe de deuil (Soph. *Ajax* 246).

(b) Le concept de l'oracle voilé (Esch. *Ag.* 1178).

(c) Le concept de l'inaccessibilité divine (Plutarque *De Is. et Os.* 9).

(d) Finalement, le voile se lie avec le masque. Cet usage est très

---

[1] I *Cor.* 13. 12.

[2] L'image fournie par un miroir était considérée comme secondaire et indistincte. (Voir ἔσοπτρον dans Kittel).

[3] Plutarque *Moralia* 382 a.

[4] Kittel (s. καλύπτω).

suggestif, car le masque signifiait à la fois la présence et la distance
du divin : en portant un masque, le prêtre donnait un oracle au nom
du dieu symbolisé par ce masque. Ainsi le masque, tout en cachant et
en couvrant, symbolisait la révélation [1]. Cette conception, bien qu'elle
ne se trouve pas dans le Nouveau Testament, éclaire très bien la
contradiction inhérente à la notion de la vérité voilée : nous avons déjà
constaté la véritable ambiguïté qui se manifeste dans les conceptions
symbolistes de Plutarque et de Clément. Le symbole énigmatique, que
représentaient à la fois le voile ($\kappa\acute{a}\lambda\upsilon\mu\mu a$) et la révélation ($\grave{a}\pi o\kappa\acute{a}\lambda\upsilon\psi\iota s$),
sert à stimuler, mais aussi à atrophier l'esprit humain. De même qu'il
illumine, il limite par son caractère concret. Voilà la signification du
masque. (Le terme $\kappa\acute{a}\lambda\upsilon\mu\mu a$ se retrouve dans le Nouveau Testament,
dans la deuxième épître au Corinthiens, 3, 17-18, où Paul discute le
masque porté par Moïse [2] : il offre une interprétation allégorique).

Du voile à la gnose

Chez Clément le terme $\gamma\nu\hat{\omega}\sigma\iota s$ inclut l'idée de la tradition doctrinale
secrète, la $\pi a\rho\acute{a}\delta o\sigma\iota s$: dans *Strom.* I. 1. 11. 3 nous lisons une liste des
détenteurs de cette tradition, qui étaient responsables de sa transmis-
sion à partir du Christ lui-même. Le contenu de la tradition constitue
la gnose. Il est clair que Clément a emprunté son concept de la gnose,
dans cet aspect au moins à l'épître de Barnabé, qu'il considérait
comme une épître authentique du Nouveau Testament [3] : un passage du
cinquième *Stromate* désigne l'épître de Barnabé comme la source la
plus claire de la tradition gnostique ($\gamma\nu\omega\sigma\tau\iota\kappa\hat{\eta}s$ $\pi a\rho a\delta\acute{o}\sigma\epsilon\omega s$) [4]. Dans
la perspective de cet écrit, la gnose est interprétée comme la compré-
hension des vérités cachées [5] : la recherche de ces vérités se poursuit
dans l'interprétation christologique de l'Ecriture, c'est-à-dire de l'Ancien Testament. La vraie signification de l'Ecriture est la gnose; en
effet le terme $\gamma\nu\hat{\omega}\sigma\iota s$ est un synonyme du terme « signification » [6].

---

[1] Voir W. F. Otto : Dionysos, *Mythos und Kultus*..., ch. 6. Dionysos, appelé par Otto
le « dieu de confrontation », trouvait sa représentation dans le masque qui servait de
symbole de sa présence. Mais, du fait que le dieu n'était pas présent sous sa forme réelle,
le masque demeurait équivoque.

[2] *Exode* 34. 33-35.

[3] Clément mentionne l'épître huit fois : voir Hilgenfeld, *Novum Test. extra canonem*,
p. x.

[4] *Strom.* V. 10. 63. 2.

[5] VI. 10.

[6] VI. 9 par exemple (cf. Mme Flessemann-van Leer, *Tradition and Scripture in the
early Church*, p. 51).

Telle est donc la physionomie générale de la gnose : mais elle est aussi un *acte*, un mode de connaissance.

La tradition secrète, la gnose communiquée aux apôtres, consiste en une exégèse de l'Ecriture qui dégage les vérités spirituelles et célestes. Ce rapprochement de l'allégorisme et de la gnose doit déterminer notre compréhension de l'allégorisme clémentin : sous cette perspective, l'interprétation allégorique dépasse le niveau d'une technique herméneutique ou d'un simple instrument de l'exégèse. Il est vrai que l'allégorisme peut-être considéré comme une forme de l'apologétique, ou comme un moyen de sauver les mythes, mais l'allégorisme gnostique dont il est question est beacoup plus que cela. L'allégorisme seul reconnaît dans les mythes et symboles terrestres des signes de la Réalité : l'allégorisme gnostique transforme la pratique des « sous-entendus » en une contemplation mystique. Bultmann [1] souligne les deux sens de γνῶσις ; l'apogée, et la voie qui mène à cet achèvement : voir la phrase du *Corpus Hermeticum* [2] où la γνῶσις constitue εἰς τὸν ὄλυμπον ἀνάβασις. Ainsi la méditation allégorisante sur les écrits sacrés peut être considérée comme le moyen et aussi la fin de l'expérience gnostique.

La gnose, comprise dans le sens de l'illumination finale, constitue une puissance qui entre dans l'homme ; comme un fleuve qui emporte tout obstacle dans son flux. Ainsi l'homme s'unit matériellement avec la réalité. Pour Barnabé, par exemple, cette expérience mystique se réalise dans la compréhension allégorique de l'Ecriture : la lecture des textes sacrés devient une forme de méditation sur le Christ. Bréhier a remarqué à propos de Philon [3] : « sa conception même de la vérité cachée sous l'allégorie n'est pas sans rapport avec celle des mystères ». Un passage du *Pasteur* [4] nous dit que Hermas, ayant reçu le livret de l'Église en a transcrit les caractères sans comprendre l'ensemble des syllabes : ainsi celui qui n'est pas illuminé n'atteint qu'aux symboles de la foi, et leur signification lui échappe. La gnose constitue à la fois le moyen de dépasser ces symboles et le but de cette ascension : Clément en parle de la façon suivante :

> Je sais que les mystères de la gnose provoquent des plaisanteries chez la plupart des gens, surtout quand ils ne sont pas recouverts d'une tropologie savante ; mais pour quelques-un, au contraire, c'est comme une lumière qu'on

---

[1] Dans Kittel : γνῶσις.
[2] X. 15. Voir aussi IV. 8, 11 ; VII. 1 ss.
[3] *Les idées philosophiques et religieuses de Philon d'Alexandrie*, p. 41.
[4] II. 1.

apporte soudain au milieu d'un banquet dans une salle couverte : tout d'abord elle les frappe, puis ils s'y habituent, ils s'y conforment, ils s'exercent au raisonnement, et, tressaillant, exultant de joie, ils louent [1] le Seigneur [2].

L'allégorisme gnostique de ces auteurs marque un énorme progrès dans la philosophie du symbolisme parce qu'il donne un rôle essentiel à la « mythologie ». L'interprétation christologique de la mythologie biblique représente, dans le christianisme platonicien, le *sine qua non* de l'illumination : dans le système de Plotin la gnose, comme la dialectique [3], est préparatoire, mais le terme θέα est réservé pour la vision de l'Un [4]. Mais, pour Clément la gnose prépare *et* achève l'ascension de l'âme. Le caractère mythique de la révélation chrétienne forçait ses exposants à mettre l'allégorisme plus au centre du processus gnoséologique. Ainsi l'association de la connaissance mystique avec l'allégorisme leur a fourni un moyen d'affirmer l'importance d'une révélation terrestre.

Conclusion

Ainsi nous avons rassemblé quelques notions qui se rapportent au caractère caché de l'être divin : elles se présentent sous deux aspects.

(I) En premier lieu, la réserve dépend d'une distinction entre les initiés et les profanes, entre les mûrs et les faibles, ou entre l'élite et la masse. Il en résulte un « silence » stylisé, c'est-à-dire une forme de l'expression symbolique qui évoque plutôt qu'elle explicite. Voilà l'arcane.

(II) Cependant à travers les témoignages que nous avons étudiés une autre idée se présente. Il est maintenant nécessaire de distinguer entre le silence stylisé, et le silence qui s'impose à cause de la transcendance de Dieu. Trouvant sa propre expression dans la théologie négative, ce silence n'a aucun rapport avec les distinctions entre les croyants et les profanes. Ce silence absolu dépasse la discrétion de l'initié, parce qu'il est né des limites de l'intellection humaine.

(III) Ce pessimisme à l'égard des facultés intellectuelles ne fait que souligner l'importance de la gnose chez Clément en particulier, car elle constitue le moyen de les dépasser. La gnose est à la fois un contenu et une expérience qui transforme le fidèle en être céleste : le gnostique subit un changement fondamental qui le rapproche de Dieu.

---

[1] Lacune.

[2] *Eclog. Prophet.* 35.

[3] *Enn.* VI. 7. 36.

[4] *Ibid.* Voir aussi *Enn.* VI. 4. 7. (Cf. R. Reitzenstein, *Die Hellenistischen Mysterienreligionen*, p. 352).

DEUXIÈME PARTIE

LA SYNTHÈSE DE CLÉMENT

A. ASPECTS PHILOSOPHIQUES

CHAPITRE VI

LA THÉODICÉE CLÉMENTINE

Le sujet de notre étude exige une discussion de la notion clémentine de Dieu — il va de soi en effet qu'il est impossible de pénétrer trop loin dans sa théorie de la connaissance sans rencontrer l'objet de cette connaissance; comment Dieu est-il présenté par Clément? Comment se manifeste-t-il à l'esprit humain?

La nature même de cette question nous amènera vers le côté grec et gnostique de notre auteur, car c'est la que le problème de la connaissance est soulevé le plus souvent. Ce n'est pas ignorer la tradition judéo-chrétienne, sur laquelle il y a bien des choses à dire relatives à la théodicée clémentine, mais c'est reconnaître que le problème de la connaissance, de la victoire sur l'ἀπιστία [1], constituait une préoccupation de la philosophie hellénique. L'ascension de l'esprit à partir des sensibles jusqu'aux intelligibles, le problème de la vraie connaissance, le désir de voir — ce sont tous des thèmes qui sont propres aux penseurs païens. Mais P. Th. Camelot nous conseille [2], à raison, de ne pas distinguer trop rapidement entre grec et juif sur ce point : certains textes de l'Exode (« Fais-moi voir ta Gloire ») [3] ou des Psaumes (« Montre-nous ta face, et nous serons sauvés ») [4] manifestent un intérêt pour les mêmes thèmes. Dieu est juge, sauveur, créateur, mais il est aussi une présence à connaître — la lumière du monde, comme en témoigne tout l'Evangile de Jean. Il est vrai que le problème de la connaissance est d'une importance primordiale dans toute perspective religieuse : cependant il est aussi vrai que la pensée grecque s'intéressait plus à cette question que la religion judéo-chrétienne. Si donc il semble que nous tendons à laisser de côté l'aspect biblique dans notre étude, c'est parce que ses exigences nous obligent de mettre en valeur la contribution de la philosophie. Cette position, bien entendu va à l'encontre du point de vue de W. Völker, qui, dans son important livre, veut

---

[1] ... διὰ τὴν ἀπιστίαν τὴν ἀνθρωπίνην γένεσιν ἴσχει κακία. *Péd.* 1. 8. 70. 2. Cf. *Quis Dives* 23. 4; *Strom.* II. 12. 55. 1.

[2] *Foi et Gnose*, p. 12.

[3] 33 18.

[4] 80. 4.

minimiser les « emprunts » à la philosophie grecque [1]. Soulignant la cohérence et la signification de la gnose clémentine, cet auteur tâche d'éliminer la conception de Clément comme moyen-platonicien. Nous aurons plus tard l'occasion de revenir sur ces questions : pour le moment il suffit de signaler notre opposition surtout à propos de la transcendance divine.

En deuxième lieu, il faudra exclure de notre considération certains aspects même de la partie hellénique de sa théodicée. Le Chapitre 14 du cinquième *Stromate* par exemple, vrai tour de force du concordisme clémentin, regroupe beaucoup de textes autour du rôle cosmique de Dieu. Des fragments de Démocrite et de Pindare servent à attester l'œuvre du Père, de l'ouvrier sublime qui « nous élève graduellement et selon nos mérites vers la divinité » [2]. On pense aussi aux passages téléologiques, où un concept stoïcien de l'harmonie du cosmos se laisse entrevoir dans le langage de Clément : celui du Ier *Stromate* (17. 85. 6 ss.), par exemple, affirme que rien ne s'oppose à Dieu, car il est Tout-Puissant. Même les activités de ceux qui veulent s'opposer au plan divin contribuent à une fin bonne, puisqu'elles sont partielles et, en conséquence, obligatoirement soumises à la vie de tout [3]. La providence universelle les dirige vers une fin salutaire ($\tau\acute{\epsilon}\lambda o\varsigma$ $\acute{\upsilon}\gamma\iota\epsilon\iota\nu\acute{o}\nu$) malgré la corruption de leur cause. Ces considérations ont une certaine importance pour notre sujet, mais à strictement parler la pensée providentialiste de Clément se trouve en dehors du problème que nous soulevons ici, celui de la connaissance. Ce n'est donc pas par désir de minimiser la partie biblique de la pensée de notre auteur que nous limitons le champ de notre enquête, mais plutôt par souci d'exclure ce qui est étranger au sujet (que ce soit d'origine grecque ou juive).

La question est claire : comment et dans quel sens Dieu est-il saisissable ? Plusieurs réponses à cette question ont été regroupées dans la première partie, notamment celle de Philon. En résumé, nous avons constaté à cette époque une tendance à refouler le concept de Dieu et à mettre l'accent sur la transcendance. Ainsi est-il caractérisé comme mystérieux, ineffable, innommable, et inconcevable ; tous ces adjectifs ne peuvent que constituer une expression intuitive du mystère divin qui ne se laisse pas déformer par les caricatures que se fait l'esprit humain. Nous avons essayé de distinguer entre un sens fort et un sens faible dans toutes ces affirmations de la transcendance de Dieu : d'un

---

[1] Voir les pages 126ss.

[2] 102. 2.

[3] Voir les pages 96 ss.

côté se trouvent les références à la théologie négative et l'usage d'adjectifs qui soulignent le caractère obscur de la nature divine. De l'autre se trouvent les considérations ontologiques qui permettent de juger la rigueur avec laquelle un auteur épouse *la via negativa*. Si dans son ontologie Philon situe Dieu au-delà de *l'ousia* et du *nous*, sa critique de l'anthropomorphisme doit être considérée comme très radicale.

De même, dans le cas de Clément, il faudra contrôler les affirmations négatives à la lumière de son ontologie : si, par exemple, nous trouvons que les intuitions de Clément s'accordent avec sa philosophie, nous pourrons répondre avec confiance à W. Völker, qui voit dans les passages négatifs des emprunts mal assimilés et peu importants. Nous proposons donc qu'un examen du Clément « imaginatif » renforce notre version du Clément philosophique : l'image et l'analyse coïncident.

Effectivement la théodicée négative se trouve à travers l'œuvre de Clément, et pas seulement sous forme d'une formule isolée, ou d'une référence passagère aux trois voies des écoles platoniciennes. Notre auteur semble parler de la profondeur de son imagination et de son expérience spirituelle lorsqu'il décrit « celui qui dirige l'univers » comme « un être difficile à saisir et à capturer, qui recule sans cesse devant celui qui le poursuit et se tient éloigné de lui » [1]. Pour Clément la nuée et les ténèbres constituent (allégoriquement) la demeure qui convient le plus au divin [2] : le discours humain est faible par nature [3], et impuissant à le saisir. Le chapitre 12 du cinquième *Stromate* se consacre tout à fait au développement de l'idée du caractère mystérieux de Dieu, et il contient de nombreuses citations qui renforcent cette notion — des passages tirés des écrits d'Orphée, de Solon, d'Empédocle, et du Nouveau Testament. Il est évident qu'il trouve ici un de ses grands thèmes humains qui se manifestent à travers la littérature chrétienne et profane : certains, remarque-t-il, ont appelé le divin « profondeur » parce qu'il embrasse toutes choses dans son immensité, infinité que nul ne saurait atteindre [4]. Mais si Clément conçoit Dieu comme « profondeur », il ne manque pas d'employer son conjoint

---

[1] Trad. de Mondésert (S.C.). Völker, *Gnostiker* ... p. 408 reconnaît le contenu négatif de ce passage, signalant en même temps la citation clémentine (*Strom.* V. 11. 66. 1.) de I *Cor.* 3. I, où il s'agit de deux étapes de l'expérience chrétienne (lait/nourriture solide). « Er ersehnte die Schau des göttlichen Wesens mit Glut und Leidenschaft, und er fühlte immer aufs neue, dass er erst Anfang stehe, dass das Ziel sich immer weiter zurückziehe...'» C'est la gnose qui couronne la recherche de ce dieu fuyant.

[2] *Strom.* II. 2. 6. 1.

[3] *Strom.* VI. 18. 166. 1.

[4] *Strom.* V. 12. 81. 4.

— *Σιγή* [1]. Le Silence, dans le système gnostique que commente Clément, est la mère des émanations de la Profondeur [2]. Cette désignation frappante du divin n'est pas absente de sa propre pensée. Le silence est une vertu [3] qui exprime la maîtrise de lui-même du gnostique. Du point de vue de la connaissance, la parole s'associe aux sens, tandis que le silence permet la contemplation de l'esprit pur. Voilà pourquoi Pythagore exigeait une période de silence de la part de ses disciples [4]; la vraie appréhension de Dieu se réalise dans le silence. Ainsi nous adressons notre prière au Seigneur dans le silence, car notre désir dépasse toute parole [5]. De même Dieu est ineffable, inexprimable; il est à adorer dans la crainte et dans le silence. Sa grandeur confond l'esprit humain : la parole n'en est pas digne. L'hommage le plus approprié à la nature divine — nous rappelons le chapitre 5 — est le silence.

Il est évident qu'ici nous sommes très proches de la théologie négative, qui constitue un simple développement de cette façon de concevoir Dieu. Ainsi nous lisons la conclusion de notre auteur :

> Cette discussion sur Dieu est certainement bien difficile à manier [6].

En deuxième lieu, l'emploi très fréquent de la terminologie des mystères trahit aussi une prédilection pour la notion du dieu inconnu. Sa connaissance représente la plus haute contemplation, la vision époptique des mystères [7]. La signification des mystères pour Clément sera discutée plus longuement ailleurs, mais ici il est important de souligner le fait que Dieu est souvent présenté dans les termes fournis par les mystères. Selon cette perspective, la connaissance du divin est un privilège accordé à un groupe peu nombreux ayant déjà subi un entraînement très rigoureux : de façon générale, l'usage de ces images sert à valoriser l'idée clémentine de la distance entre Dieu et l'esprit humain [8].

La réserve, si chère à la pensée alexandrine, ressort également de la conviction que le visage de Dieu se tient à l'écart du monde familier,

---

[1] *Excerpta* ... 29, 30. 1.

[2] *Loc. cit.* Cf; les remarques de Stählin (apparat.) qui signale que la même notion se retrouve chez Irénée, I. 2. 1.

[3] *Péd.* II. 7. 57. 1; II. 7. 53. 4; II. 7. 57. 3; II. 7. 58. 1.

[4] *Strom.* V. 11. 67. 3.

[5] *Strom.* VII. 7. 39.6.

[6] *Strom.* V. 12. 81. 4.

[7] *Strom.* II. 10. 47. 4.

[8] *Strom.* V. 10. 64. 6.

et que ce qui est trop facilement atteint manque de grandeur. Le divin se dérobe à la foule, mais même pour les initiés la voie de sa connaissance est dure, exigeant l'application des plus hautes facultés de l'âme [1]. Or, on sait que la terminologie des mystères exerçait une influence importante sur les détenteurs de la notion de la transcendance de Dieu, allant de Philon jusqu'à Plotin et Clément, dont la pensée est très marquée par cette terminologie ne fait pas exception. En effet, il rapproche explicitement la négation et la purification des mystères, ce qui justifie l'idée que chez Clément on trouve une sorte de synthèse de l'expérience mystique de l'initié et celle du philosophe, semblable à ce qu'on trouve chez Apulée [2].

En troisième lieu, à titre de notre examen des intuitions fondamentales de Clément, il est à remarquer que ses références à l'ineffabilité de Dieu sont souvent liées à des citations bibliques. Ou bien un texte est cité à côté d'un texte profane pour renforcer la suite de l'argument, ou bien le texte biblique est interprété d'une telle façon que la notion ressort par une exégèse forcée. Dans la première catégorie, on peut prendre comme exemple le passage du cinquième *Stromate*, cité dessus [3] où Jean 1. 18 est cité :

> Nul ne vit jamais Dieu. Le fils unique, qui habite dans le sein du Père, est celui qui nous en a donné connaissance, dit aussi l'apôtre Jean.

Mais loin d'être limité à la Bible, la notion de l'inaccessibilité du Père est un thème commun à toute littérature. Ensuite notre deuxième catégorie est introduite, car le « sein » est interprété allégoriquement, dans le sens d'invisibilité et d'ineffabilité. Il a y bien d'autres cas où la thèse de la transcendance de Dieu est soutenue par référence à l'Ecriture : en *Strom.* II. 2. 6. 1. un passage sur Moïse (*Exode* 33. 13) est mis en rapport avec le concept négatif de Dieu : de plus, cette exégèse

---

[1] Pour valoriser cette conception, Clément distingue à plusieurs reprises entre les petits et les grands mystères. (*Strom.* I. 1. 15. 3.; IV. 1. 3. 1.; V. 11. 71. 1. Voir la section sur la théologie négative).

[2] Voir H. Dörrie, *Die Frage nach dem Transzendenten im Mittelplatonismus*, Entretiens Hardt t. VI p, 200 sur l'idée de l'initiation dans l'étude de la philosophie; aussi Andresen, *Logos und Nomos*, p. 348. Le prologue d'Albinos expose cette notion, comme le fait Celse VI. 3, VII. 36. La septième épître de Platon (341 c, d) sert souvent comme point de départ. En *Apol.* 64 : Apulée refuse de parler de ses croyances platoniciennes, invoquant le besoin de discrétion de la part de l'initié. D'autre part, toute l'œuvre d'Apulée constitue un amalgame de la vie théorique (les *opuscula philosophica*) et de la vie pratique (les *Métamorphoses*).

[3] 12. 81. 3.

n'est pas du tout une innovation clémentine, puisqu'elle est devancée par Philon [1]. Il en est de même pour *Strom.* V. 12. 78. 3 ;

> Et quand l'Ecriture dit : « Moïse entra dans la nuée où était Dieu», ces paroles signifient, pour qui est capable de comprendre, que Dieu est invisible et indicible.

Deux notions distinctes se présentent ici. La nuée signifie que Dieu ne peut-être ni vu ni décrit, et l'interdiction au peuple d'accompagner Moïse rappelle l'arcane. Comme le signale Nock [2], c'est pour renforcer le concept de l'arcane que Clément cite *Tim.* 28 c. De même :

> C'est qu'il est difficile de pénétrer dans la région de ce Dieu, que Platon appelle la région des Idées, après avoir lu dans Moïse qu'il renferme en lui la plénitude et l'Universalité des choses. Abraham le voit de loin — expression juste — car il est retenu dans le plan du devenir, et il est donc initié par un ange [3].

D'autres passages renforcent l'impression que Clément cherchait une confirmation biblique pour sa notion du dieu ineffable : la colonne qui conduisait les Israélites dans leur pélerinage dans le désert témoigne du caractère inexprimable du divin, ainsi que de sa stabilité et sa permanence [4] ; ensuite on retrouve la glose familière sur le nom Apollon, interprété dans le sens ἀ - πόλλων — la privation de toutes choses.

Nous sommes amenés inévitablement à la conclusion que la préoccupation de la transcendance de l'être divin constitue une idée directrice dans la pensée de notre auteur. Dans le développement de sa théodicée unitaire, Clément est tributaire de deux influences : d'une part le concept prophétique de l'unité de Dieu, « Je suis le premier et le dernier ; à part moi il n'y a aucun dieu » [5]. Cet héritage de l'Ancien

---

[1] *De Post. Caini* 14 ; *Mut. Nom,* 7. Il est possible d'admettre que Clément suivait une tradition d'exégèse déjà établie par Philon, sans en conclure que ces emprunts ne font vraiment pas partie de sa propre pensée. On ne s'attend pas qu'un auteur commence *tabula rasa* (contrairement à ce que dit W. Völker, *Gnostiker* p. 94). D'autre part, E. F. Osborn, (*Philosophy* p. 185) semble vouloir défendre la théologie négative de Clément en la plaçant hors des passages philoniens — processus qui n'est pas, à notre sens, nécessaire.

[2] *The Exegesis of Timaeus 28 c,* p. 83 : « In other words, the connotation of *Tim.* 28 c is for Clement not the experience of Moses but the fact that it could not be shared by the multitude ».

[3] *Strom.* V. 11. 73. 3 ss.

[4] *Strom.* I. 24. 163. 6. Autres passages : *Strom.* II. 1. 6. 1 ; V. 11. 71. 5. Aussi *Strom.* VI. 5. 39. 2 ss. où *l'Evangile de Pierre* est cité — Dieu contient tout, n'a aucun besoin, il est incompréhensible, éternel et indestructible. On constate la prépondérance de l'alpha privatif.

[5] *Isaïe* 44. 6.

Testament s'imposait aux premiers chrétiens. D'autre part, comme le démontre M. Wiles [1], le concept de l'unité mathématique est introduit : déjà chez Athénagore (qui est très peu conscient de ses conséquences) [2], puis chez Clément, le Dieu unique de l'Ancien Testament devient le Dieu indivisible du mathématicien [3]. Nous reprendrons ce thème qui est central : mais déjà, en nous en approchant, nous avons vu que la théologie négative se présente comme leitmotiv qui s'introduit constamment dans le langage imagé aussi bien que dans le langage philosophique de notre auteur. Loin d'être limitée à quelques formules mal comprises et mal assimilées dans le texte, la pensée négative s'impose au lecteur à tous les niveaux. Quelques témoignages en ont été recueillis et l'on pourrait continuer à confirmer ce point de vue par un examen de la structure même de la pensée clémentine : le Logos, par exemple, prend son importance en fonction de la distance entre le Père et l'homme. Le Fils devient nécessairement l'intermédiaire dans le problème de la connaissance : il est à la fois l'ambassadeur et la représentation du Père.

Nous tenons donc pour certain que la transcendance de Dieu est centrale dans la théologie de Clément. Cette manière de concevoir le divin se manifeste dans toute la structure de sa pensée : ainsi nous passons au centre du problème.

Position Ontologique

(I) Dieu, l'ousia, et la monade

Plusieurs passages semblent offrir un point de vue précis sur la position de Dieu vis-à-vis des autres entités dans la hiérarchie de la réalité.

H. Dörrie affirme [4] qu'aucun Moyen-Platonicien ne tenait compte de la phrase de Platon sur le Bien - [5] ἐπέκεινα τῆς οὐσίας : « les choses au-delà de l'être ». Cependant dans un article important J. Whittaker [6] fournit un dossier de passages pris dans les écrits des Moyen-Platoniciens chrétiens et païens de l'époque ; dans cette liste se trouve *Strom.* VII. 1. 2. 2.

---

[1] *The Making of Christian Doctrine* p. 25, 27.
[2] *Supplicatio...* 5-6.
[3] M. Wiles (*loc. cit.*) cite *Strom.* V. 71. 2-3.
[4] Entretiens Hardt t. 12, p. 32.
[5] *Rép.* 509 b.
[6] *Epekeina...* p. 93.

> Parmi les doctrines, il (le gnostique) respecte la philosophie la plus ancienne et la prophétie auguste; parmi les intelligibles, ce qui est premier en généra- tion, le principe atemporel et sans commencement, qui est le commencement des êtres-le Fils. De lui nous apprenons la cause transcendante ($\epsilon\pi\epsilon\kappa\epsilon\iota\nu\alpha$), le Père du tout, cause la plus ancienne et la plus bienfaisante, inexprimable par la voix, à vénérer dans la crainte, dans le silence et dans la sainte angoisse.

Ainsi le thème du silence se retrouve-t-il chez Clément : le silence est l'hommage le plus approprié à offrir à ce Dieu qui est plus haut que tout expression humaine. Whittaker déduit, avec raison, que le Père est au-delà de l'être puisqu'il est au-delà du Fils qui est à l'origine de l'être. Voici donc un refoulement radical de la déité, car dans cette perspective il n'appartient même pas au plan de l'existence : en un sens Dieu n'existe pas.

Un autre texte doit être introduit dans la discussion : *Strom.* I. 28. 177. 1 parle de la vraie dialectique, qui monte en examinant et en véri- fiant vers l'essence ($o\mathring{v}\sigma\acute{\iota}a$),

> et ose s'élever au-delà ($\epsilon\pi\epsilon\kappa\epsilon\iota\nu\alpha$), jusqu'au Dieu de l'univers [1].

Il est clair à partir de ce texte que Dieu se trouve dans un domaine qui est plus haut que le plan de l'existence. Comme le dit bien P. Nautin [2], les termes philosophiques employés par Clément ne repré- sentent que des concepts bibliques. Les « puissances » et les « possibi- lités » ($\delta v v \acute{a}\mu\epsilon\iota\varsigma, \ \epsilon\xi o v\sigma\acute{\iota}a\varsigma$) ne peuvent que signifier les êtres du monde angélique, suivant le vocabulaire paulinien [3]. Et l'essence souveraine, signale-t-il, signifie le Fils de Dieu, appelé le $\pi\alpha v\tau o\kappa\rho\acute{a}\tau\omega\rho$ dans l'Apo- calypse [4]. Dieu est au-delà de cette « essence souveraine ». La même notion apparaît dans un passage parménidéen qui semble affirmer que Dieu est hors de l'existence. On n'essaie pas de circonscrire dans un endroit particulier [5] celui qui embrasse tout, et qui ne se laisse pas renfermer dans une partie de sa création. Dieu n'est ni placé ni localisé, car il est impossible que ce qui ne l'est pas, devienne localisé (puisque seuls les non-êtres ne sont pas localisés).

> Car le non-être est ce qui n'est pas localisé [6].

---

[1] On remarque l'audace ($\tau\acute{o}\lambda\mu a$), terme gnostique et plotinien pour décrire la moti- vation de l'âme. A *Strom.* V. 11. 74. 2 ss., on retrouve le même concept : le raisonnement commence avec les êtres, ensuite il dépasse ce niveau en s'appliquant aux intelligibles.

[2] *Notes* ... (1952). p. 631.

[3] I *Cor.* 15. 24; *Eph.* 1. 21; *Col.* 1. 16.

[4] 1. 8. Voir A. Méhat, *Etude...* p. 435.

[5] *Strom.* VII. 5. 28. 2 ss.

[6] *Strom.* VII. 5. 28. 4.

De plus Dieu n'a nullement besoin d'une forme : s'il en possédait une, il aurait besoin d'abri, de nourriture et des autres adjurants de la faiblesse humaine [1].

Il y a donc un certain nombre de textes qui indiquent que pour Clément, Dieu est situé au-delà de l'existence. Sans vouloir prétendre qu'il est tout à fait cohérent sur ce point (nous y reviendrons), nous nous permettons de dire qu'il y a au moins une tendance chez Clément à refouler Dieu au-delà des ultimes limites de l'expérience humaine. Il est évident aussi que ces données ontologiques renforcent de façon considérable la théologie négative. Le jugement de Clément sur le langage ne peut être que très sévère car il n'envisage aucun facteur commun entre le Père et le monde créé.

La transcendance de Dieu est maintenue vis-à-vis de la monade, qui signifie le domaine du Logos ou du Fils. Tout d'abord il faut examiner le célèbre passage du *Pédagogue* [2] :

> Dieu est « un », et au-delà de l'un, et au-dessus de la monade elle-même.

Il n'est pas nécessaire de minimiser, comme le font W. Völker [3] et les éditeurs de l'édition des *Sources Chrétiennes* [4], la hardiesse de cette formule. Elle est parfaitement adaptée au contexte, l'intention de Clément étant de souligner l'unité de Dieu face à la double déité de Marcion [5]. Mais ce qui suit, à savoir la référence au buisson ardent, oblige Clément de parler en termes de l'existence de Dieu.

> Aussi le pronom « toi », dans son sens démonstratif, désigne-t-il le seul Dieu qui existe réellement, celui qui fut, qui est et qui sera ; pour les trois temps, un seul terme est employé, « Celui qui est » [6].

Les deux passages cités semblent se contredire dans la mesure où le domaine de l'être est identique avec celui de la monade. La désignation des Septante — ὁ ὤν — est soulignée et elle est reprise en *Strom.* VI. 16. 137. 3 [7]. Il est clair qu'il y a une hésitation, sinon une contra-

---

[1] Ce passage est très peu discuté : il est assez difficile d'en saisir la suite logique. Néanmoins, vu globalement, il tend à établir l'absurdité de l'idée d'un dieu localisé. Le refus de le placer dans un endroit entraîne la notion qu'il n'est pas, car ce qui n'est pas, n'est pas localisé. τοῦτο γὰρ ἂν εἴη ἀνίδρυτον, τὸ οὐκ ὄν. L'existence est considérée comme facteur limitatif.

[2] I. 8. 71. 1.

[3] *Gnostiker* p. 91.

[4] P. 236.

[5] Comme le souligne E. F. Osborn, *Philosophy* p. 184. : « It is true that there are many isolated references to these ideas (sc. l'ineffabilité divine), but these are never without point ».

[6] Trad. de M. Harl, S.C. p. 237.

[7] Cf. *Exode* 3. 14.

diction au sein de la pensée clémentine autour de la question de Dieu et l'être. Cependant il est sans doute raisonnable de prendre le courant transcendantal comme le thème directeur de la théologie de notre auteur. Et tout cas les passages suivants sur la monade confirment cette impression :

> Monas namque dei opus est, dyas autem et quidquid praeter monadam constat, ex vitae perversitate contingit [1].

On peut noter en passant la préoccupation avec l'unité qui va de paire avec l'idée de la monade : celle-ci constitue une force unifiante, étant elle-même une [2]. L'unité de l'église rémonte à cette source [3].

En *Strom*. V. 14. 93. 4, Clément expose les plagiats pratiqués par les philosophes grecs — qui connaissaient la distinction entre l'intelligible et les sensibles. Ces derniers sont réalisés selon leur modèle intelligible, l'archétype. L'archétype constitue le plan de la monade, qui comprend le ciel invisible et la lumière. Dieu est situé au-dessus de ce niveau, car il emploie la monade dans sa création des choses visibles [4]. En deuxième lieu, nous signalons le passage discuté sous le titre de la théologie négative, dans lequel la première étape de l'ascension de l'âme constitue la connaissance de la monade. Mais l'ascension de l'âme constitue la connaissance de la monade. Mais la vraie connaissance, celle du Père, appartient à celui qui dépasse le stade de la monade.

Nous n'avons aucun texte qui montre explicitement le rapport entre la monade et l'être. Cependant l'on peut déduire sans aller trop loin qu'il faut les assimiler, car la monade est le Fils [5], et le Fils est à l'origine de l'être [6]. Quoi qu'il en soit, le thème de la supériorité de Dieu sur la monade constitue un témoignage sur la notion générale de la transcendance de la déité chez Clément. Dans ce cas aussi se manifeste le désir de polariser Dieu et le monde, jusqu'au point d'éliminer tous les points de contact. Voilà donc la base ontologique, qu'il faut maintenant compléter par une étude sur le problème de Dieu et le langage, et de Dieu et l'Esprit.

---

[1] Fragment des *Adumbrationes* (Stählin p. 211, 6).

[2] *Protr*. IX. 88. 2.

[3] *Strom*. VI. 11. 87. 2; VII. 17. 107. 6.

[4] L'archétype = la monade, et la copie = le nombre 6, qui symbolise le mariage, parce qu'il résulte de la combinaison du premier nombre pair et du premier impair (l'un n'étant pas considéré comme nombre). (L'explication de Plutarque, *Moralia* 1018 c).

[5] Voir les pages 79 ss.

[6] Voir les pages 82 ss.

(II) *Dieu et le prédicat*

Les passages négatifs sont assez nombreux : Dieu n'éprouve aucun besoin ; il ne cherche pas le plaisir, ni le gain ni la richesse ; il est complet [1]. La plupart des hommes, enveloppés de matière (comme les escargots sont enveloppés par leur coquilles) font de Dieu un être qui leur ressemble. Ils ignorent qu'il ne partage point avec nous les dons qu'il nous fournit : la naissance, la nourriture et l'accroissement, par exemple. Que l'on ne s'imagine pas que les métaphores bibliques, qui parlent de Dieu dans les termes humains (son arrivée, son départ, ses colères etc.) sont à comprendre littéralement.

Le passage le plus connu est le suivant :

> De là, Moïse, persuadé que Dieu ne sera jamais connu par une sagesse humaine, « Manifeste-toi, dit-il, toi-même à moi » [2], et il est forcé d'entrer « dans la ténèbre » où était la voix de Dieu, c'est-à-dire dans les pensées inaccessibles et sans image qui concernent l'être ; car Dieu n'est pas dans une ténèbre ou dans un lieu, mais au-dessus du lieu, du temps, et ce qui est propre aux choses créées. C'est pourquoi il ne se trouve jamais dans une partie, puisqu'il n'est ni contenant ni contenu, que ce soit par mode de limitation ou par mode de fractionnement. « Quelle maison, en effet, me construirez-vous ? » dit le Seigneur ; mais il ne s'en est même pas construit une pour soi, parce qu'il n'a pas de lieu, et bien que le ciel soit appelé son « trône », il n'est même pas contenu de cette manière, mais il se repose au-dessus de lui dans la joie de sa création [3].

Ce passage constitue une exégèse d'Exode 20. 27, qui remonte directement à Philon [4]. Nous avons déjà parcouru, avec l'aide des travaux de H. A. Wolfson, l'essentiel de la théodicée philonienne. Dieu est indéfinissable et donc ineffable : cette notion grecque est liée à la crainte juive du nom de Jahweh. L'ensemble, un certain concept de la transcendance de Dieu est souvent exposé au moyen d'une exégèse allégorique des passage de l'Ecriture qui impliquent que Dieu est localisé ou qu'il est soumis aux mêmes passions que l'âme humaine ; de tels passages deviennent symboliques. C'est celà qui constitue la vraie importance de Philon : Justin et Clément, influencés par la théodicée de la philosophie grecque, n'avaient qu'à suivre la ligne d'exégèse ouverte par Philon — c'est lui qui a fourni la synthèse et la tradition spirituelle dont la postérité fut immense.

---

[1] *Strom.* VII. 3. 14. 6 ss.
[2] *Exode* 33. 13.
[3] *Strom.* II. 2. 6. I.
[4] *De Post. Caini* 14 ; *De Mut. Nom.* 7.

Deux choses sont à remarquer : d'abord la présence du vocabulaire mystique. La notion de la ténèbre mystique, qui continuera dans la tradition patristique, notamment chez Grégoire de Nysse [1], ajoute une dimension à la théologie négative de la version mathématique. Loin d'être dans la rigueur du raisonnement platonicien, nous sommes plutôt dans l'ambiance de l'appréhension extatique du divin qu'on trouve dans le *Corpus Hermeticum* par exemple, avec toutes les images de la lumière.

Deuxièmement — nous l'avons déjà remarqué — cette technique de l'interprétation mène Clément à reformuler tous les termes de caractère anthropomorphique qui se présentent dans le texte de l'Écriture. Par l'alchimie de l'interprétation allégorique, ces passages perdent leur sens concret, prenant un sens figuré qui atteste souvent la transcendance de Dieu. En ce sens donc Clément s'efforce de purifier le langage biblique qui paraît trop souvent réduire la grandeur du divin à une taille plus humaine.

On se pose donc la question : quelle est la valeur de la parole dans la théorie clémentine de la connaissance ?

> Comment parler, en effet, de celui qui n'est ni genre, ni différence, ni espèce, ni individu, ni nombre, ni accident, ni soumis à rien d'accidentel [2] ?

E. F. Osborn [3] expose très clairement le sens de ce passage : il s'agit ici d'une liste de catégories de prédicats [4]. Cette liste vise à donner une analyse complète du langage, qui couvre tous les prédicats qui sont employés ou peuvent être employés. Effectivement donc Clément affirme qu'aucun discours sur Dieu n'est possible, car chaque prédicat se résume dans les catégories citées : aucun prédicat n'est admissible.

Dieu est donc ineffable [5]. Il ne faut pas chercher à le saisir par un nom [6], puisque les noms sont innombrables. En plus, les noms ne visent qu'à élucider des vérités partielles, et non pas la Vérité [7]. Déclarer Dieu, et ce qui concerne Dieu sont deux activités bien différentes.

> Quand nous l'appelons : un, bon, esprit, ce qui est, Père, Dieu, Créateur, Seigneur, nous sommes loin de proférer son véritable nom ; incapables de

---

[1] Voir J. Daniélou, *Grégoire de Nysse, la vie de Moïse* p. 17, 21-22.

[2] *Strom.* V. 12. 81. 5.

[3] *Philosophy...* p. 28 ss.

[4] Aristote *Topica* 1. 8. 2-3 offre une liste qui est un peu différente. Voir Osborn, *loc. cit.*

[5] ἄρρητος : *Strom* V. 12. 78. 3.

[6] Voir Osborn, *op. cit.* p. 29-30.

[7] *Strom.* VI. 17. 150. 6.

trouver un mot juste, nous multiplions les beaux titres afin de fixer notre pensée, pour qu'elle ne s'égare pas [1].

A strictement parler, les noms sont faux : ils sont pourtant utiles puisque le langage exige l'usage de prédicats. Le discours est donc en quelque sorte provisoire : il fournit une base. Compris dans l'ensemble, les noms de Dieu témoignent de sa puissance ; compris séparément ils n'expriment rien, parce qu'ils sont d'abord destinés à décrire les sensibles. En somme :

> ... tout ce qui peut se nommer, qu'on le veuille ou non a été engendré [2].

Voilà donc une raison pour laquelle Clément veut écarter tout prédicat. Mais derrière tous ces passages se trouve une autre conception de Dieu qui entraîne l'impossibilité de nommer Dieu. Pour commencer :

> Le Fils n'est ni un comme une chose, ni multiple comme ce qui admet des parties, mais il est un comme toutes choses : il est donc toutes choses [3].

Dans leurs remarques sur ce passage Whittaker [4] et Osborn [5] y voient à raison l'influence du *Parménide* : la phrase ὡς πάντα ἕν le rend vraisemblable de supposer qu'une interprétation du *Parménide* se manifeste à ce point. La question de l'influence de ce dialogue a été soulevée par Festugière [6], qui a constaté l'existence d'une interprétation théologique du dialogue même avant les écrits clémentins. En tout cas, Clément lui-même semble bien préoccupé du problème de l'un et du multiple, comme le montre ce texte. Dans le *Parménide* les deux hypothèses offrent deux conceptions différentes de l'Un : l'un simple, et l'unité qui embrasse le multiple en lui-même. Ce dernier concept correspond à l'unité du Fils, qui est un ὡς πάντα ἕν. Le Fils embrasse tout : il est complet dans le sens qu'il contient toutes les parties. D'autre part, le passage indique que l'unité du Père est celle de l'un simple. Or, dans le *Parménide*, l'Un simple ne se prête qu'à une description négative, car il est sans début, sans milieu, ou sans fin, et sans existence temporelle [7]. Enfin l'Un n'*est* pas ; il est innommable, il ne fait l'objet ni de l'opinion, ni de la connaissance. Il en est de même pour le Père chez Clément.

---

[1] *Strom.* V. 12. 82. 1.

[2] *Strom.* V. 13. 83. 1.

[3] *Strom.* IV. 25. 156. 2.

[4] *EPEKEINA...* p. 99.

[5] *Philosophy...* p. 42.

[6] *La Révélation...*, t. IV p. 93.

[7] *Parm.* 138 b ss.

Voici donc la notion fondamentale de sa théodicée-notion qui commande, avant tout, ses efforts de venir aux prises avec ce problème. C'est indéniablement l'Un simple qui paraît dans les affirmations suivantes, tirées du cinquième *Stromate*, chapitre 12 [1].

> Direz-vous qu'il soit un tout ? L'expression demeure imparfaite, puisqu'un tout est une quantité mesurable, et que Dieu est le père de l'universalité des êtres [2].
>
> Lui donnerez-vous des parties diverses ? Non, car l'Un est indivisible [3].
>
> Voilà pourquoi il est infini, non pas dans ce sens que la pensée humaine le conçoit comme impossible à embrasser ; mais parce qu'il n'admet point de dimension et ne connaît point de bornes — il est donc sans forme et sans nom [4].

Comme l'indique le dernier passage, la capacité d'attacher un nom à quelque chose suppose la capacité de la diviser et d'en isoler une partie d'une autre. Dieu ne peut être atomisé par le langage.

Cependant, paradoxalement, il est bien évident que les écrits de notre auteur sont bien remplis d'adjectifs, d'attributs et de prédicats sur le Père. Dieu est la Loi et la Parole [5], il est sage par nature [6], il est juste et bon en lui-même [7]. Les citations pourraient se multiplier, ce qui semble remettre en question toutes les affirmations qu'on vient de discuter. Nous revenons ainsi sur l'hésitation déjà constatée à propos de « l'existence » de Dieu. Le christianisme de Clément l'amène à utiliser tous les termes et tout le vocabulaire de la théologie biblique, et en conséquence à employer un langage fortement imagé. Le problème de concilier l'Un du *Parménide* et le Dieu de *l'Ancien Testament* n'était pas une tâche facile, les deux courants se trouvant assez souvent en conflit : Philon avait déjà fait face à la difficulté en employant l'instrument de l'exégèse allégorique. Le *Parménide* entrait, pour ainsi dire, par la porte de derrière. Mais c'était à Clément de développer pleinement cette solution, sous forme de sa théorie du symbolisme.

---

[1] Voir le commentaire d'E. F. Osborn, auquel nous devons l'explication de ce passage : aussi A. Méhat, *Etude* p. 438 ss. A titre de qualification, il ne faut pas éliminer a priori l'influence de la gnose dans ce passage. Ailleurs Clément cite *l'Evangile de Pierre* (*Strom.* VI. 5. 39. 2 ss.) : « Reconnaissez donc un seul Dieu… qui contient toutes choses sans pouvoir lui-même être contenu ; qui n'a besoin de rien, quoique tous aient besoin de lui, et subsistent par lui-incompréhensible (ἀκατάληπτος), éternel (ἀέναος), indestructible (ἄφθαρτος), incréé… ».

[2] *Strom.* V. 12. 81. 5.

[3] *Strom.* V. 12. 81. 6.

[4] *Strom.* V. 12. 81. 6 ss.

[5] *Strom.* I. 29. 181. 2.

[6] *Strom.* II. 9. 45. 2.

[7] *Péd.* I. 9. 88. 2-3.

A chaque épithète du divin il faut attacher le *post scriptum* déjà cité :
si nous le nommons, nous avons tort. Quant au problème de la connaissance, la théorie du symbolisme offrira une explication du rôle
de la parole humaine : il est évident que finalement c'est le langage
qui souffre, non pas la théologie transcendentale. La réponse de Clément consiste à accorder une valeur réduite au pouvoir du langage.
Point de vue très hardi, qui est encore plus radical que celui de Philon,
qui admettait l'énoncé de certaines propriétés, à savoir, celles qui
appartiennent uniquement à Dieu et qui en conséquence le placent
en dehors de tout genre [1]. Il est éternel, tout-puissant, parfait. Mais
Clément va encore plus loin : aucun nom ne peut le saisir, car la multiplicité lui est étrangère. Dans *l'Introduction* nous avons souligné ce
qu'on pourrait appeler l'ambiguïté de la théologie négative, qui veut
à la fois éloigner et rapprocher le divin. L'alpha privatif soustrait
certaines similitudes entre le divin et l'être humain. Pour Justin, par
exemple, Dieu « entend », non pas de la façon humaine, mais d'une
façon propre à lui-même. Mais cette incapacité à renoncer tout à fait
à une relation naturelle entre Dieu et l'homme disparaît tout à fait
chez Clément, qui prend le concept de l'ineffabilité de Dieu dans son
sens le plus fort. Dieu est étranger : l'affirmation est absolue. (Cette
position, bien entendu, est difficilement conciliable avec le christianisme : nous verrons plus tard le problème de l'homoousia).

Il est maintenant nécessaire d'introduire une distinction importante :
il est impossible de nommer l'essence de Dieu, mais non pas sa puissance. Nous invoquons la distinction de l'essence de Dieu(qui reste
difficile ou impossible de connaître), et de son existence, qui est claire :
normalement les termes ὕπαρξις et οὐσία servent à distinguer les
deux sens. A.-J. Festugière, dans un chapitre important [2] analyse
la notion, et cherche à identifier ses origines : à ce titre il cite un passage
de Xénophon [3] :

> De fait, que Celui qui imprime à toutes choses mouvement et repos soit un
> être grand et puissant, il se montre clairement tel : mais quel il est quant à sa
> forme, il ne le laisse pas voir. Aussi bien le soleil, qui pourtant apparaît aux
> yeux tout brillant, le soleil non plus, à ce qu'il semble, ne permet pas qu'on
> le regarde mais si l'on a l'imprudence de le contempler, on est privé de la vue.

---

[1] *De Agr.* 3. 13. Cf. E. F. Osborn, *Philosophy* p. 34. Voir aussi H. A. Wolfson, *Philo*
II p. 126 ss.

[2] *Révélation...* t. IV p. 6 ss.

[3] Ap. Stob. II p. 15. 5. W.

Or le même passage est cité en partie par Clément [1] afin de confirmer son propre point de vue : la nature même de Dieu ne se laisse pas contempler, mais son œuvre est manifeste. Voilà, en d'autres termes, la distinction entre l'essence et l'existence :

> La raison humaine est faible par nature et impuissante à exprimer Dieu ; je ne dis pas son nom... ni son essence ($οὐσία$), car c'est impossible, mais seulement la puissance et les œuvres de Dieu [2]. Dieu est loin selon l'essence (comment l'engendré pourrait-il s'approcher de l'Inengendré ?), mais très proche par sa puissance [3].

Le terme $ὕπαρξις$ n'est pas là, mais la notion de « puissance » exprime aussi bien la distinction envisagée : elle contient peut-être deux idées. D'abord, le second passage suggère la notion de la grâce : en elle-même la sagesse humaine ne peut point espérer atteindre Dieu ; il faut un acte divin. Dieu, en effet, se fait connaître par son fils, et parfois l'accent mis sur son caractère inconnaissable sert simplement à souligner la profondeur de sa pitié. Deuxièmement, le terme « puissance » rappelle la deuxième hypostase du Néoplatonisme, l'un multiple [4], dont la fonction est l'unification et le gouvernement du Cosmos. Ses puissances, qui sont distinctes, constituent dans l'ensemble une unité qui est intermédiaire entre le dieu transcendant et le monde. Chez Clément

> Toutes les puissances de l'esprit deviennent une seule chose, convergent au même centre, le Fils [5].

Il semble donc qu'il y a une espèce de glissement entre la distinction existence/essence, et la notion du Fils/Logos. La théologie du Logos

---

[1] *Protr.* VI. 71. 3. Cf. *Strom.* V. 14. 108, où le même passage, sans doute, est discuté.

[2] *Strom.* VI. 18. 166. 2. Voir W. Völker, *Gnostiker...* p. 408 et 322 : « Der natürliche Mensch vermag überhaupt keine Aussagen über Gott zu machen, est gilt fur ihn das « $ἀδύνατος\ φράσαι\ θέον$ ». Cette remarque va au-delà du texte grec qui parle non pas de « l'homme naturel », mais de l'esprit humain « faible de nature ». ($ἀσθενὴς\ γὰρ\ φύσει\ ὁ\ ἀνθρώπειος\ λόγος$ ...). L'appréhension de Dieu ne peut pas être intellectuelle, même pour l'homme spirituel.

[3] *Strom.* II. 2. 5. 4.

[4] Nous signalons la nuance soulignée par A. Méhat., *Etude...* p. 203 : « Si parfois il semble reprendre la thèse philonienne que Dieu ne peut être connu par ses manifestations et *dans sa puissance*, au fond, guidé par l'espérance, qu'il tient de Saint Paul, de la vision « face à face », il retourne les expressions de Philon. Jouant sur les mots, il croit plutôt que Dieu ne peut être connu que *par sa puissance*, par un effet de sa grâce et la médiation du Logos ». Cependant contre cette position voir *Strom.* II. 1. 5. 4, passage selon lequel Dieu est proche *dans* sa puissance.

[5] *Strom.* IV. 25. 156. 1.

constituera la matière d'un autre chapitre où on étudiera sa fonction du point de vue de la connaissance : ce qui ressort de la discussion actuelle, c'est que la distinction entre l'essence et la fonction de Dieu devient la distinction entre Dieu le Père et Dieu le Fils. L'on ne déclare pas Dieu, mais l'on déclare qu'il existe : l'on ne déclare pas son essence, mais sa fonction. Inévitablement chez Clément, le Fils tend à absorber les aspects connaissables du Père [1].

(III) *Dieu et l'intellect*

Ayant essayé de localiser Dieu dans un schéma ontologique, ayant examiné la difficulté de parvenir à une dénomination du Père, il nous reste à faire état du moyen privilégié pour l'atteindre — la contemplation du Nous. Dire que Dieu est au-delà de l'être, que Dieu est inexprimable par le langage humain, ce n'est pas dire qu'il est inconcevable. Dans certaines conditions la pensée peut venir en contact avec la déité : en fait ce n'est qu'au-delà du plan des êtres qu'elle entre dans sa propre sphère. Là « l'intelligence elle-même » est capable de saisir « le bien véritable » [2], mais seulement après avoir quitté la région inférieure. Cette ascension s'effectue par la voie de la négation, qui se reflète dans le passage suivant :

> Voilà pourquoi l'apôtre a dit : « nous ne voyons Dieu maintenant que comme dans un miroir ; mais alors nous le verrons face à face », c'est-à-dire seulement par la force *pure et incorporelle* de nos facultés intellectuelles [3].

---

[1] Les pages de P. Th. Camelot, *Foi et Gnose* p. 38-39, sur ce problème ne sont pas claires. Clément connaît très bien, comme nous l'avons montré, la distinction essence/existence. Cette distinction, selon Camelot, devient chez Clément la distinction entre la connaissance naturelle et révélée de Dieu ; cependant chez Clément il n'y a aucun rapport de ce genre. Les deux modes se mêlent dans la saisie du Logos. Nous connaissons Dieu dans son existence et dans sa puissance (connaissance et naturelle et révélée), mais sa nature demeure ineffable. D'autre part C. cite un passage intéressant d'Irénée (*adv. Haer.* II. 6. 1.) : « Sans doute, Dieu pouvait leur être invisible (aux anges) à cause de sa transcendance ; mais il ne pouvait leur être inconnu, à cause de sa providence... Sa nature est invisible, mais elle est puissante, et elle fait voir et sentir vivement par toute âme sa transcendance toute-puissante et souveraine ».

[2] *Strom.* V. 11. 74. 2 ss.

[3] τῆς διανοίας ἐπιβολάς — de la terminologie technique. (Epicure *Ep.* I. pp. 5, 12. U. ; Plotin *Enn.* II. 4. 10. ; VI. 7. 38-39.) Voir J. M. Rist, *Plotinus...* p. 49 ss. sur le sens du terme : R. signale qu'il n'a pas d'histoire aristotélicienne, platonicienne, ou stoïcienne pour préciser sa signification. Seulement l'usage épicuréen peut éclairer l'emploi que fait Plotin de ce mot ; chez lui il désigne surtout la connaissance par retour à soi-même. L'un dans nous nous permet de connaître l'Un.

Aucune mention ici du Dieu au-delà de l'intellect, comme dans la théodicée philonienne, car Clément n'envisage pas de domaine plus élevé que celui qui est contemplé par l'esprit pur — l'esprit libéré de ses affections charnelles et de sa perspective matérialiste. Celui qui s'est séparé des passions du corps et qui a rejeté l'usage des sens dans sa poursuite de la vérité, est seul capable d'appliquer l'intelligence pure; c'est lui qui est dans la voie de la philosophie véritable [1]. La pensée purifiée est apte à saisir le divin [2].

La thèse que le semblable est connu par le semblable, si enracinée dans la philosophie grecque, fait son apparition chez Clément aussi. Au moyen d'une exégèse assez curieuse de certains textes bibliques qui parlent de l'état d'être immobile, debout devant le Seigneur, Clément conclut :

> En effet, l'accès à l'Immuable exige une voie immuable [3].

L'intelligence est la faculté la plus élevée de la nature humaine, et elle reflète le caractère du divin. Parfois Clément semble dire que l'intelligence constitue « l'étincelle divine » de l'homme, ce qu'il y a de divin chez l'être humain. Une connaissance complète serait possible; de même que le feu connaît le feu, le nous reconnaît le Nous. Le corollaire est même possible, à savoir que si l'homme se connaît véritablement, il connaît Dieu [4].

Ce point de vue, qui rappelle l'âme du monde du *Timée*, commune aux hommes et aux dieux également, ne peut pas répondre à toutes les exigences du christianisme de notre auteur. En *Strom.* V. 13. 88. 1, tout en esquissant l'approche hellénique du problème, Clément se sent obligé de modifier l'idée platonicienne selon laquelle l'intelligence constitue une émanation de la nature divine, car elle ne tient pas compte de la grâce et de la révélation par Dieu de lui-même. Nous affirmons, dit-il, que c'est le saint Esprit qui inspire le croyant.

En conclusion, Numa le roi pythagoricien (sic) de Rome enseignait avec raison de la façon suivante :

---

[1] *Strom.* V. 11. 67. 1.

[2] *Strom.* I. 24. 164. 3.

[3] *Strom.* II. 11. 51. 6 ss. La vérité donne à l'âme qui l'a reçue un certain équilibre. La suite révèle l'influence de la notion stoïcienne de l'apathie; le gnostique a pour compagnons le calme, le repos et la paix. Le mensonge n'apporte que le changement et l'instabilité.

[4] *Péd.* III. 1. 1.

Numa leur montrait aussi, d'une manière secrète, qu'on ne peut atteindre au souverain bien que par l'intelligence [1].

Mais la parole est exclue, puisque Dieu est indescriptible : il demeure au-delà de toute expérience humaine, de l'existence même. Clément consacre toute sa théodicée à souligner le caractère mystérieux et lointain du divin. Seule l'intelligence, dans son état le plus pur, peut l'atteindre : ces hauts mystiques feront l'objet de notre chapitre sur la Gnose.

Le Logos

Dieu est transcendant et inaccessible. Le connaître dépend donc d'un acte de sa part ; c'est par sa volonté qu'il se fait connaître. Cet acte s'appelle « grâce » : il consiste en la présence du Fils/Logos. Le texte essentiel vient de Jean (I. 18) :

Personne n'a jamais vu Dieu. Mais le Fils unique, qui est dans le sein du Père, nous l'a fait connaître.

Ce rôle intermédiaire sert à rapprocher le dieu transcendant et l'être humain, non seulement dans le domaine de la connaissance. J. Daniélou [2] signale que le rôle du logos ressemble à celui de l'âme du monde dans la tradition platonicienne. Dans le *Timée*, l'âme du monde s'étend à travers tout l'univers [3], en l'harmonisant et en l'ordonnant [4] : Albinos reprend les mêmes idées [5]. Comme d'habitude, le rapport établi chez Clément entre le Logos et l'âme du monde est à chercher d'abord chez Philon. Là on retrouve le soutien qui s'étend du milieu aux extrémités de l'univers, le lien de tout ce qui existe — mais ici c'est le Verbe [6]. Ainsi, dans le passage du *Proptreptique* sur le chant nouveau, Clément expose le travail cosmique du Verbe [7].

Ce chant pur, qui soutient l'Univers et harmonise tous les êtres, après avoir été distribué du milieu aux extrémités et des extrémités au milieu, a réglé cet Univers, selon la volonté paternelle... Il est le Verbe de Dieu.

Notre préoccupation porte surtout sur le rôle du Logos dans la connaissance religieuse, et en conséquence sur le sens que donne Clément

---

[1] *Strom.* I. 15. 71. 1 ss. (μόνῳ τῷ νῷ). Cf. Albinos, ch. 1.

[2] *Message...* p. 335.

[3] 34 b.

[4] 36 e.

[5] *Epitomé* 14. 2.

[6] *Plant.* 2. 8-9.

[7] 1. 5. 2.

au verset de Jean que nous venons de citer. Le Fils est devenu chair pour le salut de l'homme aussi bien que pour se manifester. La médiation entre Dieu et l'homme s'accomplit dans le Fils, surtout au plan des connaissances. Il porte l'empreinte de la gloire de Dieu et il témoigne de la vérité de son existence [1]. Le Logos est l'image, le visage même du Père [2] : il éclaire et il imite Dieu. Dans le Fils, Dieu se dévoile. Il se manifeste d'une façon qui est compréhensible aux yeux de l'esprit humain. Dans sa pitié infinie, il consent à se faire connaître à l'homme en s'adaptant à ses limites. Le Logos est ainsi la pierre d'angle de la théorie de la connaissance : c'est lui qui sauve, en montrant la voie vers Dieu. Malgré sa position radicale sur la transcendance de Dieu, Clément maintient un concept optimiste de la connaissance. (Il est à remarquer que la connaissance fournie dans le Logos est limitée, que la présentation charnelle du divin ne peut être qu'un début dans le pélerinage de l'âme : nous reprendrons ce thème.)

> Dieu ne pouvant être démontré, n'est point le principe de la science. Mais le Fils est à la fois, sagesse, vérité, science, enfin tout ce qui peut avoir avec elles un rapport de parenté. De plus il est susceptible de la preuve et de la description [3].

Il n'existe aucune ressemblance entre Dieu et l'homme, mais tous deux se rapportent de façon indépendante à un être intermédiaire, à savoir le Fils/Logos. Le Logos est fait selon l'image de Dieu : l'homme est fait à l'image du Logos. Pour atteindre le Dieu suprême, l'homme n'a pas d'autre moyen que de profiter de son lien naturel avec le Fils pour remonter vers Celui qui se tient éloigné. Certains passages vont jusqu'au point d'appliquer *Genèse* 1. 26 au Fils :

> Image de Dieu est son Logos (et ce divin Logos est fils authentique du Nous, lumière archétype de la lumière), et image du Logos est l'homme véritable, l'esprit qui est dans l'homme [4].

L'image du soleil explique aussi l'œuvre du Fils, qui illumine Dieu,

---

[1] *Strom.* VII. 10. 58. 1 ss. Il est la Vérité — notion certainement scripturaire, comme le remarque A. Méhat (*Etude...* p. 44); Jn. 14. 6; 1 Jn. 5. 6. Il est aussi « Science » et « Gnose » (*Strom.* IV. 25. 156. 1; *Strom.* VI. 1. 2. 4).

[2] *Péd.* I. 7. 57. 2.

[3] Th. Camelot, *Foi et Gnose* p. 54. : « pour lui, nous l'avons déjà insinué, le Verbe Incarné est illuminateur plus que Sauveur ».

[4] *Protr.* X. 98. 4. D'autres passages sur ce thème sont rapportés par Camelot, *op. cit.* p. 114 : *Strom.* V. 14. 9. 4; VI. 9. 72. 2. Nous ajoutons *Péd.* I. 11. 97. 2, cf. Philon *Quis Rer. Div. Her.* 231. Voir W. Völker, *Gnostiker...* p. 111.

étant lui-même témoin de son origine et de la nature divine [1] : le Christ est la cause de la vue, ou bien en tant que soleil ou bien en tant que faculté de voir [2]. Normalement le Fils est assimilé au soleil lui-même, et Dieu manifeste sa bonté en faisant luire le soleil. Cependant dans un fragment, le commentaire sur I Jean préservé par Cassiodore, le Fils ne représente qu'un rayon du soleil, qui est le Père lui-même. En particulier sur I Jean I. 1, passage sur le Verbe éternel, présent aux yeux et aux oreilles, Clément remarque :

> Il veut dire non seulement sa chair, mais les vertus du Fils, comme le rayon du soleil qui pénètre aux endroits les plus bas — ce rayon dans sa venue char-nelle est devenue palpable aux disciples [3].

Un passage intéressant du *Protreptique* ouvre une autre perspective : le Chant nouveau existait depuis toujours, « avant l'étoile du matin » [4], car le Verbe était au commencement avec Dieu [5]. Pourquoi donc l'apel-lation chant nouveau ?

> Il l'appelle un chant nouveau, parce qu'il a maintenant reçu un nom, nom autrefois consacré et digne de sa puissance-le Christ [6].

Le chant nouveau n'est que la manifestation de celui qui existait depuis toujours : on sait que Dieu le Père est innommable ($\dot{a}\nu\omega\nu\dot{o}$-$\mu a\sigma\tau o\nu$); quel est le sens de l'affirmation qu'il est devenu dicible ? Deux réponses se présentent. En premier lieu, il est possible de lier l'état d'être nommable avec la notion de la « délimitation » de l'être :

> Le Logos s'est fait chair, non seulement en devenant homme au moment de sa venue ici-bas, mais encore dans le Principe, quand le Logos en sa constante identité est devenu Fils, selon la délimitation ($\pi\epsilon\rho\iota\gamma\rho\dot{a}\phi\eta$) et non par essence [7].

L'incarnation donc n'entraînait pas de changement d'essence, mais simplement une définition de cette essence. Ce qui est incirconscrit devient limité. Une fois renfermé de cette façon le divin devient descriptible : ce qui a des limites peut être nommé. Un autre passage cité par J. Daniélou nous l'explique :

---

[1] *Protr.* X. 110. 3.

[2] *Protr.* XI. 113. 2.

[3] Stählin t. III p. 210, 10 ss.

[4] *Psaume* 109. 3.

[5] *Jean* I. 1.

[6] *Protr.* I. 6. 5.

[7] Trad. de J. Daniélou, *Message...* p. 336; *Excerpta* 19, 2. Toute la discussion de D. est fort utile.

> Comment leurs différents noms seraient-ils énoncés, si ces êtres n'étaient déter-
> minés (περιγεγραμμένα) par leur figure, leur forme et leur corps [1].

Le fait donc d'établir une circonférence autour de Celui qui est sans
bornes permet à l'esprit de le saisir, d'en offrir des noms. Les mêmes
idées se trouvent derrière l'affirmation que le Fils est la face du Père,
et que nous pouvons saisir la nature de l'être transcendant par ses
reflets sur le visage du Fils [2].

Une seconde interprétation rejoint à la première, et continue la
discussion ouverte plus haut sur l'Un simple et multiple. Suivant l'analyse du *Parménide*, le premier est sans divisions et sans limites : il est
donc ineffable. L'un multiple est aussi une unité, mais en tant qu'ensemble de puissances... Dans cette perspective le problème de la connaissance est ramené à un autre problème, celui de l'Un et du multiple : thème qui est justement souligné par E. F. Osborn au début
et dans tout son livre. Les textes importants ont été étudiés à propos
de la connaissance du Père : il suffit de rappeler le texte essentiel :

> Dieu étant indémontrable ne peut être objet de science. Mais le Fils est Sagesse,
> Science, Vérité et tout ce qui est semblable. Il est susceptible de démonstration
> et de discours... Et le Fils n'est pas complètement un, en tant qu'Un, ni com-
> plètement multiple, en tant que parties, mais en quelque sorte, l'Un-tout [3].

L'unité-en-multiplicité préserve la majesté du Fils, et occasionne
les images et les superlatifs qui sont employés par Clément à son propos [4]. La perfection de cette unité est soulignée par l'image du cercle [5].
Le Fils est Alpha et Omega, la ligne qui se rejoint dans un arc parfait,
dans lequel le commencement et la fin se perdent. Cependant Clément
n'aborde jamais ce problème que l'un multiple est inévitablement inférieur à l'un pur : sa rhétorique sur la grandeur du Fils ne change en
rien la logique du système qu'il a adopté. Parler de la « délimitation »
de l'*ousia* divine n'écarte pas tout à fait le problème de cette réduction
de standing ontologique, car la limite est totalement étrangère à l'un
pur. L'idée de la περιγράφη ne tient pas compte de la multiplicité
dans la nature du Logos-multiplicité qui est nécessaire pour la connaissance [6]. Car connaître, c'est diviser et séparer : cela constitue la faiblesse

---

[1] *Excerpta* 11. 2.

[2] *Excerpta* 12. 1 ; *Péd.* I. 7. 57. 2 ; *Strom.* V. 6. 34. 1.

[3] *Strom.* IV. 25. 156. 1-2.

[4] *Strom.* VII. 1. 2. 1 ss.

[5] *Strom.* IV. 25. 156. 2 ss. W. Völker, *Gnostiker* p. 108 signale la parallèle avec Plotin
V. 1. 7. mais avec réserve.

[6] En fait, chez Plotin la notion de délimitation est associée avec la descente vers la
multiplicité. (*Enn.* VI. 11. 26).

de l'esprit mortel. Dieu, en voulant se faire connaître, devient multiple : il prend un nom.

Le Verbe, donc, devient une hypostase. Il est intéressant de noter que la sagesse est identifiée avec le Fils : le concept de sophia se trouve dans la pensée rabbinique, mais elle ne constitue pas une hypostase. Comme l'a montré H. Jaeger [1], la sophia n'est qu'au même niveau que les autres manifestations de Dieu — tels que l'esprit et la parole : cependant on constate dans la pensée patristique une tendance vers l'hypostatisation de la sagesse. En particulier Justin assimilait la Sagesse et le Christ [2]; de tels textes ne manquent pas chez Clément [3].

H. Jaeger signale un deuxième courant dans le développement du terme — à savoir le caractère béatifique de la Sagesse/Christ :

... Vous avez goûté que le Seigneur est bon ... [4]

Son don capital, c'est l'amour : tout découle de cela. L'amour paternel est un thème important pour Clément. Sa bienfaisance et son amour sont liés à sa création et sa révélation de lui-même. Voilà une notion biblique qui influence profondément la pensée de Clément; l'amour de Dieu le contraint à se révéler, à traverser l'abîme entre le divin et l'humain, de prendre la forme d'une esclave.

Mais le concept clémentin du rôle salvifique du Verbe est moins scripturaire. Le commandement « d'avoir soif de notre père » [5] pourrait être ou biblique ou néoplatonicien; dans ce dernier cas il nous fait penser à la notion du désir de l'Un. Le salut, c'est la croyance en lui. Croire au Verbe, c'est parvenir à l'unité. Si, au contraire, on ne croit pas au Verbe, on tombe dans la multiplicité, dans l'éloignement, et dans la division [6]. Ce concept « ontologique » de l'état du salut rejoint la notion plotinienne de la descente vers la multiplicité : on sait bien que pour Plotin le désir de l'Un et d'être réuni avec le Tout représente l'élément de base de l'entreprise spirituelle. L'ultime mal, c'est l'individuation [7]. Toute la morale de l'évangile et de l'Ancien Testament est ramenée à cette idée : être un dans le Christ signifie la pureté et la liberté [8].

---

[1] *The Patristic conception of Wisdom in the light of biblical and rabbinical research.* S.P. IV (1961) p. 90-106.

[2] *Dial.* 61. 1-3; 3-7; 62. 4; voir Jaeger, *op. cit.* p. 103.

[3] *Strom.* I. 5. 30. 1 par exemple; le Seigneur est « la sagesse de la philosophie ».

[4] I *Pierre.* 2. 3. Cf. Plotin, *Enn.* I. 6. 7.

[5] *Protr.* X. 94. 2.

[6] *Strom.* IV. 25. 157. 1 ss.

[7] Voir W. Theiler, *Die Vorbereitung des Neuplatonismus* p. 94 ss.

[8] Voir la fin du quatrième *Stromate*.

Une contradiction dans la pensée clémentine apparaît ici. Dans la mesure où il est chrétien et penseur biblique, Clément ne peut qu'affirmer l'unité de la trinité et l'égalité de ses membres : dans la mesure où il est philosophe, il ne peut guère envisager que l'un pur et l'un multiple soient équivalents. La multiplicité représente la descente, dans toutes ses étapes : l'état final de ce processus est représenté par l'incroyant, qui est par nature étranger et séparé du monde idéal. Voilà une tendance vers l'arianisme, qui se manifeste le plus clairement dans la remarque de Photius [1] selon laquelle Clément envisageait deux logoi — le logos paternel et le logos immanent. Le logos incarné donc est bien inférieur à l'autre. Ainsi le fragment :

> Le fils est appelé Logos, portant le même nom, mais ce n'est pas lui qui s'est fait chair ; ce n'est pas le Logos paternel, mais une vertu de Dieu et comme une émanation de son Logos ; elle est devenue intelligence et a habité dans le cœur des hommes [2].

En somme, le Logos constitue la clef de la théorie de la connaissance de Clément. En tant que multiple il se laisse saisir par l'intellect humain ; en tant qu'unité il est divin. La connaissance de Dieu est un don [3] : le Verbe incarné, la face du Père, perceptible aux sens, constitue ce don [4]. L'œuvre salvifique est considérée comme un drame ; le Fils prit un masque de forme charnelle afin de jouer le drame du

---

[1] *Bibl.* Cod. 109.

[2] Stählin t. III p. 202. Voir l'excellent article de R.P. Casey, J.T.S. 25 (1924) 43-56 sur l'arrière-plan de la controverse arienne. C. retire de ces passages l'existence de deux logoi : p. 48 : « The step from his two λόγοι to Arius's substantially distinct λόγοι was a short but decisive one ». (L'affirmation de J. Danièlou, *Message* ... p. 336 est à nuancer : « Ce texte a été interprété parfois de l'existence pour Clément de deux Logoi. Cette affirmation a été réfutée par R.-P. Casey »). T.E. Pollard (J.T.S. n.s. IX, 1958, p. 107) souligne que la source la plus importante de l'arianisme était Paul de Samosate, chez lequel la distinction Fils/Père est plus nette : ainsi veut-il minimiser la contribution alexandrine à l'arianisme. Bardy (*Histoire de l'Église* III p. 72) avait attribué cette hérésie à la pensée origéniste et en général à la pensée alexandrine — ce qui semble juste. Quant à Clément, il n'est pas excessif de dire qu'elle était endémique dans sa théologie. Dans la mesure ou son système était axé sur l'Un pur et l'Un multiple du Moyen-Platonisme, la distinction entre le Fils et le Père pouvait devenir une gradation. Voir aussi le passage difficile de *Strom.* II. 18. 96. 2 qui parle du Christ comme une *quatrième* entité. Il s'agit de trois demeures, et une quatrième qui rejoint à la troisième, si l'on accepte la suggestion de Prestige sur le sens de ὑπόστασις. A. Méhat, *Étude...* p. 460 n. 202, conclut néanmoins que l'obscurité de cette phrase subsiste, malgré les notes de Prestige et de Witt. En tout cas, il est clair que Clément envisage ici un double logos.

[3] *Strom.* V. 13. 83. 4.

[4] *Strom.* V. 6. 33. 5.

salut de l'humanité [1]. Cette métaphore théâtrale est très significative,
car elle implique le caractère symbolique de l'œuvre du Fils. L'histoire
est considérée comme une pièce de théâtre qui se déroule devant la
race humaine : nous l'avons déjà insinué — la présence charnelle du
Verbe est une représentation. C'est le masque qui révèle et cache
simultanément. Il en résulte que si nous limitons notre connaissance
du Christ à ses œuvres terrestres, nous prenons le symbole pour la
réalité. Lui-même nous ne le connaissons pas, pas plus que nous ne
connaissons l'acteur à partir de son rôle au théâtre.

Selon Th. Camelot [2] :

> Les faits historiques de la vie du Christ, qui sont pourtant l'instrument par
> lequel il nous a rachetés, ne sont plus ici qu'une parabole au-delà de laquelle
> les esprits, « ceux qui ont des oreilles pour entendre », doivent découvrir la
> puissance et la sagesse de Dieu.

Le réalisme de l'incarnation montre la voie, mais la vraie efficacité du
Logos se trouve dans son illumination intérieure, qui nous permet de
dépasser le stade du Fils incarné et d'entrer dans les régions plus
éthéréelles.

---

[1] *Protr.* X. 110. 2.
[2] *Foi et Gnose,* p. 80.

CHAPITRE VII

NÉGATION, ANALOGIE, ENCHAÎNEMENT

Aucun texte ne présente les trois voies aussi explicitement que ceux d'Albinos de Celse, examinés dans l'Introduction. Cependant le manque de la formule traditionnelle ne doit pas nous empêcher de trouver les traces de ces méthodes dans les écrits de notre auteur. Par ailleurs, Maxime de Tyr les utilise [1] sans jamais les rapprocher dans un seul endroit. Ni Maxime ni Clément ne nous ont laissé un manuel du genre de *l'Epitomé* d'Albinos : il est néanmoins vrai que l'influence de ces trois modes de connaître le divin se trouve à travers leur œuvre. Notre méthode donc consiste à regrouper les passages qui rejoignent la formule d'Albinos.

Ceci dit, le passage suivant offre un résumé assez clair de ces trois éléments de la théorie moyen-platonicienne de la connaissance :

> (sur l'astronomie)
> Cette étude donne à l'âme l'habitude du raisonnement, la capacité à percevoir le vrai et à discerner le faux, (I) la facilité à découvrir les ressemblances et les analogies, au point de dépister le semblable dans le dissemblable, (II) elle nous entraîne à concevoir une longueur sans largeur, une surface sans profondeur, un point sans parties : (III) elle nous fait passer aux choses intelligibles [2].

Suivant les chiffres, nous trouvons dans ce texte :

> (I) La voie de l'analogie
> (II) La voie de la négation, dans la version mathématique.
> (III) La voie de l'éminence [3].

Cette dernière méthode, qui permet de passer (selon Albinos, *Epit.* X. 5-6). de la beauté des corps à celle des âmes, puis à la beauté morale [4], enfin à l'océan du Beau, est fondamentale chez Clément. Elle implique

---

[1] Voir A.-J. Festugière, *Révélation*... t. IV, p. 111 ss.

[2] *Strom.* VI. 11. 90. 4.

[3] La perception du vrai et faux rappelle les propos de Celse sur la fonction du soleil (Dieu), qui est la cause de la vue et de l'intellection (VII. 45). A. Méhat, *Etude*... p. 446 veut entendre ce passage d'un sens moral, affirmant que Clément n'emprunte que rarement ses exemples aux mathématiques — ce qui est tout à fait le cas. Ailleurs (voir les pages 256 ss.) nous avons essayé de minimiser la distinction entre le plan moral et le plan intellectuel.

[4] Cette phrase — « la beauté morale » suggère en effet une assimilation de la vie morale à la vie intellectuelle.

la méthode de passer des sensibles aux intelligibles — processus qui
est à la base de toute la théorie de la connaissance de notre auteur. En
Stromate II. 2 il reprend la division aristotélicienne des sciences :
l'étude des sensibles (φυσικὴ θεωρία) constitue le point de départ, qui
mène éventuellement à l'être sublime. Il s'agit du mouvement classique
des *aistheta* aux *noeta*, qui fournit une base aux autres approches :
l'appréhension du Père, à travers ou dans le Fils, par la contemplation
analogique (ou même par la voie de négation) suppose dans chaque cas
cette conception de la science. C'est de la philosophie grecque dans
une perspective chrétienne, car Dieu se manifeste dans son œuvre et
il suffit de suivre les traces de sa main pour le saisir. La connaissance
naturelle de Dieu fait ainsi son entrée dans la pensée de notre auteur,
jusqu'à l'exclusion de la connaissance révélée. Il faudra, bien entendu,
préciser cette remarque par une étude de la notion de foi chez Clément,
mais pour les pages qui suivent la notion de la pensée à partir des
sensibles est déterminante. Quant «au vaste océan du Beau» d'Albinos,
il faudrait rapprocher le stade final de la théologie négative clémentine [1]. La monade dépassée, l'âme se précipite dans la grandeur du
Christ, dans les régions vertigineuses des intelligibles. (A ce point inter-
vient toute la théorie de la gnose, qui sera étudiée à sa place).

Notre but est donc clair : ayant essayé de donner un résumé de la
théodicée clémentine nous suivrons les étapes de sa théorie de la
connaissance. Le point de départ. c'est les sensibles, y compris le Fils
incarné. De même donc, nous considérons en premier lieu les méthodes
qui partent des choses d'ici-bas. Le couronnement de ces méthodes
— la Gnose, la vision époptique des régions célestes — sera examiné
à son tour [2].

La théologie négative

Un thème important, la négation de Clément rejoint celle de Philon,
transmise par l'intermédiaire de Justin (ou peut-être de Pantène),
aussi bien que celle de la tradition platonicienne dont Albinos constitue

---

[1] Voir les pages 91 ss.

[2] W. Völker a consacré tout son livre à la gnose clémentine, sans admettre l'importance des doctrines philosophiques que nous venons de mentionner. Cependant l'âme ne
se précipite pas immédiatement dans l'union sublime avec Dieu : il faut un entraînement, un point de départ, une discipline. Priver Clément de cette base, c'est éliminer
une partie essentielle de sa pensée : la connaissance à partir des sensibles. Dans ce sens
donc nous examinons les trois voies, sans vouloir les exagérer, mais afin de trouver leur
fonction exacte dans le processus intellectif.

le représentant principal. Il y a lieu d'affirmer la présence de l'influence néopythagoricienne, de même que dans le cas d'Hippolyte (voir la première partie); mais il est nécessaire de commencer par la négation dans sa forme la plus simple, c'est-à-dire en tant que réaction contre le matérialisme.

La réponse au matérialisme. Clément, inspiré à la fois par la métaphysique grecque et par la théodicée juive, réserve à certains philosophes le nom d'athée : à savoir, ceux qui font de la matière l'ultime réalité, et qui confondent ce qui est créé avec le créateur. Armé du défi chrétien à l'idolâtrie et du dédain platonicien du plan visible, il condamne sans ambages la pensée matérialiste. Et la foule qui se livre à l'adoration des choses sensibles et qui ne vit qu'au niveau des sens, n'est pas pire que les penseurs qui épousent une philosophie immanentiste.

> Car nombreux sont ceux qui s'occupent des choses sensibles, comme s'il n'en existait pas d'autres... Or, l'oreille et les organes qui lui ressemblent sont impuissants à percevoir l'idée de Dieu [1].

Mais certains ont célébré des principes plus élevés, comme Anaximandre de Milet avec son concept de l'infini [2]. Voilà quelqu'un qui s'approche de la vérité, car le concept du *Nous* éternel côtoie même la théologie chrétienne. D'autre part,

> Espérer que l'on comprendra tout à la manière des sens, c'est s'égarer loin de la vérité [3].

Les stoïciens sont critiqués à cause du matérialisme de leur perspective.

> Dieu n'entend point à la manière de l'homme : il n'a pas besoin de sens, comme les Stoïciens s'imaginent — « principalement de la vue et de l'ouïe. Autrement il lui serait impossible de saisir les objets [4] ».

Voilà la négation sous une forme élémentaire — le refus de l'anthropomorphisme. Ceci constitue chez Clément la première tentative d'affirmer la théodicée chrétienne — par un mouvement négatif. Dieu est au-delà du monde sensible : l'imagination doit se purifier

---

[1] *Strom.* V. 6. 33. 4.

[2] *Protr.* V. 66. 1. Cf. J, Pépin, *Théologie Cosmique...* p. 286, sur *Protr.* V. 64. 3.

[3] *Strom.* V. 1. 7. 5.

[4] *Strom.* VII. 7. 37. 1. Voir von Arnim *Chrysipp.* Fr. Phys., 1058. M. Spanneut, *Stoïcisme...* p. 88 n. 23, suggère que l'auteur confond les Stoïciens et les Epicuriens. Quoi qu'il en soit il y a un problème à résoudre, car Clément approuve ailleurs (*Strom.* V. 11. 76. 1, cité par Spanneut) le stoïcien Zénon qui refuse toute image aux dieux, parce que rien n'est digne d'eux.

des concepts tirés de l'expérience des sens. La critique de l'anthropomorphisme rejoint le côté moral de la théologie clémentine, dont les
perspectives philosophiques tendent à obscurcir la démarcation entre
la morale et la connaissance. Le péché devient la préoccupation excessive des choses d'ici-bas : les passions de la chair tendent à fixer les
aspirations sur le plan sensible [1]. Celui qui est gouverné par ses instincts physiques est aveugle, et la capacité de voir ne lui parviendra
qu'après la purification spirituelle. *Strom.* V. 11. 68 rapproche explicitement les deux concepts, en utilisant une image philonienne qui compare l'homme à un escargot, enveloppé dans la matière comme dans
une coquille : il se roule dans ses passions comme le hérisson tourne
sur lui-même. L'anthropomorphisme et la vie de l'indulgence sensuelle
provient de la même source.

Plus importante est la méthode traditionnelle, la *via negativa* que
nous avons remarquée chez Albinos et Celse :

> Mais il n'est pas possible de participer aux contemplations gnostiques, si nous
> ne voulons pas nous vider de nos conceptions antérieures [2].

A la base du processus intellectif se trouve un rite de la purification
intellectuelle, à effectuer par la négation. Sans vouloir nier l'unité
de la théologie négative de notre auteur, il est néanmoins possible
de distinguer plusieurs influences. En premier lieu le concept se présente
dans les formules des écoles platoniciennes : il s'agit d'une *méthode*,
qui fait partie de la dialectique spirituelle.

> Pour nous, la purification se fera par la confession, l'époptie se fera par
> l'analyse par laquelle nous avançons vers l'intelligence première : partant,
> par l'analyse, des êtres qui lui sont subordonnés, faisant abstraction des
> propriétés naturelles des corps, retranchant successivement la dimension
> de profondeur, puis celle de largeur, ensuite celle de longueur, le signe qui
> reste, c'est pour ainsi dire la monade, occupant une certain place, supprimons
> cette place, nous concevons la monade intelligible.
>
> Si donc, abstrayant des corps et des choses dites incorporelles toutes leurs
> propriétés, nous nous précipitons dans la grandeur du Christ, et qu'ensuite
> par la sainteté nous arrivions jusqu'à l'abîme, nous parviendrons en quelque
> façon à l'intelligence du Tout-Puissant, connaissant non ce qu'il est, mais ce
> qu'il n'est pas [3].

---

[1] Voir E. F. Osborn, *Philosophy...* p. 25, « Passions have as their objects material
things, and material things are very far removed from God ».

[2] *Strom.* VI. 17. 150. 4.

[3] *Strom.* V. 11. 71. 2 ss. W. Völker, *Gnostiker...* p. 92 : « Aber mit dem allen sind wir
noch weit von wahrer Gotteserkenntnis entfernt ». V. affirme que cette méthode con-

Ce passage suscite de nombreuses remarques ; il est évident qu'il constitue une version chrétienne de la méthode négative des platoniciens de l'époque. Il est intéressant de remarquer que Clément tire son explication du domaine des mathématiques, et qu'en conséquence sa conception de la *via negativa* fait partie de ce qui est appelée par A. H. Armstrong [1] la théologie négative de la Tradition. Cependant il est trop facile de suggérer comme le fait H. A. Wolfson [2] que Clément emprunte en quelque sorte au manuel d'Albinos. Il y a, en premier lieu, une importante différence de terminologie : pour Albinos le processus en question est ἀφαίρεσις, mais chez Clément il s'appelle ἀνάλυσις. En plus une élaboration néopythagoricienne se présente dans le résumé clémentin, qui est absente chez Albinos.

> ... le signe qui reste, c'est pour ainsi dire la monade, occupant une certaine place [3].

L'étude de J. Whittaker démontre que cette définition du point était courante dans la pensée néo-pythagoricienne, et ce fait nous oblige à distinguer entre notre auteur et Albinos [4] dont l'hésitation vis-à-vis cette école a été notée par J. Rist [5].

Nous savons de façon précise le sens d'ἀνάλυσις, terme emprunté aux mathématiciens. Origène commente l'analyse de Celse, l'entendant selon l'usage de géomètres ; la méthode commence par les données, et remonte vers les premières vérités et vers les principes [6]. Il s'agit de la solution par démarche régressive : c'est la définition de Proclus [7]. A-J. Festugière [8], dans sa discussion détaillée de ce concept, prétend que cette définition ne suffit pas, au moins dans le cas de Celse :

> Mais l'on ne peut traiter Dieu comme conséquence et remonter au-delà

---

stitue la « menschlich-wissenschaftlichen νόησις », la vision qu'avait Abraham de loin (*Strom.* V. 73. 2.) (Völker est parmi ceux qui considèrent que la saisie mystique de Dieu prédomine chez Clément). Mais pourquoi exclure le moment de négation du sommet mystique ?

[1] Voir la page 15 n. 1.

[2] *Negative attributes in the Church Fathers and the Gnostic Basilides*, H.TH.R. 50 (1957), 145ss.

[3] *Loc. cit.*

[4] Il n'y a aucune mention de la monade chez Albinos.

[5] T.A.P.A. XLIII (1962) 400-1.

[6] Cf. Euclide, *Elem.* XIII.

[7] *In Eucl.* p. 43. 18 Fr.

[8] *Révélation...* t. IV p. 120 : il rapproche l'ἀνάλυσις avec la division platonicienne (du Sophiste), qui suppose aussi la composition — σύνθεσις.

(analyse), ni partir d'un principe supérieur à Dieu pour en déduire Dieu (synthèse). Il faut donc chercher ailleurs [1].

Mais dans le cas de Clément la définition citée est parfaitement adaptée : d'une part, l'analyse remonte non à Dieu, mais à la monade. Il est parfaitement possible de traiter le *monde sensible* comme conséquence, pour remonter à la monade. D'autre part, Clément lui-même confirme cette interprétation dans son huitième *Stromate* [2], livre consacré entièrement aux formes différentes du raisonnement. Là il développe ses idées sur la logique et les sciences mathématiques, souvent avec référence ontologique [3]; ce qu'il dit de l'analyse s'accorde parfaitement avec le sens que nous avons accepté ici.

La version mathématique de la théologie négative employée par notre auteur suggère aussi l'ascension — la *via eminentiae*. Chaque acte négatif est en même temps une étape dans l'ascension : partant des aspects corporels on parvient à l'être pur. Par la négation même on établit un concept de Dieu qui est pur et sans mélange, comme il est démontré à la fin du passage cité. Le « corporel » avec lequel on commence est l'image anthropomorphique de Dieu : ensuite par les négations successives nous parviendrons à l'intelligence de Dieu, « connaissant non ce qu'il est, mais ce qu'il n'est pas ».

Nous avons remarqué que la mention de la monade constitue un aspect spécial de la version de Clément. La fin du processus d'abstraction est la monade intelligible, ce qui constitue une étape moyenne, car la monade est à identifier avec le Christ, ou le Logos. Les termes mathématiques du texte sont expliqués en termes théologiques : il est évident que la phrase « nous nous précipitons dans la grandeur du Christ » correspond à l'intelligence de la monade. Mais l'époptie finale, l'achèvement de la vision mystique, est encore à atteindre. On sent la force de l'idée du Dieu inconnu, qui, situé au-delà de la monade, se cache dans le désert de l'esprit, échappant à tout raisonnement, négatif ou autre [4]. Chez Philon aussi la monade se trouve en-dessous de Dieu,

---

[1] *Op. cit.* p. 121.

[2] 3. 8; 6. 18.

[3] P. Th. Camelot, *Foi et Gnose...* p. 108, parle « d'un exemple emprunté aux mathématiques ». L'affirmation est juste, mais on ne doit pas trop insister sur la notion d'un *exemple*. Les nombres ont une réalité; *Strom.* VIII maintient très clairement cette hypostatisation des mathématiques. Il n'y a aucune différence de genre entre l'ascension à travers la géométrie, et celle qui s'effectue à partir des sensibles.

[4] Voir E. F. Osborn, *Philosophy...* p. 26 ss.; cf. *Strom.* V. 12. 82. 4 : λείπεται δὴ θείᾳ χάριτι καὶ μόνῳ τῷ παρ' αὐτοῦ λόγῳ τὸ ἄγνωστον νοεῖν, : Le Logos/Fils/Monade constitue une sorte de plate-forme intermédiaire d'où il est possible de se lancer de nouveau, dans

dont elle est l'image [1]. C'est le Logos, et à ce groupement de notions Clément rattache le Christ. Il est utile de signaler un passage du Protreptique [2]:

εἰς μίαν ἀγέλην συναχθῆναι οἱ πολλοὶ κατὰ τὴν τῆς μοναδικῆς οὐσίας ἕνωσιν σπεύσωμεν.

La monade ne peut pas être autre que le Christ (malgré G. W. Butterworth [3] et W. Völker [4]) conçu comme la source de l'unité. De même que chez les Pythagoriciens la monade est le principe de l'unité, le Christ est la force qui attire les âmes dans une harmonie sainte. Mais l'ascension vers le Père constitue une seconde étape, qui suppose l'unité des fidèles. Là aussi, la monade-Christ occupe une fonction intermédiaire dans le schéma ontologique.

Nous sommes ici dans le contexte des mystères et de la Gnose. Là purification exigée dans les petits mystères est assimilée au début de notre citation, à la confession : l'époptie, la contemplation sublime des grands mystères, constitue le but de la mystique chrétienne. Voici donc une forme du christianisme conçue d'après le modèle des mystères : la structure et la progression est la même, le but est le même, mais la définition est différente. (P. Th. Camelot signale [5] la présence du langage néotestamentaire — « se précipiter dans la grandeur du Christ » [6]. « Avancer jusqu'à l'abîme » — conception peut-être gnostique, bien que le terme ἀχανές ne fasse pas partie du vocabulaire gnostique relatif à ce sujet).

La *via negativa* reparaît ailleurs, mais moins explicitement : la condition essentielle de la contemplation chrétienne, c'est que nous nous vidions (κενώσωμεν) de nos conceptions antérieures [7]. Ce mot, si riche en nuances chrétiennes [8], soulève la question de la nature de

---

le sein du Père. Le Logos représente le monde intelligible qui est la totalité des idées du dieu suprême (*Strom.* V. 14. 93. 4). La monade englobe tout ce domaine : ainsi Clément parle-t-il de la nécessité de devenir « monadique » (*Strom* IV. 23. 152. 1). Voir S. Lilla, *Middle Platonism* ..., p. 35-36.

[1] *Leg. Alleg.* II. 3.; Bréhier, *Philon...* p. 90; P. Th. Camelot, *Foi et Gnose...*, p. 108. n. 2.

[2] IX. 88. 2.

[3] Edn. Loeb p. 195.

[4] *Gnostiker...*, p. 532-533.

[5] *Foi et Gnose...*, p. 108-9.

[6] *Eph.* 1. 19.

[7] *Strom.* VI. 17. 150. 4.

[8] Voir par exemple *Phil.* 2. 70; aussi C.H. 11. 14.

cette « kenosis » : est-ce qu'il s'agit d'une purification intellectuelle ou morale ? Nous avons consacré quelques lignes à cette question, affirmant qu'on aurait tort de distinguer entre les deux aspects. La contemplation de Dieu exige la pureté d'une âme arrachée aux limites de l'existence terrestre : celles de la chair ne diffèrent pas substantiellement de celles de l'esprit charnel [1]. L'abstraction du corps et de ses passions constitue une croissance dans la vertu, mais aussi dans la perspicacité de l'intellect. « La chair » représente une limitation morale et intellectuelle : ce rapprochement est explicite dans le passage suivant :

> Un sacrifice acceptable à Dieu, c'est de nous séparer du corps et de ses affections. En vérité, c'est ce culte qui est le vrai... Celui qui n'admet ni l'intervention de la vue, ni celle d'aucun autre sens dans le travail de la pensée, mais qui applique à l'examen des choses l'intelligence pure, pratique la philosophie véritable [2].

Nous prétendons donc que la théologie négative est à comprendre dans le contexte total du christianisme clémentin. L'usage d'une formule mathématique qui est connue chez d'autres auteurs, ne devrait pas nous empêcher de voir la cohérence avec laquelle Clément l'adopte dans sa propre pensée. Le sens moral de la négation a été traité dessus ; il reste à répondre plus longuement au point de vue de W. Völker afin de développer le sens gnostique de la négation.

Cet auteur, nous l'avons remarqué, minimise la pensée négative de Clément. En bref, Völker considère que Clément a fait l'objet d'une dispute entre théologien et philosophe : les uns veulent le considérer comme représentat de la culture judéo-chrétienne, les autres comme représentant du Moyen-Platonisme. W. Völker souligne que Clément est un théologien du mysticisme et que sa pensée, comprise dans cette perspective, manifeste une consistance remarquable — au plan de la gnose, ses idées sont harmonieuses et intégrées ; les éléments grecs sont des emprunts, rien de plus que les allusions d'un homme cultivé.

---

[1] Voir E. F. Osborn, *Philosophy*..., p. 146 ss.

[2] *Strom.* V. 11. 67. 1. Cf. A. Méhat qui affirme, *Etude*... p. 446, que Clément n'emprunte que rarement ses exemples aux mathématiques, et qu'en conséquence il faut entendre l'analyse que nous avons étudiée d'un sens moral. Il est vrai que ces exemples sont rares : mais il ne faut pas démentir le rapport entre la morale et l'intelligence que nous avons essayé de mettre en valeur. Sur la chair, il est à remarquer que ce concept a été d'une importance capitale dans la philosophie occidentale : sa mutation peut-être la plus récente se trouve chez Sartre, avec sa notion du « visqueux » — ce qui déforme et absorbe le principe spirituel. (*L'Être et le néant*, Paris 1957, p. 701).

E. F. Osborn nous offre [1] un appendice sur ce problème, où il reprend quelques questions en détail; il fait remarquer, entre autres choses, que Völker a pu trouver une cohérence parfaite dans la pensée de Clément parce qu'il n'en a considéré qu'une partie [2].

En fait il nous semble que la *via negativa* constitue une notion-clef de la pensée clémentine. D'abord, celle de la Tradition, la version mathématique, sert jusqu'à un certain point — à la découverte de la monade, ou du Christ. Il est approprié que cette approche du Christ soit rationnelle (la négation étant une forme du raisonnement), car elle se réalise au niveau intelligible. Mais dans la version de Clément, la négation ne mène pas plus loin que la monade : elle est donc une première démarche, une préparation. Il est indéniable que la gnose constitue l'étape finale de l'expérience chrétienne, mais pour l'atteindre il faut la discipline de la purification intellectuelle. Au point de départ, sont les sensibles; le Christ incarné mène au Dieu transcendant; l'œuvre de Dieu à son créateur. C'est pourquoi il est nécessaire de retenir dans notre conception de Clément la méthode qu'il propose pour s'élever au-dessus des sensibles — la dialectique chrétienne. (En tout cas, la théologie négative n'est absolument pas séparée du mysticisme : au contraire, elle fait partie du côté mystique du Néoplatonisme).

En deuxième lieu, il est vraisemblable que Clément, par la hardiesse de sa théodicée, voulait distinguer sa position de celle d'un penseur comme Albinos. En employant la formule : ἓν δὲ ὁ θεὸς καὶ ἐπέκεινα τοῦ ἑνὸς καὶ ὑπὲρ αὐτὴν μονάδα [3], il voulait souligner la grandeur de Dieu, en le rendant même plus inaccessible que ne l'avait fait Albinos.

En vue de cette affirmation si catégorique, il fallait une méthode négative, d'une part pour quitter le plan sensible, d'autre part et au même titre, pour purifier le texte biblique de ses images anthropomorphiques.

L'analogie [4]

Dans le *Timée* [5] Platon décrit la formation du cosmos par le démiurge.

---

[1] *Philosophy...* p. 184-6.

[2] *Op. cit.*, p. 185 : « Where Völker's research has been concentrated he finds consistency and originality in Clement ». Mais nous ne cherchons pas un Clément abrégé.

[3] *Péd.* I. 8. 71. 1.

[4] Voir mon article *ΑΝΑΛΟΓΙΑ chez Clément d'Alexandrie* (Revues des études grecques 84, (1971) 80-93).

[5] 31 b ss.

Face aux quatre éléments différents, ce technicien réalise l'unité du monde par un instrument mathématique, celui de la proportion (ἀναλογία). Conçue comme un lien (δεσμός), cette proportion est de caractère dynamique : elle constitue le principe et la source de l'intégration du monde. Ce texte aura une longue histoire dans les écoles philosophiques, débutant en termes techniques mathématiques et aboutissant à une notion philosophique. Ce dernier usage fait partie du vocabulaire de la théorie de la connaissance : notre auteur occupe une étape intermédiaire dans le développement de l'ἀναλογία. Il n'est point nécessaire de souligner l'importance de la théorie de l'analogie dans la philosophie religieuse : elle demeure, en effet la seule justification du langage métaphysique.

« Analogie » bien entendu ne perd jamais son sens mathématique, malgré son usage philosophique : on trouve des emplois du terme dans un sens purement mathématique. Chez Clément, les proportions (ἀναλογίαι) qui se manifestent dans la construction du temple sont discutées et examinées [1] ; de plus, la plupart des choses, selon notre auteur, sont soumises à des proportions numériques [2]. D'autres passages sont cités dans mon article, mais il suffit de remarquer que le terme, propre aux mathématiques, garde son sens original chez Clément. Mais il est vrai aussi qu'il prend un sens plus large : sans s'éloigner trop des mathématiques, ἀναλογία prend un sens ontologique. C'est pourquoi la plupart des choses sont susceptibles d'une analyse mathématique : la proportion retrouve le célèbre thème stoïcien de l'harmonie du cosmos.

Comme c'est souvent le cas, Philon constitue un intermédiaire utile entre la philosophie hellénique et la pensée judéo-chrétienne : dans le *Quis Rerum Divinarum* [3], cet auteur décrit le processus par lequel le cosmos a trouvé son unité et son harmonie. Parmi plusieurs principes, celui de l'égalité est le plus important car il explique l'ordre qui se manifeste dans la constitution de l'univers. C'est Dieu qui a établi l'harmonie du monde « au point qu'aucune part ne soit plus grande ni plus petite », et son emploi de l'égalité est un signe de sa *justice*. Ainsi l'ordre du cosmos constitue une évidence de l'aspect moral de l'œuvre du Père, aussi bien que de son pouvoir créateur. Philon conçoit donc l'égalité (qui comprend l'analogie) comme un principe de l'administration divine. Il continue :

[1] *Strom.* VI. 11. 86. 3.
[2] *Strom.* VI. 10. 80. 2.
[3] 133 ss.

Mais il est nécessaire de distinguer encore un autre type d'égalité, l'égalité proportionnelle (διὰ ἀναλογίας), selon laquelle le petit nombre est considéré comme égal au grand nombre, les petites quantités sont égales aux grandes [1].

Ainsi l'unité du monde fait partie de l'οἰκονομία divine : l'analogie est un instrument de la providence. Clément considère la providence comme puissance unifiante :

> Le verbe divin et sa providence, c'est ce qui commande et dirige toute vérité : elle veille sur chaque chose... Elle ne laisse pas même le moindre détail de son organisation sans soin... De la puissance la plus grande, je crois, la recherche pénètre en détail toutes les parties jusqu'à la moindre parcelle ; toutes choses se tournant vers le premier organisateur de l'ensemble, qui gouverne par la volonté du Père le salut du tout [2].

Cette providence est plutôt cosmique que personnelle : elle fait penser à l'œuvre du démiurge du *Timée*, dont la fonction était d'assurer l'existence du tout.

Il semble donc justifié de considérer l'analogie clémentine dans le contexte des dispositions de la providence, qui l'utilise comme un principe d'ordre et d'harmonie. L'analogie devient le principe d'unification et de distribution : elle possède à la fois une fonction cosmique et morale. L'exégèse clémentine de Jean 14. 2 illustre bien cette acception : « Il y a beaucoup de demeures dans la maison de mon Père ; s'il en était autrement, je vous l'aurais dit, car je vais vous y préparer une place ». Une relation proportionnelle existe entre les « demeures » et la vie du fidèle, car il y a des degrés de la foi et chaque degré mérite sa propre récompense [3].

> En effet, avec le Seigneur, il y a plusieurs récompenses et plusieurs demeures qui sont conformes aux vies [4].

> Le ciel a donc différentes demeures qui correspondent aux mérites particuliers de chaque fidèle [5].

> En effet même les petites choses sont gouvernées pour le salut de ce qui est meilleur et en vue d'une demeure conforme à ses mœurs... [6].

---

[1] *Quis Rerum Divinarum...*, 145.

[2] *Strom.* VII. 2. 9. 1 ss. Cf. M. Spanneut (*Stoïcisme...* p. 330) qui fait ressortir le côté stoïcien de ce thème.

[3] *Excerpta* 9. 1.; *Strom.* II. 3. 10, 11.

[4] *Strom.* IV. 6. 36. 3.

[5] *Strom.* VI. 14. 114. 1.

[6] *Strom.* VII. 2. 12. 3.

... conformément à la mesure de leur foi, elles ont été jugées dignes d'un autre bercail et d'une autre demeure [1].

Dans chaque cas le terme ἀναλογία exprime la notion de la récompense conforme; voilà donc l'aspect moral de la disposition providentielle : le système d'analogie provient de la justice divine. On se demande, avec raison, où est la justice dans cet arrangement, si la récompense et la foi de l'individu sont toutes les deux réglées par la direction de la *Pronoia*. La réponse se trouve dans la perspective essentiellement cosmique de la pensée stoïcienne : la première considération est l'harmonie du tout. Ce qui contribue à la stabilité de l'ensemble est bon : cosmologie totalitaire, où la partie tire sa valeur de son adaptation au tout [2].

Il reste encore deux textes à ajouter :

(Les élus) travailleront donc conformément aux récompenses et aux demeures dont ils ont été jugés dignes, ouvriers de l'œuvre ineffable et du service divin [3].

... par la grande disposition (οἰκονομίας) et analogie du Père... [4].

On constate le lien explicite entre οἰκονομία et ἀναλογία. Ce terme désigne l'administration divine, la façon de disposer l'univers. Reumann [5] a regroupé les usages païens de ce terme afin d'éclairer la notion patristique de l'économie divine. Au temps d'Aristote par exemple, οἰκονομία désignait une technique douteuse d'organiser sa vie, afin d'obtenir le plus de confort [6] : on connaît aussi l'écrit de Pseudo-Aristote — *Oeconomica* — sur les problèmes de l'administration d'une maison. Chez Epictète οἰκονομία désigne un calcul rusé, ou bien un dessein intérieur, sinon caché [7]. Le savant cité met l'accent surtout sur l'aspect de l'expédient [8] dans le sens d'οἰκονομία : on se demande quel

---

[1] *Strom.* VI. 14. 108. 2.

[2] M. Spanneut, *Stoïcisme* ... p. 378, commente cette thèse, en signalant un passage de Maxime de Tyr (p. 41, 4 Hobein) qui souligne que, bien que le créateur soit invisible, nous contemplons son œuvre : qu'il ne fait pas lui reprocher des défauts particuliers de son travail, mais il faut regarder le tout, de la même façon qu'on apprécie une peinture.

[3] *Strom.* IV. 6. 37. 1.

[4] *Quis Dives Salvetur* 36. 2.

[5] Οἰκονομία *as « ethical accomodation » in the Fathers, and its pagan backgrounds.* S.P. III 370-379.

[6] *Eth. Nic.* I. 1. 3., 1094 a 9.

[7] *Diss.* III. 14. 7. Voir aussi Marc Aurèle, *Méd.* XI. 18. 5.

[8] *Op. cit.* p. 378 : « In rhetoric it came to mean a type of arrangement that reshuffled the facts so as to gloss over difficulties and persuade hearers the more readily by a host of tricks and devices ».

est le rapport envisagé entre ce sens quasi-péjoratif du terme, et son usage patristique ! La morale du tout contre la partie, thème stoïcien qui se retrouve chez notre auteur, rappelle peut-être cet aspect de l'οἰκονομία. En effet, Clément nous dit que Dieu partage toutes choses selon les mérites des fidèles, « puisque sa distribution est juste » [1].

L'élément essentiel dans cette perspective, c'est que l'organisme total soit harmonieux ; la « justice » de Dieu se manifeste dans sa capacité de réaliser l'intégration du tout. La notion de l'analogie, bien entendu, constitue un instrument idéal pour ce travail.

Cependant l'économie divine assure non seulement la justice de la vie terrestre, mais aussi le fonctionnement de l'intelligence. Il est bien connu que les Stoïciens considéraient que l'ordre de l'univers était instructif vis-à-vis de la nature divine, et que l'économie divine impliquait une pédagogie divine [2]. Pour Clément aussi les principes de l'organisation divine manifestent la nature de Dieu — le cosmos entier constitue un témoignage de la présence de Dieu. L'œuvre du Logos est souvent présentée comme une harmonisation (*Protr.* I. 5. 1.) qui s'impose aux yeux du spectateur humain. Le soleil répand ses rayons régulièrement [3] : le rythme et la musique font preuve de l'ordre qu'ils incarnent [4]. « Caeli enarrant gloriam Dei » [5] ; ce texte qui a été amplement commenté par Clément [6], rejoint les thèmes helléniques que nous sommes en train d'évoquer. Dieu donna à la gentilité le soleil, la lune, et les astres pourqu'elle ne vive pas dans un athéisme complet, pour qu'elle s'aperçoive de la main du créateur dans sa création [7].

Liée de près avec la pensée providentialiste est la notion de l'analogie du microcosme avec le macrocosme. La terre elle-même subsiste pour ceux qui possèdent la raison : [8] tout a été fait pour autre chose. Le rôle de l'homme, c'est d'imiter l'univers, qui représente le macrocosme [9]. A. S. Pease signale [10] que la relation analogique entre les deux plans se rapporte à la théorie de la sympathie des êtres, dont nous avons fait

---

[1] δικαίας οὔσης τῆς οἰκονομίας : *Strom.* IV. 6. 29. 1. Voir aussi *Strom.* VI. 12. 102. 1. ; I. 11. 52. 2.

[2] Voir J. Reumann, *op. cit.* p. 377.

[3] *Strom.* V. 8. 48. 1.

[4] *Strom.* V. 8 49. 1.

[5] *Psaume* 18. 1 ss.

[6] *Eclog. Proph.* 51. 1 ss.

[7] *Strom.* VI. 14. 110. 3.

[8] *De Nat. Deorum* 2. 133.

[9] *Op. cit.* 2. 37.

[10] *Caeli enarrant,* H.Th.R. 34 (1941) p. 163-200) ; p. 177.

état dans la première partie. La cohérence qui se manifeste dans la structure de l'univers entraîne des conséquences pour la vie totale de l'homme, aussi bien que dans le domaine de l'esprit que dans le domaine moral.

A.-J. Festugière, dans le deuxième tome de sa *Révélation d'Hermès Trismégiste* [1] souligne l'importance de Xénophon dans la formulation de la « preuve par la vue du monde » [2]. Mais (suggère-t-il) il appartenait à Cléanthe de donner une tournure mystique à cet argument [3]. Ainsi nous trouvons chez Clément la preuve par la vue du monde, mais associée à la notion mystique d'un assentiment devant l'ordre donné à l'univers. Ceci s'exprime dans une attitude de respect et de reconnaissance, et dans le désir de se livrer à la contemplation de l'univers. Il faut donc un mode de pensée qui perçoive la disposition divine dans le monde créé, et qui se réjouisse de cette vision. Clément donc semble éprouver une sentiment religieux à l'égard du monde :

> Je me libérerai du désir en vue de mon appartenance à vous, Seigneur. Belle, en effet, est l'économie créée, et tout est bien régi ; rien n'arrive sans raison ; il me faut être parmi vos œuvres, Tout-puissant ; bien que je sois ici, je suis près de vous [4].

Il faut saisir Dieu à travers le création, reconnaître la cause à partir des effets : cependant

> Certains en sont arrivés, je ne sais comment, à une telle erreur, qu'ils adorent, non pas Dieu, mais une œuvre divine, le soleil, la lune, tout le chœur des astres ; contre toute raison, ils les considèrent comme des dieux, quand ils ne sont que les instruments du temps [5].

De plus,

> Il nous a été montré que celui qui nie la providence, étant en vérité athée, mérite d'être châtié, et non pas d'être réfuté [6].

---

[1] Les propos suivants sont capitaux ; p. 324 : « On perçoit ici, à vrai dire, une idée toute neuve, qui ne prendra sa pleine valeur que dans la gnose. L'homme, sans doute, possède le Logos puisqu'il est doué de raison. Mais il ne peut faire correctement usage de sa raison que si Dieu chasse les ténèbres, illumine l'âme. La notion de grâce apparaît ». Mais déjà chez Héraclite, qui est souvent cité dans les écrits clémentins, la notion de « grâce », ou de volonté de Dieu de se manifester aux humains, se présente. (Fr. 82, 83 « L'homme, en face de la divinité, n'est qu'un singe » : Fr. 78, « Ce nest pas la nature humaine qui peut produire des actes de réflexion, mais la nature divine ».)

[2] *Memorabilia* I. 4 ; IV. 3.

[3] *Hymne* 324-5.

[4] *Strom.* IV. 23. 148. 2.

[5] *Protr.* IV. 63. 1 ; trad. S.C.

[6] *Strom.* VI. 15. 122. 3.

Ainsi l'athée est celui qui ne raisonne pas selon cette relation de cause et effet : il confond les deux, ou il ignore la cause. Voici le contexte du sens intellectuel d'ἀναλογία, puisque la relation entre le créateur et la création est précisément celle de l'analogie. Une similitude existe entre le plan visible et le plan céleste, et c'est cela qui permet une ascension rationnelle de l'un à l'autre [1]. Nous reprenons ainsi les conclusions de la première partie, où la notion du parallélisme entre les deux plans a été discuté et mise en rapport avec la voie de l'analogie. On doit développer la capacité à penser analogiquement :

> à découvrir les ressemblances et les analogies, au point de dépister le semblable dans le dissemblable... [2].

L'étude de la musique développe en nous ce mode de la pensée, parce qu'elle nous entraîne à percevoir les analogies [3].

Le principe de distribution prend ainsi un sens pour la théorie de la connaissance. Dans la mesure où on est capable d'apprécier la relation analogique entre les choses, on s'approche de la vérité. «Dépister le semblable dans le dissemblable» : Philon nous dit [4] que Dieu employait l'analogie pour rapprocher le semblable et le dissemblable, pour en faire une unité. Dans cette perspective, le petit nombre peut être considéré comme égal au grand nombre. Voilà la base d'une philosophie de l'analogie.

Le concept clémentin constitue une étape importante dans le développement de l'analogie. Le résultat éventuel sera une nouvelle forme du raisonnement, un instrument logique valable surtout pour la philosophie religieuse. Le livre de G. E. R. Lloyd, *Polarity and Analogy*, montre que même la pensée très primitive suppose un concept implicite de l'analogie, qui est inhérent aux facultés intellectuelles. Pourtant une formulation explicite de ce principe ne vient que très

---

[1] C'est la connaissance naturelle, comme le signale Lebreton (Rech. de sc. rel. 34 (1947) p. 68).

[2] *Strom.* VI. 11. 90. 4.

[3] *Strom.* VI. 10. 80. 2. Eibl, *Die Stellung des Klemens von Alexandrien zur griechischen Bildung* p. 44, offre ce passage comme un exemple de l'influence platonicienne sur la pensée de Clément; aujourd'hui on penserait plutôt au pythagorisme. En effet, l'étude de la musique représentait une partie de l'éducation pythagoricienne, consacrée au développement d'un sens de l'harmonie et de l'ordre. Eibl souligne surtout le côté moral de cette discipline; la musique calme le cœur. Une réminiscence biblique est toujours possible, car la colère de David était attendrie par la harpe. Mais ici c'est surtout la théorie de la connaissance qui est en jeu.

[4] *Loc. cit.*; voir mon article cité dessus.

tard dans l'histoire de la philosophie, avec la théorie thomiste de l'analogie attributive. Il appartenait à Aristote de définir et de formuler le syllogisme, la division en genre et en espèce, la négation et les autres techniques du raisonnement, mais son concept d'analogie reste très limité par sa métaphysique.

D'autre part, chez Proclus (comme le démontre Mme A. Charles) [1], nous trouvons un concept bien plus perfectionné. Le problème était le même — la diversité et la pluralité des choses dérobaient une unité englobante. L'analogie expliquait cette unité. Cependant Proclus rapproche la notion de la *continuité* et la *ressemblance* [2]; le caractère sériel de l'être donne plus de force à la notion de l'analogie, car la συνέχεια entre les êtres souligne leur unité. La notion de continuité fournit la base à la théorie d'analogie, c'est-à-dire l'idée de «l'organisation symphonique du Tout» [3].

Clément est donc intermédiaire à cet égard. L'aspect intellectuel de sa théorie reste à mettre en valeur, bien qu'il y en ait des traces, car l'analogie est conçue plutôt comme principe administratif : elle se trouve dans la structure du réel. Pour le problème de la connaissance il y a deux conclusions :

(a) D'abord l'analogie signifie le rapport qui existe entre des aspects différents de la réalité. Le monde visible atteste cette relation qui est si évidente qu'elle s'impose à l'esprit humain. Ainsi, celui qui contemple correctement parvient à une notion de la providence : ici l'analogie côtoie la « preuve par la vue du monde ».

(b) Deuxièmement, le sens secondaire constitue une conséquence de la première position : il s'agit de la technique de chercher le semblable dans le dissemblable, de trouver le facteur commun entre les entités différentes. Le fait que toutes choses sont proportionnées nous permet de les comparer.

Il est évident que ces deux idées vont dans la direction de l'analogie attributive. On précisera plus tard que l'analogie consiste à définir A selon les caractéristiques de B, quand A, étant inconnu, est analogue de B. La philosophie de Clément n'offre pas de telles précisions, mais il n'y a aucun doute qu'elle tend vers cette conception. Nous avons déjà remarqué que le principe de la ressemblance est fondamental dans la théorie platonicienne de la reconnaissance, et que la similitude

---

[1] *Analogie et pensée sérielle chez Proclus*, Revue Internationale de Philosophie, 87 (1969) pp. 69-88.

[2] *Op. cit.*, p. 74.

[3] *Op. cit.*, p. 87.

entre les images sensorielles permet à l'esprit de les rapprocher. La notion de l'analogie fournit l'explication de ces similarités, et elle constitue la garantie de la possibilité de chercher le « semblable dans le dissemblable ».

La notion d'« enchaînement » (ἀκολουθία)

Les considérations précédentes ont souligné le rapport entre la cosmologie et la théorie de la connaissance dans le contexte d'un cas très précis, celui du concept de l'analogie. Mais il est évident que les bases philosophiques de l'herméneutique clémentine comprennent bien d'autres idées : effectivement une étude approfondie relative aux justifications cosmiques de l'herméneutique ancienne devrait être realisée.

Nous entendons le terme herméneutique dans un sens beaucoup plus vaste que celui de la lecture allégorique des textes. Le problème de l'interprétation constitue un problème philosophique précisément parce que Clément a voulu élargir le domaine de l'allégorie pour pouvoir dire que tout discours était une allégorie, une parabole [1]. P. Ricoeur note [2] que chez Aristote l'*hermeneia* ne se limite pas à l'allégorie, mais concerne tout discours signifiant qui interprète la réalité. Il continue en se demandant s'il ne faut pas reporter dans la réalité elle-même cette logique qui caractérise la cohérence de la pensée et de la compréhension. Or, la même question peut se poser à l'égard de l'herméneutique de Clément.

Nous examinerons plus tard les détails de l'allégorie clémentine mais on peut déjà constater son caractère expansionniste. Dans le cinquième *Stromate* Clément élabore une théorie du discours dans le contexte d'une théorie du symbolisme : il en ressort très vite que son but n'est pas d'expliciter certains secteurs du discours, qu'on pourrait désigner comme symboliques, mais de démontrer que l'allégorie caractérise tout discours. En deuxième lieu, il faut souligner que c'est une lecture de l'ensemble du cosmos qui est en jeu. Non seulement il faut interpré-préter le langage, mais aussi toute la gamme de phénomènes naturels qui sont présents dans le cosmos. Or, ces deux champs d'interprétation se rejoignent dans une seule démarche, celle de la compréhension.

La question que se pose P. Ricoeur trouve une réponse claire chez Clément dans la notion d'ἀκολουθία (enchaînement). En effet il existe

---

[1] Cf. *Strom.* VI. 15. 126. 3 : « le caractère parabolique des écritures ».

[2] *Existence et herméneutique*, dans *Le conflit des interprétations*, p. 8.

un élément constitutif du cosmos qui en règle la compréhension, et qui y trouvé son reflet : ce facteur est constitué par la « suite », ou la séquence naturelle qui est immanente dans le réel. Nous avons déjà vu que l'analogie du réel assure le procédé analogique dans la pensée : il en est de même avec l'enchaînement du réel.

La notion d'ἀκολουθία n'a jamais été approfondie en ce qui concerne la pensée de Clément. A. Méhat en discute [1] en lui prêtant le sens d'un « enseignement organisé » : cependant il dévalorise le terme en voulant le faire désigner l'unité littéraire des *Stromates* : il est vrai que Clément affirme fréquemment le besoin de suivre l'ἀκολουθία [2], mais jamais il n'affirme que le secret littéraire des *Stromates* réside dans ses efforts pour suivre cet enchaînement. Notre auteur peut très bien respecter le fond de l'enchaînement sans essayer de le présenter sous une forme spécifique. J. Daniélou a étudié la notion chez Grégoire de Nysse [3], distinguant plusieurs nuances, avec en premier lieu le sens logique. « La vérité d'une proposition sera alors sa cohérence, non avec les principes de la raison, mais avec ceux de la foi » [4]. Le sens cosmologique comprend la séquence nécessaire dans les phénomènes naturels qui contribuent à l'ordre du cosmos : il y a aussi une *akolouthia* dans l'histoire, allant de la création de l'homme jusqu'à son état actuel, de son existence terrestre à son existence céleste, de la résurrection à la finalité de l'homme. Enfin, l'*akolouthia* désigne l'ordre de l'exégèse, l'enchaînement intérieur d'un texte ou même la signification de l'ordre des événements dans le déroulement d'un récit particulier.

Ces catégories correspondent approximativement à l'usage de Clément, qui est cité par J. Daniélou à propos de l'ἀκολουθία de l'exégèse [5]. Cependant il est utile d'examiner de plus près les nuances du concept clémentin.

Le terme utilisé correspond de façon assez précise au verbe français « suivre » et ses formes apparentées : « suivant les règlements », « suivant le Christ », « il s'ensuit que », « la suite d'une idée », etc. L'emploi logique du terme est attesté par un passage du VIIIe *Stromate* [6] où Clément donne une définition de la déduction (ἐπιφορά) en la caractérisant comme la conclusion qui fait *suite* (ἀκόλουθον), qui découle des pré-

---

[1] *Etude...*, p. 39- 41.

[2] *Strom.* II. 4. 16. 2 ; I. 13. 57. 4 ; I. 1. 15. 2 ; I. 28. 179. 4.

[3] *'Ακολουθία chez Grégoire de Nysse...*

[4] *Op. cit.* p. 24 (éd. E. J. Brill).

[5] *Op. cit.* p. 38 : *Strom.* I. 28. 179. 4.

[6] 3. 8. 3.

misses. En outre, la notion de « suite logique » se trouve en *Strom*.
VII. 15. 91. 7, où l'auteur nous encourage à découvrir la *suite* de la
vérité, suggérant que les hérétiques n'en ont compris qu'une partie :
l'enchaînement est rompu dans leur appréhension des choses. De même,
Démocrite ne s'est pas rendu compte de la suite logique de sa pensée,
puisqu'il n'a pas affirmé explicitement que même les créatures irration-
nelles possèdent une notion innée de Dieu [1]. Voici à nouveau la notion
de la nécessité logique : une idée en implique une autre.

Une deuxième acception, celle de l'*ordre systématique* ou de la *consistance*, dépend de la première. Dans ce contexte Clément parle de
l'ordre de la nature, et de la suite physique ou biologique des choses.
Ainsi la mort constitue une $\phi\upsilon\sigma\iota\kappa\grave{\eta}$ $\dot{\alpha}\kappa o\lambda o\upsilon\theta\acute{\iota}\alpha$, puisque la providence
et la « puissance omnisciente » de Dieu ont voulu que la dissolution du
corps se produise au terme d'un processus naturel. Mais dans d'autres
circonstances Dieu s'est montré capable d'agir en dehors de l'ordre
naturel (des lois physiques dirions-nous), en inspirant des rêves ou des
visions par exemple [2].

Il y a aussi une consistance dans les idées, qu'il faut respecter
dans l'herméneutique : l'enchaînement du raisonnement est constitué
par le rapport réciproque entre les prémisses et la conclusion. Un
passage des *Eclogae Propheticae* [3] remanie l'ordre d'un texte scripturaire afin que le vrai enchaînement d'idées puisse ressortir :
L'$\dot{\alpha}\kappa o\lambda o\upsilon\theta\acute{\iota}\alpha$ apparaît comme une sorte de force continue et systématique dans la pensée. C'est cette continuité qui fait l'unité intérieure
du christianisme. Celui-ci est donc conçu non comme un assemblage
de notions disparates, mais comme un organisme vivant et vital. La loi
($\nu\acute{o}\mu o\varsigma$) et l'évangile sont liées par cette même cohérence [4] : nous devons
procéder $\tau\grave{\eta}\nu$ $\dot{\alpha}\kappa o\lambda o\upsilon\theta\acute{\iota}\alpha\nu$ $\sigma\acute{\omega}\zeta o\upsilon\sigma\alpha\iota$ $\tauo\hat{\upsilon}$ $\nu\acute{o}\mu o\upsilon$ $\pi\rho\grave{o}\varsigma$ $\tau\grave{o}$ $\epsilon\mathring{\upsilon}\alpha\gamma\gamma\acute{\epsilon}\lambda\iota o\nu$.

Une dimension pédagogique élargit le champ du terme, puisque
l'effort pour saisir l'enchaînement de la vérité implique une catéchèse ;
celle-ci a pour but l'entraînement de l'âme dans la recherche de cette
vraie cohérence dogmatique. Il existe un *ordre* dans les sujets à aborder
pour la formation du gnostique [5]. Nous ne pouvons que deviner les
détails de cet enseignement systématisé, que Clément se reproche [6]

---

[1] *Strom.* V. 13. 87. 3.
[2] *Strom.* VI. 3. 34. 1.
[3] 56.
[4] *Strom.* III. 12. 86. 1.
[5] *Strom.* VII. 10. 59. 7.
[6] *Strom.* III. 4. 26. 1.

d'avoir perdu de vue. Cependant on peut dire qu'il aurait commencé avec des considérations cosmiques, rattachées (à la manière philonienne peut-être) au récit de la création [1] : de là la séquence passe vers le « canon de la tradition ». En tout cas la position est claire : la cohérence interne de la vérité s'exprime dans un enseignement ordonné, reflétant dans son propre déroulement l'enchaînement réel des idées.

La réciprocité des vertus manifeste le même enchaînement. S. Lilla a étudié ce thème, sous titre du terme ἀντακολουθία, en soulignant les aspects moyen-platoniciens et philoniens de la notion clémentine [2]. De même que les idées, les vertus ne sont pas des faits isolés du comportement humain, de même elles sont liées de telle sorte que celui qui en possède une en manifestera d'autres. Les vertus forment un ensemble [3]. Clément parle aussi de l'ἀκολουθία des vertus [4], en lui attribuant à peu près la même signification : celui qui possède τῇ ἐπιστημονικῇ θεοσεβείᾳ obéit aux commandements ; cela va de soi [5]. La cohérence de la morale s'instaure dans l'unité de l'âme [6].

Mais il faut quitter l'enchaînement moral pour revenir à celui de la pensée. On aura déjà remarqué que le véritable enchaînement se présente parfois comme mystérieux, partiellement dissimulé par le langage (scripturaire) qui l'exprime. Comme toujours chez Clément un travail de recherche s'impose au fidèle : la vérité est évidente, mais elle ne réside pas dans les apparences. L'ἀκολουθία ressemble à la clef d'un code à déchiffrer, un système cohérent qui n'est pas toujours manifeste en lui-même mais qui est toujours présent, qui informe et organise les éléments du discours.

L'Ecriture apparaît comme une forme de l'expression qui porte l'empreinte de cet enchaînement, puisque sa « vraie » signification réside au-delà de la parole écrite. Ceux qui voudraient découvrir l'ἀκολουθία doivent aborder l'Ecriture sous plusieurs angles, imaginant qu'elle possède des sens divers : l'enchaînement de l'enseignement divin se révèle à ceux qui entendent l'Écriture « dialectiquement » [7]. Le verbe εὑρίσκω, souvent présent dans ces passages, suggère l'idée

---

[1] *Strom.* I. 1. 15. 2.

[2] *Clement of Alexandria* ..., p. 83 ss.

[3] *Strom.* II. 9. 45. 1 ; II. 18. 80. 2 ; II. 18. 80. 3 ; IV. 8. 59. 2 ; IV. 26. 163. 3 ; VIII. 9. 30. 2.

[4] *Strom.* II. 18. 80. 2.

[5] *Strom.* VII. 10. 59. 6.

[6] *Strom.* IV. 8. 59. 2.

[7] *Strom.* I. 28. 179. 4.

d'une trouvaille cachée, ce qui est tout à fait compatible avec un des
thèmes principaux de notre auteur, énoncé dans le Ve *Stromate*, celui
de la dissimulation de la vérité. Ainsi les hérétiques revendiquent la
connaissance des êtres les plus grands, mais en vérité *ils n'ont pas trouvé
le vrai enchaînement* [1]. En ce qui concerne l'exégèse, la forme du texte
est souvent significative pour le fond : c'est-à-dire que l'ordre du texte
est souvent conforme à l'enchaînement fondamental qui demeure
sous-jacent, mais jamais en évidence [2]. De même il y a une logique
interne dans la succession des Testaments, une cohérence qui est à
rechercher pour saisir l'unité de la révélation et de l'histoire judéo-
chrétienne. Tout système dogmatique possède son propre enchaînement [3]; même l'activité du diable manifeste une cohérence intérieure [4].
La compréhension d'un point de vue ne consiste donc pas en une saisie
fragmentaire, à partir d'une série d'énoncés pris séparément; le point
de départ est une vue globale, une appréhension de l'ensemble.

Il est intéressant à noter à cet égard que la notion d'enchaînement
est souvent employée dans le contexte des hérésies, ou plus exactement des écoles concurrentes, de l'époque de Clément. Une image très
concrète de l'ἀκολουθία se trouve dans un des passages sur les hérésies où
il est dit que les dogmes de certaines sectes sont vides de signification [5],
étant « découpés » de la suite du vrai enchaînement : autrement dit,
ils sont séparés du Christ. Ici la christologie clémentine prend toute
sa signification dans la mesure où un concept moral, celui de suivre la
voie du Christ, possède en même temps un sens gnoséologique. L'adhé-
sion au Christ signifie la participation à la cohérence du Logos. Il y a
là une preuve de l'influence du langage sur la pensée, car le terme ἀκο-
λουθέω possède deux champs de signification : « suivre », « être disciple
de… », « appartenir à une secte » etc., et « découler de, être la conséquence de… » Ces nuances, rassemblées en un seul terme, permettent
à Clément une idée unitaire que nous ne possédons pas : être disciple
est une discipline de l'esprit, une orientation de la pensée.

Une secte philosophique se définit comme une série de dogmes possédant une cohérence réciproque, de sorte qu'ils sont compatibles avec
eux-mêmes, et aussi avec les phénomènes naturels [6]. Mais parmi tous

---

[1] *Strom.* VII. 16. 103. 1.

[2] *Strom.* VI. 16. 140. 4.

[3] *Strom.* VII. 16. 100. 5.

[4] *Strom.* VI. 17. 155. 1.

[5] *Strom.* I. 13. 57. 4.

[6] *Strom.* VIII. 5. 16. 2.

ces « enchaînements », il y en a un qui est authentique, par lequel les autres sont jugés. Les hérésies apparaissent comme une déformation, ou plus précisément une fragmentation de la vraie séquence intellectuelle [1].

A l'égard de la discipline chrétienne il est intéressant à constater que l'enchaînement s'identifie parfois avec l'assimilation (ἐξομοίωσις : cf. Chapitre X). Une image de l'ἀκολουθία se trouve dans l'assimilation de Moïse avec Dieu : l'homme qui est à l'image de Dieu est « divin » et « noble » — l'homme impassible. Et si l'on veut comprendre ce phénomène d'assimilation sous un autre nom, c'est en examinant le concept d'ἀκολουθία qu'on verra clair [2]. Suivre Dieu, c'est obéir à ses commandements, ce qui mène à une transformation personnelle. Cette idée se trouve confirmée à *Strom.* II. 19. 100. 4 où l'enchaînement et l'assimilation sont identifiées : l'acte de suivre Dieu résulte dans l'assimilation avec lui.

En dernier lieu il faut souligner l'importance de l'enchaînement *naturel*. L'association de la φύσις avec l'enchaînement est trop fréquente pour être un hasard, et elle mérite d'être étudiée. En premier lieu l'enchaînement se définit comme un processus naturel : ainsi la dissolution du corps a lieu par une séquence naturelle (φυσικὴ ἀκολουθία). Dans le même ordre d'idées, Dieu est capable d'agir en dehors de ces lois du cosmos [3]. Mais certains textes montrent qu'il y y a un enchaînement de caractère intellectuel enraciné dans la nature : une séquence raisonnée est absurde si elle n'est pas en harmonie avec la φυσικὴ ἀκολουθία [4]. Ailleurs Clément affirme que la nature nous a fourni des critères abondants, de sorte qu'il est tout à fait possible de découvrir le vrai enchaînement [5]. L'ἀκολουθία est bien implantée dans un contexte cosmique; elle est aussi une certaine appréhension des êtres. Il n'est donc pas surprenant que l'étude de la nature prenne la place primaire dans le programme envisagé par Clément. En effet, l'étude de la théologie doit suivre celle du cosmos : la φυσικὴ θεωρία constitue une bonne préparation pour la gnose [6]. Le problème de l'origine du monde occupe une place centrale [7] : c'est le contenu des petits

---

[1] *Strom.* VII. 15. 91. 7; cf. *Strom.* VII. 16. 103. 1.
[2] *Strom.* V. 14. 94. 6.
[3] Fr. III, Stählin p. 221, l. 1; *Strom.* VI. 3. 34. 1; cf. *Strom.* III. 6. 45. 3.
[4] *Strom.* I. 13. 57. 4.
[5] *Strom.* VII. 15. 91. 7.
[6] *Strom.* I. 1. 15. 2.
[7] *Strom.* IV. 1. 3. 1.

mystères, selon la terminologie clémentine [1]. L'organisation ontologique du cosmos, ainsi que la problématique concernant ses origines, se retrouvent dans cet enseignement [2].

On pourrait évidemment développer ce thème par rapport à la distinction entre la connaissance naturelle et la connaissance révélée. Ce ne serait pas mal comprendre la pensée clémentine, mais il me semble préférable de parler des bases cosmiques de l'herméneutique. Un des thèmes de cette étude est que le discours chez Clément possède une série d'attaches cosmiques ou ontologiques : en ce qui concerne l'analogie, les similitudes et les comparaisons dans la pensée s'expliquent par l'existence d'une analogie réelle. La même démarche est valable pour l'enchaînement. Cette « séquence » qui forme et dirige la pensée, qui constitue le but de la recherche — la recherche fondamentale — fait partie des choses. L'ἀκολουθία du cosmos permet l'ἀκολουθία de la pensée. La force intégrante dans la pensée n'est que le reflet de la cohérence réelle dans les choses. Il y a là un élément important pour l'unité de la théologie : on peut en trouver un exemple dans l'unité qui lie la foi et la gnose :

πιστὴ τοίνυν ἡ γνῶσις, γνωστὴ δὲ ἡ πίστις θείᾳ τινὶ ἀκολουθίᾳ
τε καὶ ἀντακολουθίᾳ γίνεται [3].

---

[1] *Ibid.*

[2] Voir S. Lilla, *Clement of Alexandria...*, p. 189 ss.

[3] *Strom.* II. 4. 16. 2.

B. ASPECTS THÉOLOGIQUES

CHAPITRE VIII

LA FOI

Dans sa doctrine de la foi, Clément, à la fois innovateur et traditionaliste, apporte une contribution bien importante qui mérite d'être soigneusement étudiée. La présentation de son point de vue, qui est comme d'habitude fragmentée et allusive, manifeste néanmoins les traces d'un souci d'offrir une formulation dogmatique de sa position. C'est le début du deuxième *Stromate* qui est consacré à la question et malgré la présence de plusieurs digressions, en *Strom*. II. 5. 23. 1, nous sommes invités à revenir sur la question de la foi (« ces points ayant été démontrés ») et à continuer la discussion jusqu'à la fin du 2e *Stromate*. Il semble donc bien que Clément voulait plus ou moins épuiser la question d'une façon systématique dans la mesure où son dessein littéraire le permettait.

En effet son traitement de la notion manifeste une très grande originalité; il est le premier, à notre connaissance, à adapter le terme scripturaire à la notion de la πίστις qu'on trouve dans la logique aristotélicienne et stoïcienne. Par une démarche concordiste, Clément réussit à expliquer la foi du chrétien dans des termes qui la valorisent pour le philosophe. Une intervention de ce genre était bien nécessaire, car la *pistis* chrétienne était devenue synonyme, du moins pour les grands adversaires du christianisme, de naïveté. Elle semblait très éloignée de la *phronesis* et du *logismos* qui se trouvaient à la base du concept grec de la connaissance. D'une part on se contentait de signaler le manque d'une base scientifique dans la croyance chrétienne [1]; d'autre part, certains penseurs ont même assimilé la *pistis* à une supposition aveugle — presqu'à un préjugé arbitraire — qui amenait néanmoins les chrétiens au martyre [2].

---

[1] Lucien (*Peregr*. 13) parle du manque de preuves dans la position chrétienne; Galien (*De puls. diff.* 2. 4 : VIII. 579 Kuhn) se plaint que les Juifs et les Chrétiens obéissent aux régles qui ne sont pas susceptibles de la démonstration.

[2] Celse (*Contra Celsum* 1. 9). La philosophie est le guide le plus sûr; ceux qui prennent un autre principe sont naïfs, destinés à l'erreur; « ... certains, ne voulant pas même donner ni recevoir de raison sur ce qu'ils croient usent de ces formules : « N'examine pas, mais crois; la foi te sauvera... » La sagesse dans ce siècle est un mal, et la folie un bien ».

Il est vrai que chez Platon, la foi, ainsi que la conjecture (εἰκασία), se résume dans la catégorie de l'opinion [1]; la *pistis* fait donc partie d'une compréhension inférieure, ayant pour objet la réalité evanescente du devenir. Elle appartient à la masse, n'étant pas digne du vrai penseur qui cherche un objet plus solide, au moyen d'un instrument plus sûr. En revanche, Aristote lui accorde un sens plus important, concevant la *pistis* comme la faculté qui juge et qui saisit les principes premiers (ἀρχαί) : c'est cette tradition, comme on le verra, qui permet à Clément de démontrer la respectabilité philosophique du concept biblique.

Voici un exemple de l'apologétique clémentine dans sa forme la plus subtile, enfin un exemple du concordisme qui est justifié. En effet, Clément réussit à donner une exposition de la foi qui est philosophiquement valable, et qui ne déforme pas le sens religieux du terme tel qu'il est connu dans la Bible. La *pistis* devient, non pas les suppositions audacieuses de la multitude, mais le fondement de la connaissance [2].

La foi, le libre arbitre et les vertus.

L'acte de croire, que représente la foi, est sans contrainte; il est libre. Comme l'avaient prétendu les Stoïciens, Clément affirme que l'assentiment est un acte de choix volontaire (ἑκούσιος [3], αὐτεξούσιος) [4]. C'est l'enseignement de la Bible [5] que l'homme possède la capacité de choisir librement. Le choix se détermine : il n'est pas déterminé par des forces extérieures. En second lieu, il s'effectue dans cet état de liberté pure qui précède l'action, et c'est précisément dans ce stade initial que se trouve la foi [6]. La foi, une forme du choix, lance

---

Trad. M. Borret, S.C. Marc Aurèle (XI. 3. 2.) affirme que les chrétiens sont prêts à mourir, par simple perversité.

[1] *Théétète* 200 d ss.

[2] Voir W. Völker, *Gnostiker...*, p. 234-7, qui étudie le rapport entre ἐπιστήμη et πίστις. Chez Clément la foi devient une partie de la connaissance.

[3] *Strom.* V. 13. 86. I; *Strom.* II. 2. 8. 4.

[4] *Strom.* V. 1. 3. 2.

[5] *Strom.* II. 4. 12. 1. ss.

[6] Comme le signale E. F. Osborn, *Philosophy...*, p. 127, pour Clément la volonté est primaire — même la raison est gouvernée par elle. L'état de *l'apistia* signifie donc un échec de cette faculté, qui se laisse emporter par les passions (*Strom.* II. 17. 77. 2, 3). Il ne faut cependant pas oublier que la foi est un don : voir P. Th. Camelot, *Foi et Gnose*, p. 40, qui cite : « L'enseignement de la piété est un don, et la foi une grâce » (*Strom.* I. 6. 38. 5).

l'âme du croyant vers un certain niveau de comportement : elle constitue, en quelque sorte, le désir de la sainteté [1]. Ainsi nous sommes
amenés à la morale clémentine : quand il affirme que la foi est un choix
volontaire (προαίρεσις) il fait remarquer aussi qu'elle constitue la
base de toute entreprise intellectuelle. Nous revenons ainsi au vocabulaire platonicien et aristolécien où la προαίρεσις représente le début
de l'action [2]. L'usage de ce terme sert à souligner, entre autres choses,
que la foi est le fondement de la croissances des vertus.

La foi est la mère des vertus [3].

Ainsi se conclut la discussion de l'opinion de Platon. La foi est la
vertu de base d'où viennent les autres. Même la sagesse provient de la
foi, qui embrasse toutes les qualités de l'âme. Mais cette foi n'est pas
renfermée dans les limites du vocabulaire moderne : tous les passages
cités contiennent des formes apparentées du vocable πίστις. Platon
loue [4] celui qui est πιστός (« digne de foi », « certain ») : mais personne
ne sera digne de foi sans l'appui de la vertu entière. Mais la plus grande
vertu est celle de la fidélité (πιστότης), qui semble embrasser toutes les
autres : nous en avons besoin dans toutes les situations de la vie, en
guerre et en paix. Comme le remarque Platon [5] les législateurs doivent
manifester cette caractéristique [6].

Il est évident qu'ici notre auteur joue avec les mots : pour lui chaque
terme contient une telle profondeur de signification qu'il est amené
à le considérer sous tous les angles, à travers la littérature de sa connaissance. Ainsi il « confond » (a) l'attitude de l'esprit (πίστις) par
laquelle on saisit et on accepte le christianisme ; (b) la qualité personnelle de la fidélité (πιστότης), d'être digne de confiance (πιστός).
L'importance de cet amalgame est qu'il permet à Clément d'associer

---

[1] (*Strom*. II. 2. 9. 1 ss.; *Strom*. VII. 12. 77. 2).

[2] P. Th. Camelot, *Foi et Gnose* p. 30 cite Aristote, *Eth. Nic.* VI. 2. 4. : πράξεως
μὲν οὖν ἀρχὴ προαίρεσις.

[3] *Strom*. II. 5. 24. 1. Voir A. Méhat, *Etude...* p. 361-366, sur la méthode de « greffe »,
utilisée par Clément pour rapprocher les vertus grecques et chrétiennes. Il faut surtout
noter (*op. cit.*, p. 363) la thèse que les vertus ont des relations réciproques — *l'antakolouthia*, thème stoïcien. La phrase que nous citons, comme le suggère M. Méhat, con-
stituerait une formulation clémentine du principe de la réciprocité. Voir aussi S. Lilla,
art., p. 19 ss.

[4] *Lois* 630 b, c.

[5] *Ibid*.

[6] Voir W. Völker, *Gnostiker...*, p. 235 n. 4, sur le sens de πιστότης. Clément interprète mal le texte platonicien.

la morale et l'intellect dans sa définition de la foi : l'incapacité de voir
constitue donc un défaut intellectuel et personnel. La croyance — nous
le verrons plus tard — suppose certaines qualités de la part de l'individu [1].

Le texte suivant emploie une image semblable, comparant la foi à la
puissance productive de la terre.

> Si elle est féconde, la terre, elle aussi, coopère à l'ensemencement. Ainsi l'on
> ne peut espérer aucun profit ni d'une excellente formation sans la réceptivité
> de celui qui apprend, ni non plus de l'enseignement inspiré sans la docilité
> des auditeurs [2].

La foi est donc une sorte de qualité de l'âme qui permet la croissance
des vertus, de la croyance et finalement de la gnose.

Parmi ce qu'on pourrait appeler les vertus, la sagesse semble échapper à la règle que nous venons de suggérer, car elle apparaît dans
certains textes comme supérieure, voire indépendante de la foi. Dans le
cas d'Abraham la sagesse et la foi représentent, dans une exégèse allégorisante, l'union du couple marié [3] ; les deux vertus sont considérées
comme des qualités différentes, *sophia* englobe toutes les puissances
qui permettent à l'âme de saisir la vérité chrétienne, dont l'une est
la foi [4]. Il est évidemment nécessaire d'accorder une position spéciale
à la sagesse, la « reine de la philosophie » [5], « la connaissance des
choses divines et humaines » [6], surtout compte tenu des réminiscences
chez Clément de la tradition gnostique de la Sophia. Nous avons déjà
remarqué l'hypostatisation de la sagesse qui s'est effectuée dans cette
littérature, qui concevait Sophia comme un principe immanent, divin
et puissant dans le cosmos. Chez Clément il est absorbé dans la présence
du Logos [7]. Le logos est au centre de toute la philosophie ; toutes les
formes de la sagesse trouvent leur source et leur fin en lui. C'est pourquoi la Sophia est traitée par Clément comme source des facultés

---

[1] Le même glissement entre la foi et la fidélité se trouve en *Strom.* II. 6. 27. 3, où le
verset « Dieu est fidèle » (I *Cor.* I. 9 ; 10. 13) est interprété dans le sens que Dieu est
digne de foi. La notion de la fidélité devient la notion de ce qui est évident en soi-même.
Voir notre discussion de l'authentification de Dieu par lui-même ; K. Prümm, *Glaube...*
p. 29 n. 22 qui remarque aussi ce jeu de mots, et A. Méhat, *Etude...*, p. 365.

[2] *Strom.* II. 6. 1, trad. Cl. Mondésert, S.C.

[3] *Strom.* I. 5. 30. 4 : Abraham était le type de la foi.

[4] *Strom.* I. 4. 27. 1.

[5] *Strom.* I. 5. 30. 2.

[6] *Loc. cit.* 30. 1.

[7] Voir E. F. Osborn (*Philosophy...*) p. 38-9.

intellectuelles [1] : pour emprunter son propre jeu de mots, le Logos est la source de tout ce qui est « logique » [2].

L'apôtre a donc eu raison de dire que la sagesse de Dieu est « infiniment variée ». « Sous mille et mille formes », par l'art, par la science, par la foi, par la prophétie, elle nous montre sa force, et pour notre bien, car « toute sagesse vient du Seigneur et demeure avec lui pour l'éternité », comme dit la Sagesse de Jésus [3].

Ainsi, la foi semble être un aspect de la sagesse. Quant aux vertus traditionnelles, la situation est plus claire. L'espérance est fondée sur la foi, car l'espérance, c'est l'attente de la possession du Bien : puisqu'elle dépend d'une situation future, l'espérance tient à la foi [4]. La vertu primaire, la première démarche vers le salut est suivie de la crainte, de l'espérance et du repentir, qui sont accompagnés de la tempérance et de la patience [5]. Or, on sait que les vertus constituent une unité, et que celui qui en possède une est certainement, par ἀντακολουθία en possession des autres [6]. C'est parce que, comme l'avait prétendu Philon [7], la vertu est d'une seule origine et ses noms différents ne constituent que des manifestations de la même nature. Nous sommes donc amenés à considérer la foi comme en quelque sorte la source dont le caractère chrétien tire sa vie. La métaphore déjà citée est bien adaptée : la foi est la mère des vertus, le sol qui conditionne leur existence.

La foi et le savoir

La foi est donc plus fondamentale que les autres qualités, car elle constitue une faculté de base, qui détermine les autres — ce qui nous amène à son importance dans la théorie clémentine de la connaissance.

---

[1] *Strom.* II. 6. 31. 3. La foi est tout de même plus fondamentale que ces facultés : comme la respiration est essentielle pour celui qui vit, la foi est nécessaire pour la connaissance. « Elle est donc le fondement de la vérité ».

[2] Clément accepte la doctrine stoïcienne du Logos, en l'assimilant avec la personne du Pédagogue, comme le directeur de la nature et de la morale humaine. Il serait donc faux de limiter la fonction du Logos aux facultés intellectives de l'homme, comme en témoignent les trois livre du *Pédagogue*. « La vertu, en effet, est une disposition de l'âme qui s'accorde bien au Logos dans la vie toute entière ». *Péd.* I. 13. 101. 2, trad. Mme Harl, S.C. Le co-éditeur signale que ce passage a été relevé par von Arnim, S.V.F. III, n. 293).

[3] *Strom.* I. 4. 27. 1, trad. M. Caster, S.C.

[4] *Strom.* II. 6. 27. 1.

[5] *Strom.* II. 6. 31. 1.

[6] *Strom.* II. 9. 45. 1; II. 18. 80. 2. Voir d'autres textes cités et discutés par S. Lilla (art. p. 19), qui offre une étude très importante de la notion de la vertu chez Clément.

[7] *De Vita Mosis* II. 7; *De Sacr. Ab. et C.* 84. Cf. Plotin, *Enn.* I. 2. 7.

H. A. Wolfson [1] a donné une esquisse très utile de l'arrière-plan de
cette question, concluant que chez Aristote et chez les Stoïciens
pistis était un jugement de la vérité d'un syllogisme ou d'un raisonnement — la faculté qui accepte le résultat du raisonnement. Elle ne
constitue donc pas une forme du raisonnement, mais une faculté
au-delà de ce domaine — la foi selon lui est une «supposition passion-
née» [2], une façon très ferme de saisir une ideé.

Mais l'idée elle-même provoque la véhémence de cette supposition.
Dans un texte très important pour l'interprétation de Clément, Aristote
affirme :

> Les choses qui sont véritables et primaires sont celles qui provoquent la foi
> par elles-mêmes et non par d'autres choses [3].

Dans le contexte de ces deux notions — la foi comme une saisie certaine, d'une vérité qui est évidente de soi-même — notre auteur
s'efforce d'expliquer le concept néotestamentaire. Au deuxième chapitre de *Strom.* II, après une introduction sur le caractère caché du divin
et sur la profondeur et le mystère de la vérité chrétienne, Clément
aborde logiquement la célèbre définition de l'épître aux Hébreux :
« Or la foi est la substance des choses qu'on espère, une preuve de celles
qu'on ne voit point» [4] .Et le commentaire de Clément sur ce texte :

> La foi, que les Grecs calomnient parce qu'ils la jugent vaine et barbare, est
> une anticipation volontaire ($\pi\rho\acute{o}\lambda\eta\psi\iota\varsigma$ $\acute{\epsilon}\kappa o\acute{v}\sigma\iota o\varsigma$), un assentiment reli-
> gieux ($\theta\epsilon o\sigma\epsilon\beta\epsilon\acute{\iota}\alpha\varsigma$ $\sigma\upsilon\gamma\kappa\alpha\tau\acute{\alpha}\theta\epsilon\sigma\iota\varsigma$) [5].

Or l'origine de la *préconception volontaire* est connue : Epicure employait
cette notion dans sa théorie de la connaissance. Par cette faculté on
établit toute notion générale ou systématique, en anticipant la conclusion d'une enquête. La préconception fournit une base à partir de
laquelle une enquête peut être entreprise : sans elle l'esprit n'aurait
aucun point d'appui et sa recherche serait effectuée au hasard. (Que
cette préoccupation est volontaire est une idée originale sur laquelle
il faudrait revenir). Clément donc expose plus longuement le point de
vue épicurien [6] en expliquant que la $\pi\rho\acute{o}\lambda\eta\psi\iota\varsigma$ est une saisie claire du
concept d'une chose, qu'elle constitue la précondition de tout argu-

---

[1] *The Philosophy of the Church Fathers*, p. 112 ss.

[2] *Top.* IV. 5. 126 b. 18.

[3] *Top.* I. 1. 100 b. 18.

[4] *Hébr.* XI. 1.

[5] *Strom.* II. 2. 8. 4, trad. Cl. Mondésert, S.C.

[6] *Strom.* II. 4. 16. 3.

ment, opinion ou activité intellectuelle. Vue sous cet éclairage la foi devient une compréhension primaire qui permet la compréhension ultérieure du contenu de l'Écriture.

De même le terme « assentiment » a un emploi philosophique qui permet de le préciser : Clément lui-même affirme, à l'égard de la philosophie stoïcienne [1], que toute opinion, jugement, supposition et instruction est un assentiment [2]. D'autres témoignages affirment que « toute sensation est un assentiment » [3], que les notions des choses « ne peuvent pas se former sans l'assentiment » [4]. C'est la faculté *d'accepter* les données des sens, ou la conclusion d'une démonstration. Deux fois deux égalent quatre : on peut prouver ce fait maintes fois, mais il n'y aura pas de croyance sans l'assentiment à la preuve. Selon E. F. Osborn [5],

> Nous avons à décider entre le vrai et le faux. Les Stoïciens appelaient cette décision « l'assentiment ». Clément appelle leur assentiment la « foi ».

La conception de la foi comme assentiment se répète immédiatement, en *Strom.* II. 2. 9. 1 ; ailleurs [6], il est dit que l'objet de l'assentiment est certain ($i\sigma\chi\nu\rho\acute{o}s$). Autrement il n'y a que la supposition : ce qui vient de la sagesse humaine ne peut pas provoquer l'assentiment. Comment les philosophes s'imaginent-ils que leurs raisonnements sont certains ?

Jusqu'ici nous avons isolé deux éléments de la philosophie clémentine de la foi : (a) elle est préconception ; (b) elle est assentiment. L'une vient avant le raisonnement, l'autre est postérieur : elle juge le raisonnement.

Il est nécessaire de décrire plus précisément cette aptitude au salut — la foi — en examinant quelques textes qui en suggèrent une certaine idée. Le gnostique, est-il dit, [7] est fixé [8] par la foi ; il est stable. Celui qui ne croit pas est toujours gouverné par ses impulsions instables et variables. Une interprétation allégorique renforce ce point :

---

[1] *Strom.* II. 12. 55.

[2] H. A. Wolfson, *Philosophy…*, p. 120, note que Clément est le premier qui rapproche le terme stoïcien « assentiment » et le terme aristotélicien « foi » : il cite ce passage : « Toute opinion, et jugement, et supposition, et connaissance, par lesquelles nous vivons et nous effectuons notre contact avec la race humaine, est un assentiment — ce qui n'est rien d'autre que la foi ».

[3] Aëtios, *Placita* IV. 8. 12.

[4] Cicéron, *Academica Priora* II. 12. 38.

[5] *Philosophy…*, p. 139.

[6] *Strom.* II. 6. 28. 1.

[7] *Strom.* II. 11. 51. 3.

[8] Notre traduction diffère de celle de P. Th. Camelot, *Foi et Gnose*, p. 52 « … le gnostique s'appuie sur la foi ». Le verbe $\pi\acute{\eta}\gamma\nu\nu\mu\iota$ désigne plutôt la fixité, qu'il s'agisse d'une tente fixée par ses pitons, ou de la solidité de la glace.

> Ce qui justifie la parole de l'Ecriture : « Caïn sortit de devant la face de Dieu
> et habita dans la Terre de Naïd, en face de l'Eden » ; or Naïd veut dire agita-
> tion et Eden délices ; ces délices, hors desquelles le désobéissant est réjeté,
> sont la foi, la gnose et la paix... [1].

L'antinomie est significative : la région de la τρύφη (la foi etc.) s'oppose
à celle du σάλος (commotion). Le souci de la stabilité se manifeste de
nouveau — il est en évidence pendant tout ce passage. L'incroyant est
plongé dans les vagues du devenir ; il tient aux opinions différentes par
moments différents. En revanche, la raison, principe dirigeant, demeure
immobile, le pilote de l'âme. La foi, avec la connaissance de la vérité,
rend l'âme uniforme et stable (*Strom.* II. 11. 52. 3). Il est évident que la
morale de l'apathie est l'idée directrice de tous ces textes. La foi est
ainsi un état d'âme qui sert à la rapprocher de l'objet de la connaissance : il existe une identité de nature entre la chose conçue et la faculté
concevante.

Le même mode de pensée se trouve en *Strom.* IV. 22. 143. 3, où
une étymologie de *pistis* est proposée : ce terme, comme *episteme*, vient
selon notre auteur de στάσις (le placement) [2]. L'âme était autrefois
portée d'une direction à une autre : lorsqu'elle s'attache à la foi et
à la connaissance, elle réside dans la stabilité [3]. Celui qui possède la
foi se trouve hors du plan du devenir, étant inaccessible au πάθος. Un
autre passage sur le gnostique, sur lequel il faudra revenir, développe
en détail la vertu de l'impassibilité. Les vertus sont des habitudes et
des dispositions [4] : bref, elles expriment l'immobilité et la permanence.
Celui qui a saisi la première cause (qui est le domaine de la foi) possède
une connaissance qui est sûre et irréfutable. Par la pratique constante,
la vertu devient une disposition ferme, durcie par l'épreuve : c'est dans
ce sens-là qu'elle est infaillible (ἀμετάπτωτος).

Ces textes donnent un aperçu de l'arrière-plan de la *pistis* chez Clément. Le sol qui produit la croissance du caractère chrétien est justement cet état de permanence et d'impassibilité. Mais ces passages

---

[1] *Strom.* II. 11. 51. 4-5, trad. Cl. Mondésert, S.C.

[2] Voir W. Völker p. 231, qui examine la connexion entre πίστις et βεβαιότης. Sur
l'étymologie cet auteur signale un texte philonien (*Confus.* 30 ss.) qui rapproche βεβαιότης
et le terme ἑστώς, à l'égard de Dieu.

[3] Cette interprétation du passage semble le plus raisonnable : en fait il est dit que
l'étymologie de πίστις est semblable à celle d'ἐπιστήμη, qui vient de στάσις. Nous
supposons que Clément envisage une étymologie secondaire d'ἐπιστήμη/πίστις, plutôt
qu'une relation directe entre πίστις et στάσις. Cf. Th. Rüther, *Die sittliche Forderung...*,
p. 83, qui cite ce texte.

[4] *Strom.* VI. 9. 78. 2 ss.

éclairent aussi un aspect du terme que nous n'avons pas abordé :
la *certitude* de la foi. Cette question appartient à la section suivante ;
il suffit de signaler la notion essentielle. La foi est souvent décrite
comme une certitude, une croyance irréfutable, une demonstration
certaine. Toutes ces références à la certitude de la foi se rapportent,
à notre sens, à la notion de l'apathie que nous trouvons derrière la
conception de la foi comme mère des vertus. La certitude ne réside pas
dans la logique de l'argumentation, mais dans l'objet de l'argumentation. C'est l'intelligible qui est certain et stable : et, en accord avec
la conception platonicienne de la connaissance, l'existence de l'int-
telligible suppose dans la connaissance des caractéristiques analogues.
La certitude de la foi vient donc du caractère du Logos, caractère que
le croyant en quelque mesure possède lui-même [1]. Dans le chapitre
suivant nous affirmons que la gnose a un aspect ontologique, dans le
sens que connaître, c'est partager un état. Le gnostique s'associe avec
l'objet de sa connaissance ; il s'assimile à l'éternel. Ainsi la foi est sûre
et certaine parce qu'elle constitue un rapport avec celui qui est sûr
et certain.

En dernier lieu, il faut examiner l'emploi de la notion de la $\tau\acute{\epsilon}\chi\nu\eta$
à l'égard de la foi. Parmi les sujets abordés dans le passage qui compare
la foi à la terre réceptive et productive, nous trouvons aussi l'image
de l'habileté, exposée de plusieurs façons [2]. Le jeu de ballon suppose
non seulement la capacité de le lancer, mais aussi l'aptitude de l'attra-
per et de jouer selon les règles [3].

> ... de même la doctrine enseignée se trouve apte à être crue quand la foi des
> auditeurs, étant pour ainsi dire une règle de la nature, sa prête à l'enseigne-
> ment [4].

Dans cette perspective, la *pistis* devient une sorte d'habileté naturelle,
qui prédispose l'âme à saisir la vérité. Il est clair que l'usage de cette
image rappelle les passages de Platon à cet égard, notamment sur la
célèbre question du *Protagoras* : la vertu peut-elle être considérée

---

[1] Voir la phrase importante $\epsilon\nu\acute{o}\tau\eta s$ $\tau\hat{\eta}s$ $\pi\acute{\iota}\sigma\tau\epsilon\omega s$ (*Strom.* VI. 9. 73. 3 ; cf. *Eph.* 4. 13).
La charité restaure le gnostique à l'unité de la foi qui est *indépendante du temps et du lieu*.
Voir aussi les remarques de Th. Rüther, *Die sittliche Forderung ...*, p. 73, qui constate
aussi l'opposition entre l'activité et l'objet de la croyance. Ici la permanence de la foi
est un objet à atteindre.

[2] *Strom.* II. 6. 26. 1 : 25. 4.

[3] Cf. Plutarque *Moralia* 582 f, sur la métaphore du jeu de ballon ; il faut deux personnes pour qu'un acte soit bon — celui qui agit, et celui qui bénéficie de l'acte.

[4] *Strom.* II. 6. 25. 4. Trad. Cl. Mondésert, S.C.

comme une habileté naturelle ¹ ? Dans le cas d'une réponse affirmative,
on pourrait l'apprendre et s'entraîner par son exercice. On sait que
la notion finit par être rejetée par Platon (dans la *République*) en faveur
de la conception de la justice comme une harmonie des éléments de
l'âme. Cependant l'analogie persiste dans l'œuvre de Platon, et elle
semble avoir gardé un certain attrait pour l'auteur : l'habileté est
quelque chose de stable et de certain ; c'est une habitude qui est
implantée dans les facultés de l'agent et qui assure ses actions. Voilà
ce qui éclaire l'usage clémentin du même concept : l'habileté d'un
gymnaste se montre dans sa capacité d'entraîner les gens dans les
sports. Le fait qu'il possède cette aptitude assure les résultats de son
travail : ce n'est pas une question d'hasard, comme si on entreprenait
l'activité gymnastique sous la direction d'un amateur. C'est précisément cette stabilité d'âme qui attire Clément : la foi, c'est la faculté
sûre et certaine de saisir la vérité et de lui obéir.

> … Puisque les artisans ont quelque chose de supérieur aux gens ordinaires, et
> leur travail est mieux réalisé, comme ils vont au-delà des notions communes .. ².

Ce texte répète le sentiment déjà exposé — tout le chapitre 16 est consacré à une attaque de style platonicien contre les « sophistes » qui
interprètent mal l'Écriture. Il y a ceux qui la lisent en employant
l'opinion, ou en remaniant le texte afin de justifier leurs propres
passions : de l'autre côté il y a ceux qui lisent employant la démonstration certaine. Ce sont les « artisans », qui, pour apprendre leur
« métier », se sont livrés au Pédagogue parfait — afin d'être formés à sa
ressemblance. (Si l'on suit Démosthène, on apprendra la rhétorique ;
de Chrysippe on s'instruit dans la dialectique — mais le Christ nous
façonne selon sa propre nature) ³. Clément donc manifeste, lui aussi,
le désir de la stabilité personnelle que possède l'artisan, dans la certitude de son habileté ⁴.

---

¹ 319 a ss.

² *Strom*. VII. 16. 98. 3.

³ Cf. *Protag.* 311 a ss., où Socrate interroge son ami sur son but, en décidant de suivre
l'enseignement de Protagoras : il continue en nommant tous les sophistes, en précisant
la τέχνη dont ils étaient les maîtres. La forme littéraire est très proche de ce passage de
Clément, qui veut présenter le débat entre orthodoxe et hérétique, exactement de la
même façon que Platon présente la querelle pédagogique entre sophiste et « philosophe ».

⁴ Cf. *Strom.* VIII. 7. sur les causes du scepticisme et du désaccord. La source principale,
nous dit-on, est l'instabilité chronique de l'esprit humain. La métaphore reparaît en
Strom VI. 17. 154. 4, où il est dit que l'esprit de perception est accordé par Dieu aux
τεχνῖται.

Il est utile de reprendre l'idée de la certitude de la foi : nous avons déjà noté qu'elle ne ressort pas de la force de l'argument, mais de l'objet de l'argument. C'est Dieu lui-même qui est sûr et stable :

> L'incroyance, étant une apostasie de la foi, montre que l'asssentiment et la foi sont puissantes [1].

Le dynamisme de ces facultés provient de leur fonction comme lien entre l'âme et Dieu, car elles assurent le retour à la source. La séparation, l'état d'ἀπιστία, est marqué surtout par la faiblesse et l'impuissance. Ainsi Clément souligne que l'athée mène une vie qui est privée de puissance et de fécondité; il a perdu son ancre. Il ignore son vrai père, et comme le fils d'une prostituée il revendique de nombreux pères, ignorant l'identité du vrai. Car il y avait autrefois une certaine κοινωνία avec le ciel, qui est rompue par l'ignorance [2]. Mais le croyant possède une vie qui doit sa vigueur à la Vie même : la foi prend ainsi un aspect créateur et puissant. Par notre foi le Christ est ressuscité en nous; de même sa mort est le résultat de notre incroyance [3]. Dans cette perspective les faits historiques de la vie du Christ prennent un sens subjectif et intérieur, avec la foi comme clef de sa mort ou de sa vie dans l'âme de l'individu. C'est de la « démythisation », puisque le fait du Christ est interprété par rapport à l'être de la personne, pas en tant qu'histoire objective [4].

Dieu est puissance, et son intermédiaire est la « parole de sa puissance », qui exprime la nature du Père dans la vie d'ici-bas. Or la foi rejoint cette même δύναμις. Il y a, nous dit-on, des questions qui sont discutables et qui le seront toujours : on ne saura jamais le nombre des étoiles, par exemple. Mais il existe aussi « un argument irréfutable », qui ne peut pas être mis en doute, qui arrête tout débat. C'est en embrassant cet argument que la foi s'établit, car il s'impose; aucune réponse n'est possible. Cette certitude vient du fait que c'est Dieu qui s'adresse à nous et qui nous aide dans notre enquête. Dieu s'authentifie — il n'offre aucune preuve de la vérité de sa parole, parce qu'il est

---

[1] *Strom.* II. 12. 55. 1.

[2] *Prot.* II. 25. 2.

[3] Fr. 24, l. 8-10 Stählin. ... secundum fidem nostram resurgit in nobis, sicut e contrario moritur in nobis, nostra infidelitate faciente...

[4] Stählin cite deux textes scripturaires, dont le premier (I Pierre 3. 18) présente une pensée qui est tout à fait autre. Cependant le second est important (I Jean 3. 15) : « Nous, nous savons que nous sommes passés de la mort à la vie, parce que nous aimions nos frères. Celui qui n'aime pas demeure dans la mort ». Ici c'est la charité qui donne lieu à la vie, mais la conception du salut est identique à celle de Clément.

lui-même la vérité. Par contre, certaines questions requièrent l'évidence des sens — quand, par exemple, il s'agit de déterminer la chaleur de l'eau. Mais avec Dieu il n'y a aucun recours à des critères extérieurs.

> Car seule la vérité est puissante [1].

Mais à l'égard de la providence, Clément se demande, est-ce qu'il est possible d'en offrir une démonstration, partant de son œuvre afin d'apporter des preuves de sa nature ? La réponse est négative, car la question est impie ;

> Et certaines questions sont dignes de châtiment, comme celles qui demandent des démonstrations sur l'existence de la providence.

Même sa création porte sa propre authenticité. Il s'agit, bien entendu, de l'argument physico-théologique, la « preuve par la vue du monde » dont nous discutons au chapitre VII, qui est ici mise dans la catégorie des choses qui sont évidentes d'elles-mêmes.

Il en est de même pour le Logos de Dieu, car ce n'est pas la parole prononcée (λόγος … προφορικός), mais la sagesse, la bonté et la puissance suprême, présente à l'esprit, dans une clarté éblouissante. Voilà pourquoi la foi est sûre et stable : c'est Dieu lui-même qui en est la source. Aussi notre auteur donne souvent une position privilégiée à la foi, comme moyen de saisir la vérité. Nous voyons d'une clarté absolue ; la foi est claire [2] ; nous demeurons dans le « critère immuable » de la foi [3]. De plus, l'expérience chrétienne sert à confirmer l'acte de foi. Celui qui a goûté, sait que la doctrine est vraie :

> … celui qui a cru au Logos sait que la chose est vraie… [4].

A *Protr.* IX. 88. 1, nous sommes invités dans les paroles du Psaume 34 (33). 9 à goûter afin de voir comme Yahvé est bon : la foi nous guidera [5],

---

[1] *Strom.* I. 11. 54. 4.

[2] *Protr.* X. 95. 3 ; 96, 1.

[3] *Strom.* II. 4. 12. 1.

[4] *Strom.* II. 4. 12. 1. L'instruction qui succède à la foi conduit l'âme à la connaissance, la compréhension et à la stabilité (*Strom.* I. 10 couvre ce thème). Voir A. Méhat, *Etude*…, p. 368-369 et n. 146 sur le thème de la stabilité, et les termes différents utilisés par notre auteur pour souligner cette notion. « Les *Stromates* ignorent cette conjonction naturelle entre bonheur et apatheia ». Peut-être parce que, comme nous l'avons suggéré, Clément conçoit l'apatheia surtout par rapport à la connaissance de la vérité, de la vérité *personnelle* du Christ. (Voir *Strom.* II. 19. 100. 3) : « car les grandes natures qui sont libres de passions parviennent à trouver la vérité, comme dit Philon le pythagoricien en relatant l'histoire de Moïse ».

[5] C. W. Völker, *Gnostiker*…, p. 236 : « Die πίστις ist also die Voraussetzung für alle μάθησις … »

et l'expérience nous enseignera sa vérité. Il s'agit ici d'une formulation
ancienne de la vérification existentielle, qui a retrouvé une certaine
faveur aujourd'hui — le christianisme ne peut être jugé que de l'intérieur, car il s'agit d'un état de vie plutôt que d'un système abstrait
d'idées. C'est seulement en se confiant à la doctrine, et surtout à la
personne du Logos que l'on prend conscience de son existence et de
sa puissance. Goûter, c'est voir : l'expérience, c'est la preuve. Le texte
suivant, qui reflète des paroles johanniques (*Jean* 17. 1), exprime cette
idée :

> Car, en la faisant, nous connaissons la volonté de Dieu [1].

Mais il faut d'abord entrer, passer par les « portes de la sainteté » pour
pouvoir trouver le Seigneur [2].

> Si vous ne croyez pas, vous ne comprendrez pas [3].

Nous revenons ainsi à notre point de départ. Dieu s'authentifie :
il constitue sa propre preuve. Mais Clément transpose cette idée sur le
plan philosophique en la rapprochant de la notion de ce qui est évident
en soi. Et l'idée qui est évidente d'elle-même et qui s'authentifie sans
recours aux critères extérieurs apparaît déjà chez Aristote. Les premiers principes, par exemple, sont de ce genre : les philosophes sont
d'accord, (est-il dit) [4] que les *archai* sont indémontrables [5], étant
évidentes d'elles-mêmes. En plus, ce sont les *archai* qui rendent possible la démonstration : sans l'emploi de principes acceptés *à priori*,
il n'y a pas de démonstration.

> En conséquence, toute démonstration est ramenée à la foi indémontrable.

C'est par la faculté d'accepter ce qui est évident en soi que l'esprit
commence sa recherche sur la vérité des choses. L'Ecriture, dans la
perspective de Clément, ressemble à la démonstration : elle succède à
la saisie des premiers principes [6]. Elle constitue un entraînement, un
développement de la foi. L'Écriture *démontre* la vérité d'une chose,
étant le critère par lequel on distingue entre des points de vue différents,
qui s'applique universellement, sauf aux premiers principes car ils n'ont

---

[1] *Strom.* I. 7. 38. 5.

[2] *Ibid.*

[3] *Strom.* II. 2. 8. 3.

[4] *Strom.* VIII. 3. 7. 1.

[5] Stählin renvoie à Aristote, *Eth. Meg.* I. 35. 1197 a 22.

[6] *Strom.* VII. 16. 95. 5 ss.

pas besoin de jugement [1]. L'éducation chrétienne vise à établir et à affermir la foi, en examinant et en étudiant les écritures [2].

D'autre part la foi est un bien intérieur [3], une connaissance concise des notions de base [4], le soutien de la vérité [5]. La démonstration s'identifie avec la Parole à plusieurs reprises [6]. Tandis que la foi représente le début de la croyance, la démonstration est le corpus d'enseignement et de sagesse qui fortifie cette prise de conscience initiale. La parole, incarnée dans le Logos et représentée dans la Bible, provoque la certitude, étant « une démonstration qui n'admet aucune contradiction » [7]. La foi ne provient pas de la démonstration : elle la précède et elle s'épanouit dans la demonstration [8].

L'importance de cette conception de la foi est à souligner. D'une part nous avons développé la notion religieuse de la puissance de la parole, et de la certitude de la foi : nous avons vu aussi qu'il y avait un problème de respectabilité intellectuelle, pour les détenteurs de la tradition chrétienne. Clément, pour la première fois réussit à réaliser une synthèse entre la *pistis* de la philosophie et la *pistis* de la religion chrétienne. L'idée juive de la puissance de la parole de Yahvé [9] est interprétée par la notion philosophique du principe qui est évident en soi-même. Dieu parle, et sa parole s'authentifie : de mêmes les *archai* sont en dehors de jugement par un critère extérieur [10]. La puissance de

---

[1] Il est à remarquer qu'ici la foi prend un deuxième sens — elle suit la vérification par l'Ecriture, tandis qu'ailleurs elle désigne l'appréhension des *archai*. Nous reviendrons sur ce double concept. Sur les *archai*, voir *Strom.* II. 4. 13. 4.

[2] *Strom.* VII. 10. 55. 2.

[3] *Ibid.* ἐνδιάθετον. Hort et Mayor signalent que le terme de contraste — προφορικόν — apparaît à *Strom.* VII. 9. 53. 6 : les éditeurs anglais suggèrent que cette antithèse signifie que la foi est inarticulée, incapable de s'expliquer.

[4] *Strom.* VII. 10. 57. 3.

[5] *Strom.* II. 6. 31. 3.

[6] J. Moingt (*art.* 1950 p. 208, n. 57, 3) précise l'usage du terme « démonstration » (nous revenons sur cette question au chapitre 9.)Il ne s'agit pas de « justification rationnelle », mais plutôt *d'élucidation*. David nous « démontre » la divinité du Sauveur (*Strom.* VII. 10. 58. 3) : or, David ne nous a donné que le signe par lequel on reconnaît le Sauveur. La preuve se manifeste dans la confrontation entre le signe et la réalité. Voir la définition clémentine à *Strom.* VIII. 3. 6. 1 : être enceinte constitue la preuve/signe qu'on n'est plus vierge.

[7] *Strom.* II. 2. 9. 6.

[8] *Strom.* II. 4. 14. 1 ss. La connaissance peut être enseignée : ce qui fait l'objet de l'enseignement repose sur ce qui est déjà connu. La raison remonte finalement à la première cause, qui est capable d'être saisie par la foi.

[9] *Isaie* 55. 11, par exemple.

[10] E. F. Osborn, *Philosophy...* p. 133, par une citation de *The Man in the Bowler Hat*

la parole assure la certitude de la foi : c'est de nouveau le concept juif de la parole de Yahvé, qui est irréductible, qui fait son œuvre malgré tout obstacle, en somme, qui *agit*. L'apport de Clément est de mettre cette notion en rapport avec le concept de l'évidence en soi.

> ... nous n'attendons pas le témoignage des hommes, mais c'est sur la voix du Seigneur que nous croyons à l'objet de notre recherche, (voix) qui offre plus de garanties que toutes les démonstrations, ou plutôt qui est la seule démonstration... [1].

La double foi

La démonstration est double, se fondant sur l'opinion ou sur la connaissance (ἐπιστημονικήν). Et, bien entendu, l'« opinion » signifie les idées recueillies de la sagesse païenne. Les notions qui proviennent des écritures sacrées sont certaines : elles font partie de la connaissance [2]. Elles fortifient l'âme dans la saisie de la vérité : nous avons déjà touché à ces distinctions. Il reste cependant un certain nombre de passages qui présentent la foi comme postérieure à l'écriture ; si la gnose vient de l'instruction, quelle est la source de la foi ? Une réponse à cette question a été examinée, selon laquelle la *pistis* est considérée comme une habileté naturelle et innée. La deuxième réponse est la théorie de la double foi, qui complète aussi notre dossier sur la démonstration.

L'aptitude à la foi peut être considérée comme une qualité innée, mais il est aussi vrai, comme dit l'apôtre dans la citation clémentine [3], que :

> La foi vient de l'entendement, et l'entendement de la parole de Dieu [4].
> Et comment croira-t-on en celui dont on n'a pas entendu parler ? [5].

Clément est conscient du problème, car il fait remarquer (presque entre parenthèses) qu'il ne veut pas assimiler la parole divine à la

---

(A. A. Milne) souligne avec force la logique de la position clémentine sur les premiers principes, auxquels remonte tout raisonnement. A la recherche du chapeau melon : *Chief Villain* (impressively to Hero) : « There is somewhere-logically there must be somewhere-a final, ultimate hat-box ». *John* : « By Jove ! That's true ! »

[1] *Strom.* VII. 16. 95. 8 ss. Sur la parole de Yahvé, voir *Isaïe* 55. 11 : « de même que la parole qui sort de ma bouche ne me revient pas sans résultat, sans avoir fait ce que je voulais et réussi sa mission ».

[2] *Strom.* II. 11. 48. 2 ss.

[3] *Strom.* II. 6. 25. 1 ss.

[4] *Rom.* 10. 17.

[5] *Rom.* 10. 14.

démonstration. Mais ailleurs la parole du Seigneur est désignée comme
« la démonstration la plus certaine » [1] : plus, il est explicitement admis
que la démonstration peut produire la foi — que la démonstration de
ce qui est déjà saisi provoque la croyance aux autres éléments de la
doctrine chrétienne [2]. Il semble donc que la foi peut occuper la position
terminale aussi bien que le point de départ de la démonstration.

Effectivement il est à remarquer que notre auteur manifeste une
tendance très claire à concevoir les choses par paires, et sa doctrine
de la foi n'échappe pas à cette règle [3]. Le temps aussi est double, et les
vertus cohabitent de la même façon [4] ; la mémoire et l'espérance
vont ensemble, car l'une appartient au passé, l'autre à l'avenir. Le
gnostique connaît et admire : sa récompense est double [5]. De même la
peur et la haine se complètent, et parfois la peur et l'amour.

La thèse de la double foi constitue une variation sur ce même thème :
d'une part, la *pistis* tient aux autres vertus d'après le même schéma,
d'autre part elle possède en elle-même une dualité de signification.

> ... la foi est une force qui sauve et une puissance qui mène à la vie éternelle... [6].

L'auteur envisage des étapes différentes dans le développement de la
foi, qui correspondent au degrés de la maturité chrétienne. La foi parfaite diffère de la foi ordinaire [7], comme en témoigne l'épître aux
Romains : « En lui est révélée une justice, de foi en foi... » [8]. Ce texte
signifie, explique notre auteur, qu'il existe la foi commune qui se trouve
à la base, comme fondement de la croissance et de la perfection. La foi
parfaite vient de la stabilité que fournit l'instruction de la parole [9].
C'est la différence entre le grain de sénevé, qui « mord » l'âme [10] et la
croissance magnifique qui en résulte. De même en *Strom.* VII. 12. 77.
2, le gnostique reconnaît deux éléments dans la foi. En premier lieu

---

[1] *Strom.* VII. 16. 95. 8.

[2] *Strom.* VII. 16. 98. 3.

[3] Cf. aussi *Strom.* VIII. 3. 7. 7 : « La démonstration, comme la foi, est double ».

[4] *Strom.* II. 12. 53. 1 ss.

[5] Comme le signale Stählin, un texte de *Proverbes* III se reflète ici : ce chapitre
commence en louant des qualités jumelées, la loyauté et la fidélité.

[6] *Strom.* II. 12. 53. 5.

[7] *Strom.* IV. 16. 100. 6.

[8] 1. 17.

[9] *Strom.* V. 1. 2. 4 ss.

[10] *Strom.* V. I. 3. 1.

se trouve l'activité de celui qui croit, et ensuite l'activité de celui qui connaît [1]. Ce dernier est prééminent suivant son mérite [2].

Or ce concept théologique correspond à une tradition philosophique. H. A. Wolfson a démontré que déjà chez Aristote *pistis* avait deux sens : la saisie des premiers principes, et l'acceptation de la conclusion d'une démonstration. Or, chez Clément, l'Ecriture remplace la démonstration : il est donc évident que notre auteur a essayé de trouver une correspondance entre la philosophie païenne de la foi et l'enseignement chrétien sur cette même faculté.

C'est lui le premier à donner une version chrétienne de la notion de la double foi, et à adapter ainsi le christianisme aux besoins des simples et aux besoins des gens cultivés. Par l'annexion de la *pistis* chrétienne à la double *pistis* d'Aristote, Clément s'efforçait d'offrir une conception de la croyance qui embrassait à la fois la masse et l'élite intellectuelle. La foi appartient et au débutant, qui n'est pas encore prêt pour l'alimentation solide, et au gnostique même, qui se sert de toutes les ressources de la démonstration chrétienne. Et par la même démarche, il montre que le christianisme est conciliable avec une perspective formée par la sagesse du monde.

Il est évident qu'au fond il n'y a aucune distinction entre la foi et la gnose : ou s'il en existe une, il est néanmoins vrai que les deux sont très étroitement liées. Il faut donc étudier plus en détail le second membre de cette paire, afin de comprendre le passage que fait le gnostique de la foi à la gnose.

---

[1] Nous acceptons la leçon suggérée par les éditeurs anglais. Hort and Mayor (p. 314) proposent ἐπισταμένου au lieu de πιστευομένου : autrement le parallèle entre la double foi et la double sainteté est perdu ; « ... but this (sc. cette version) does not seem to have any connexion with the subsequent distinctions between the two kinds of righteousness, that of love, which always belongs to the gnostic, that of fear, which belongs to the believer... » De plus les autres textes sur la double foi sont suffisamment unanimes pour que le texte en question soit interprété de la même façon.

[2] Encore un passage important : *Strom.* II. 11. 48. 2 : πίστεως δ'οὔσης διττῆς ... τῆς ... ἐπιστημονικῆς ... δοξαστικῆς. Les deux aspects se présentent ici sous la forme de la distinction entre l'opinion et la connaissance. Il est curieux que l'opinion (qui peut être bien ou mal fondée) soit associée avec la foi : une explication possible se trouve chez H. A. Wolfson, *The Philosophy of the Church Fathers*, p. 122. Cf. J. Scherer, *Klemens von Alexandrien...*, p. 17, qui identifie à tort la foi élémentaire avec la saisie de la révélation, et celle de la connaissance avec le raisonnement.

CHAPITRE IX

LA GNOSE

Il est difficile de reprendre un sujet qui a été si souvent et si soigneusement examiné, comme celui que nous abordons maintenant : celui de la gnose clémentine. Parmi les nombreux ouvrages qui traitent de ce problème, il suffit de signaler les plus récents, l'*Étude...* d'A. Méhat qui consacre un chapitre long et détaillé à l'éclaircissement de cette notion, et *Clement of Alexandria* (S. Lilla). Il est pourtant nécessaire d'esquisser le contenu de la gnose de notre auteur : d'une part cela complète notre étude, d'autre part il est utile de poursuivre, à l'égard du problème de la connaissance, certaines suggestions qu'a proposées M. Méhat dans l'ouvrage que nous venons de citer. Il s'agit de la connexion de *la gnose et de la charité*.

Comment définir la gnose ? Les *Stromates* ne se prêtent pas à une démarche si étroite, ce qui explique la solution adoptée par la plupart des auteurs modernes, qui est de la décrire. Le terme semble couvrir des disciplines et des expériences si variées qu'aucune formule n'est capable d'embrasser tous ses aspects à la fois. Il y a cependant un thème qui unit ces éléments divers dans l'œuvre de Clément, malgré leur diversité apparente. C'est la personne du « vrai gnostique » qui réunit en lui-même toutes les prescriptions intellectuelles et morales qui se trouvent dans l'œuvre de notre auteur. Toute la théologie de Clément revient au portrait du gnostique : la gnose représente l'ensemble de qualités, morales et spirituelles qui lui permettent de vivre en union avec Dieu. Ainsi nous estimons que la gnose dépasse une formule simple et rigoureuse : la solution de MM. Méhat et Völker, par exemple — celle d'isoler un certain nombre d'aspects de la gnose — est donc très juste. La vraie connaissance constitue tout ce qu'il faut être et savoir pour vivre dans la ressemblance de Dieu. Elle englobe la théodicée, les « trois voies », l'anthropologie, l'idéal moral de l'apathie, l'exégèse allégorique : en bref, c'est la théorie que met en pratique le « vrai gnostique ».

Il est vrai que les passages qui discutent du vrai gnostique présentent toujours la morale que doit suivre cette personne fictive, qui est le type (presque la caricature) du puritain, avec tout son refoulement des plaisirs de la chair [1], et son comportement grave et sincère. Il est vertueux, possédant par *antakolouthia* l'ensemble des vertus [2]; son idéal est l'état de l'apathie, la stabilité d'âme qui appartient à celui qui sait résister aux passions. Il sait se maîtriser [3], il est patient [4] dans n'importe quelle épreuve; par sa vie même il témoigne de la puissance de Dieu. Il est accessible à certains plaisirs, et à certaines souffrances : par sa capacité de choisir il évite ceux qui sont mauvais [5]. (Le martyr, par exemple choisit le plaisir à venir, étant prêt à accepter la douleur du moment; celui qui a soif éprouvera une satisfaction plus intense au moment de boire.) Il est sujet uniquement aux affections qui ont pour objet le maintien de sa nature corporelle, tels que la faim et la soif [6]. Ainsi il imite, dans la mesure ou sa nature terrestre le permet, le Sauveur, qui n'était pas assujetti à ces besoins physiques — il est ridicule de supposer qu'il avait besoin de se nourrir et de se maintenir à la façon humaine [7]. Le gnostique est courageux : d'une part la peur est incompatible avec l'apathie, d'autre part, rien n'est capable de l'effrayer. La mort même ne peut pas bouleverser celui qui partage déjà la vie éternelle [8]. De même, il n'est pas avare (loc. cit.), car rien ne lui manque, il est héritier du royaume des cieux. Il exprime constamment la charité dans laquelle il vit avec Dieu [9].

Mais le caractère du gnostique n'en reste pas là; car il est aussi celui qui connaît. La partie morale de sa vie est intimement mêlée à sa contemplation mystique, et il est clair que Clément est très préoccupé

---

[1] Le gnostique est prudent, courageux et personnellement fort (*Strom*. VII. 11. 64. 4 ss.), mais il est imperméable aux passions, même à celles qui sont propres aux fonctions conjugales : sa passion animale sera diminué par son amour de Dieu (*Strom*. VII. 11. 64. 2). Il s'efforce de ne pas remarquer la beauté féminine (*Péd*. III. 11. 82. 5 ss.), en maîtrisant ses yeux. Il se promène d'une façon digne, jamais trop précipitamment (*Péd*. III. 11. 73. 4); il ne passe son temps ni chez le coiffeur, ni dans les tavernes. (*Ped*. III. 11. 75. 1).

[2] *Strom*. II. 18. 80. 3 ss.

[3] *Strom*. II. 19. 97. 1.

[4] *Strom*. II. 20. 103. 1.

[5] *Strom*. IV. 5. 23. 1.

[6] *Strom*. VI. 9. 71. 1.

[7] Sa forme humaine était animée par « une puissance sainte » (*ibid*.), adoptée pour mieux réaliser son œuvre. En fait il n'avait aucun besoin, étant totalement ἀπαθής et donc inaccessible aux sentiments. Cette prise de position est nette : le Christ n'était un être humain qu'en apparence. Clément ne peut pas envisager un Logos complètement humanisé.

[8] *Strom*. VI. 9. 71. 4.

[9] *Strom*. VI. 9. 73. 2 ss.

du problème de ses connaissances. Sa nature calme et stable provient directement du fait qu'il embrasse la foi et la gnose [1].

Car pour lui la gnose est primordiale [2].

Il étudie donc toutes les disciplines qui contribuent à cette science : Clément expose en détail la valeur des études traditionnelles de la musique, de la géométrie, de l'astronomie et de la dialectique. Le contenu de la gnose est donc très vaste, et nous avons consacré des chapitres à quelques aspects du concept, notamment sur la théodicée, les voies de l'analogie et de la théologie négative, l'exégèse allégorique et symbolique, et l'idéal de l'*homoiosis*. La question à poser ici ne regarde pas le contenu de la science chrétienne, mais la nature de cette connaissance. Au lieu de l'$\epsilon\pi\iota\sigma\tau\eta\mu\eta$, Clément propose la $\gamma\nu\hat{\omega}\sigma\iota\varsigma$ et derrière cette différence de terminologie se trouve une conception très différente de la connaissance. C'est W. Völker qui a souligné l'élément mystique de la contemplation clémentine, et il nous faut suivre la piste qui a été ainsi suggérée [3]. La première tâche est, bien entendu, de situer la gnose à l'égard des autres facultés de l'intellection.

La foi et la gnose

La deuxième étape de la double foi consiste en la perfection des notions de base, l'édifice construit à partir d'un fondement sûr et certain. Il est évident que cette deuxième étape côtoie, égale même, la *gnosis* : en ce sens il ne faut pas trop chercher à distinguer entre la gnose et la foi chez notre auteur [4]. Nous avons déjà cité suffisamment de textes pour démontrer que cette croissance de la foi, qui aboutit à la perfection, ne diffère pas sensiblement de l'état de la connaissance. Ce fait a été reconnu par P. Th. Camelot: qui nous donne tout un

---

[1] *Strom.* II. 11. 52. 3 ss.

[2] *Strom.* VI. 9. 79. 2.

[3] Cependant voir les objections posées par A. Méhat, *Etude...*, p. 422. Le rapprochement avec la contemplation mystique de certains penseurs médiévaux et de certains modernes suppose une théorie générale de la contemplation, qui s'impose à l'œuvre de Clément aux dépens de son originalité.

[4] *Strom.* II. 2. 9. 3 : l'exercice de la foi devient la connaissance ($\epsilon\pi\iota\sigma\tau\eta\mu\eta$), qui est définie par les philosophes comme une habitude stable. *Strom.* V. 1. 5. 2 : la *gnosis* s'accorde avec la foi et s'établit sur le fondement de la foi. *Strom.* V. 8. 53. 2 ; interprétation allégorique de l'histoire de Joseph et la robe bariolée, qui met en contraste la simple foi et la gnose. Cf. *Strom.* VI. 18. 164. 3, 165. 1. Voir W. Völker, *Gnostiker...*, p. 228, qui signale l'identité de la foi et la gnose en *Péd.* I. 6. 27. 2-30. 1.

chapitre sur le rapport entre les deux termes : « Le progrès de la foi : de la foi à la gnose [1] ».

La foi est une première supposition (πρόληψις); elle est aussi une compréhension globale (κατάληψις) [2] de l'objet. La réflexion rationnelle, c'est-à-dire, la démonstration à partir de l'Écriture et de la prophétie, transforme la connaissance élémentaire en une appréhension complète du Dieu chrétien. Voilà l'enseignement du Pédagogue, par lequel les fidèles s'affermissent et se stabilisent, qui mène à la connaissance parfaite (τελείαν γνῶσιν). Deux étapes sont envisagées [3], mais elles ne sont pas réservées à un groupe spécial : il n'y a pas de classe privilégiée, comme prétendaient les gnostiques valentiniens [4]. Comment le Verbe, l'unité elle-même, peut il engendrer de telles divisions ?

> Il n'y a donc pas dans le même Verbe, des gnostiques et de psychiques, mais tous, ayant déposé les passions charnelles, sont égaux et spirituels auprès du Seigneur [5].

Au lieu de poser des catégories différentes qui sont irréductibles, notre auteur suggère un classement unique qui couvre tous les croyants ; ce sont des « pneumatiques ». Tous ceux qui ont été animés par l'Esprit possèdent la capacité de vivre en union avec Dieu, et de franchir les limites de l'époptie.

La foi suffit au salut : ce n'est donc pas en dépassant ce stade que le spirituel atteint la connaissance complète. En effet, la foi ne cède pas la place à une faculté plus haute, car elle est elle-même parfaite et accomplie [6]. Finalement donc, pour revenir au point de départ — il n'y a pas de distinction entre la foi et la gnose, puisque celle-ci complète les démarches initiales de la foi. Or, cette unité fondamentale dans la connaissance chrétienne n'est qu'un reflet de l'unité du Logos [7] :

> « Je vous ai donné à boire du lait, non de la nourriture solide, car vous n'en étiez pas capables. Cela ne signifie pas que la nourriture solide soit tout autre

---

[1] *Foi et Gnose*, p. 43 ss.

[2] *Strom.* II. 3. 10. 1. : Camelot cite Prümm, *Glaube und Erkenntnis...*, p. 30.

[3] *Strom.* IV. 16. 100. 1. « La foi est la saveur de la connaissance ». W. Völker, *Gnostiker...*, p. 236 cite *Strom.* II. 4. 16. 2 : πιστὴ τοίνυν ἡ γνῶσις, γνωστὴ δὲ ἡ πίστις.

[4] Irénée, *Adv. Haer.* I. 6. 2.

[5] *Péd.* I. 6. 31 ; trad. de Camelot, *Foi et Gnose*, p. 45.

[6] *Péd.* 1. 6. 29.

[7] On sent l'influence du principe platonicien que l'ontologie détermine la forme des facultés intellectives et l'inverse. Platon commence en affirmant l'existence du plan réel et du plan du devenir : ceci étant donné, il continue en postulant l'existence de deux facultés différentes (*Tim.* 51 d ss.). Chez Clément, l'unité du Verbe implique l'unité de sa connaissance chrétienne.

que le lait, les deux sont de nature identique. De même, le Logos est également toujours le même, tantôt fluide et doux comme du lait, tantôt consistant et compact comme de la nourriture solide » [1].

Dans ce chapitre Clément s'exprime très fermement contre l'exégèse qui distingue entre le lait et l'aliment solide, en utilisant toutes les armes de sa connaissance exégètique et même physiologique [2]. Derrière le ton de ce passage l'on aperçoit la menace des gnostiques, qui poussent Clément à prouver maintes fois que le lait n'est nullement inférieur à l'aliment solide.

Par exemple le fromage est du lait coagulé, du lait devenu consistant [3].

Mais cette prise de position est durcie par la présence de l'opposition : elle est trop radicale. Paul n'avait-il pas dit : « Je vous ai donné du lait à boire, non de la nourriture solide, car vous n'en étiez pas capables… » [4]. Affirmation catégorique, qui contredit tous les efforts de Clément d'affirmer l'unité de l'instruction chrétienne et qui est d'ailleurs citée en *Strom.* V. 4. 26. 1. ss. Ici notre auteur accepte la gradation de l'enseignement chrétien, en opposant la foi commune à la perfection gnostique. La capacité du croyant à s'élever au plus haut niveau dépend de la mesure où il s'est débarrassé de la chair ; « car vous êtes encore charnels » (*ibid.*). La suite du passage, jusqu'à la fin du chapitre développe la distinction déjà offerte entre les notions de base, et l'édifice gnostique.

La même distinction se trouve ailleurs, avec des citations de l'Epître aux Hébreux [5] et de Barnabé qui soulignent qu'il est parfois nécessaire d'exprimer la foi sous forme très élémentaire [6]. Le lait représente la catéchèse, tandis que l'alimentation solide est la contemplation mystique, la compréhension (κατάληψις) de la puissance et de l'essence de Dieu. Force nous est de considérer que cette position est plus caractéristique ; après tout, la théologie de Clément tourne autour de la notion du sommet de l'expérience chrétienne, comme but rarement et difficilement atteint. La réponse aux gnostiques revient donc à la formule

---

[1] *Péd.* I. 6. 37. 3. Cf. *Péd.* I. 6. 46. 1 ; « la nourriture est le Christ lui-même ».

[2] Il est question aussi du sang et de la chair de Jésus : Clément rejette une exégèse qui assimilait ces deux images à la nourriture légère et solide. Voir les notes de H.-I. Marrou, dans l'édition des Sources chrétiennes, qui renvoie à Plutarque, *De Amore Prol.* 495 e - 496 a, sur la notion physiologique du sang qu'emploie Clément.

[3] *Péd.* I. 6. 45. 3.

[4] I *Cor.* III. 2.

[5] V. 12.

[6] *Strom.* V. 10. 62. 1 ss.

suivante : par principe, le droit d'atteindre cette étape est accordé
à tous les croyants ; personne n'est privé de la capacité de la faire, mais
en fait le niveau de réussite est inégal. Dans son paragraphe sur ce problème, P. Th. Camelot souligne avec raison [1] que l'unité interne de
la foi et de la gnose provient du fait que c'est le même Verbe qui constitue l'objet de toutes les deux. L'objet de la recherche gnostique
est un, et il n'y a aucune distinction entre l'ambition du simple fidèle
et celle du gnostique : la différence réside dans les étapes par lesquelles
cette ambition est réalisée. Toutes les explications physiologiques
que nous avons relevées sont destinées à mettre l'accent sur cette unité
de fin.

Il faut préciser un peu ce que constitue cette deuxième étape. Après
les *archai*, vient la démonstration, qui correspond justement à cette
étape, c'est-à-dire, à la gnose.

> Ainsi donc la foi est, pour ainsi dire, une connaissance abrégée, des vérités
> indispensables ; mais la gnose est une démonstration solide et ferme des vérités
> reçues par la foi, (démonstration) construite par l'enseignement du Seigneur
> sur le fondement de la foi, et conduisant à une certitude inébranlable et à une
> compréhension scientifique [2].

La gnose est la « démonstration scientifique » (ἐπιστημονικὴ ἀπόδειξις) [3], c'est la seule qui est véritable, provenant des écritures sacrées.
Elle en expose le contenu, à ceux qui désirent comprendre : puisque la
parole est divine, la conclusion est certaine. Ainsi :

> Car la démonstration supérieure... confère la foi en présentant les Ecritures...,
> tout ce en quoi consiste assurément la gnose [4].

J. Moingt a consacré une partie de son excellente étude [5] à la notion
de *l'apodeixis*, qui occupe une place assez importante dans la théorie
clémentine de la connaissance. Ce terme, signale l'auteur, suivi d'un
complément au génitif [6], signifie souvent « élucidation », « démonstration ». Effectivement ces remarques sont confirmées par le troisième
chapitre du 8e *Stromate* qui, tout en définissant la démonstration,
évite de spécifier le mécanisme exact de la preuve. Clément insiste sur

---

[1] *Foi et Gnose*, p. 48.
[2] *Strom.* VII. 10. 57. 3 ss., trad. P. Th. Camelot, *Foi et Gnose*, p. 63.
[3] *Strom.* II. 11. 48. 1.
[4] *Loc. cit.* 49. 3 ss., trad. Cl. Mondésert S.C.
[5] *Art.* 1950 p. 538 ss.
[6] Par exemple, dans le passage cité : ἡ γνῶσις ... ἀπόδειξις τῶν κατὰ τὴν ἀληθῆ
φιλοσοφίαν παραδιδομένων.

le résultat, plutôt que sur les démarches de la méthode : la démonstration est un logos, qui s'accorde avec la raison et qui *produit la foi* [1]. Elle diffère du syllogisme : elle consiste surtout à trouver un fait ou un signe qui éclaire un point disputé. Ainsi le fait d'être enceinte *démontre* qu'une femme n'est plus vierge [2]; de même, la démonstration du christianisme consiste en la présentation de l'œuvre salvifique, réalisée à travers l'histoire, du Logos incarné.

Aux grecs qui demandaient une preuve et aux Juifs qui demandaient un signe, Clément offre un fait :

> Le signe que notre Sauveur est ce fils de Dieu, ce sont et les prophéties qui ont précédé son avènement et l'ont annoncé, et les témoignages à son sujet qui ont accompagné sa génération sensible, et ce sont encore ses puissances, proclamées et clairement manifestées après son Ascension. La preuve donc que la vérité est parmi nous, c'est que le Fils de Dieu lui-même nous enseigne [3].

Par la confrontation de la prophétie et l'histoire, notre auteur vise à mettre en pratique une théorie de la démonstration qui prouve, pour le Grec et pour le Juif à la fois, la vérité du Christianisme. Les faits historiques confirment la prophétie de la Bible; voilà la force de l'argument prophétique chez Clément. Le Christ, c'est la « démonstration » de la prophétie. Vue comme partie de l'arrière-plan prophétique, la Heilsgeschichte prend son sens : la présence du Christ constitue l'accomplissement de la Bible, elle en est la preuve.

Une partie de la gnose est donc la vraie compréhension de l'histoire, comme processus salvifique. Il suffit d'ouvrir les Ecritures pour que le sens de l'histoire devienne clair; car dans la lecture de ces écrits la notion de la Providence est confirmée. L'affermissement de la foi s'effectue en suivant l'instruction qui déifie le Créateur et qui montre la main de la Providence dans les événements terrestres [4]. La gnose comme démonstration de la foi constitue, en quelque sorte une théologie de l'histoire, qui explique du même coup le passé, le présent, et l'avenir [5] : c'est le secret de l'*oikonomia* divine.

---

[1] *Strom.* VIII. 3. 5. 1.

[2] *Strom.* VIII. 3. 6. 1.

[3] *Strom.* VI. 15. 122. 1-2.

[4] *Strom.* I. 11. 52. 1.

[5] On pense au « triptyche de l'histoire » de H. -I. Marrou, *Théologie de l'histoire* p. 33 ss. : « ... si, après la vie terrestre du Verbe incarné qui en constitue le centre et comme le nœud, l'histoire humaine continue à se dérouler, c'est que le temps est nécessaire encore pour permettre la pleine croissance du Corps mystique du Christ... » (p. 44.) Nous reviendrons sur le temps chez Clément.

La gnose comme acte de connaître

Le terme que nous sommes en train d'examiner signifie (a) l'ensemble de l'enseignement chrétien (b) la nature même de la connaissance chrétienne. Le premier sens nous occupe ailleurs; ici il faut expliciter le concept clémentin de la connaissance elle-même. Dans la première partie nous avons noté que la gnose suggère une connaissance illuminatrice, de caractère dramatique, violent et soudain. La voie qui mène à cette expérience mystique peut être longue et pénible, mais le sommet est d'une clarté éblouissante : celui qui est né aveugle s'aperçoit pour la première fois de la réalité.

Ce concept dynamique de la connaissance se trouve constamment dans l'arrière-plan des passages où notre auteur s'efforce de caractériser la gnose. Le terme choisi par Clément est bien γνῶσις (bien qu'il ne manque pas de le rapprocher du terme ἐπιστήμη), et la façon dont il le valorise nous avertit qu'il y a dans l'œuvre clémentine, la définition d'une nouvelle étape dans la philosophie chrétienne. Il est donc très important de trouver la signification essentielle d'un concept qui paraît si vaste.

En premier lieu, on remarque un élément « expérientiel » qui est indispensable dans la préparation pour la révélation. La même idée s'est manifestée dans notre étude sur la foi; il faut chercher pour trouver. Il faut pratiquer la vie chrétienne pour se perfectionner dans cette pratique. Ainsi Clément dans une citation paulinienne [1] nous enjoint de persévérer « dans la prière, apportez-y de la vigilance, avec des actions de grâces. Priez en même temps pour nous, afin que Dieu nous ouvre une porte pour la parole, et qu'aussi je puisse annoncer le mystère du Christ ». Pour recevoir l'héritage, il faut entrer dans la terre promise [2]. De même que l'initiation est une condition des mystères — ce chapitre manifeste de nombreuses traces de la terminologie mystique — la sainteté est une condition préalable de la révélation du mystère messianique [3]. Ce thème rejoint, bien entendu, celui de l'arcane où la vraie connaissance est réservée pour ceux qui sont les vrais spirituels : de même ici, il est nécessaire de franchir une certaine barrière pour devenir accessible à la révélation. Il s'ensuit que la preuve du christianisme réside dans la vie qu'il propose, et la vérité de la doctrine n'est

---

[1] *Col.* IV. 2, 3; *Strom.* I. 10. 61. 4.

[2] *Strom.* V. 10. 63. 3.

[3] *Strom.* V. 10. 60. 3 ss. Voir aussi *Strom.* II. 18. 84. 3, 4, où les termes γνωστικῶς et μυστικῶς sont synonymes.

manifeste qu'à celui qui l'examine de l'intérieur. Comme dit le texte des Psaumes [1], il faut goûter afin de connaître la saveur de la vérité divine. L'aspect moral de la notion se présente dans l'aphorisme du quatrième *Stromate* :

En vivant, nous sommes établis dans la capacité de bien vivre [2].

La voie vers la gnose est la vie elle-même. En apprenant à vivre d'une façon saine, en se consacrant à la sainteté, le croyant se dirige vers l'immortalité : en se donnant au christianisme (a) il obtient la preuve de sa vérité ; (b) il se met à développer la ἕξις sans laquelle la gnose lui échappera [3].

La gnose est la connaissance des choses divines et des choses humaines [4], mais l'objet central de ce programme est Dieu : les conditions de sa connaissance — l'apathie, la sainteté, la persévérance — ont été posées. Mais en quoi consiste ce moment d'illumination ? Leisegang a écrit, à propos de la gnose : « Cette vue par les « yeux de l'âme », dans laquelle *l'essence secrète des choses se découvre sous des formes plastiques* et lumineuses, représentait pour les Anciens une source légitime... de la connaissance... » [5]. Il est vrai aussi que chez Clément la recherche de l'essence est toujours présente. La gnose est la connaissance de la chose en soi (τοῦ ὄντος αὐτοῦ) [6] : c'est la connaissance qui est en harmonie (σύμφωνος) avec les choses qui constituent son objet. Ainsi Clément essaie de définir le rapport entre le connaisseur et l'objet

---

[1] 34 (33), 9.

[2] *Strom.* IV. 4. 18. 3.

[3] Le passage auquel nous nous référons (*Strom.* IV. 4. 18. 2-3) est excessivement difficile. Il est affirmé qu'on n'atteindra pas la gnose sans s'occuper des choses qui sont nécessaires (ἄνευ τοῦ ἐν τοῖς ἀναγκαίοις εἶναι) : il est au moins concevable que le terme ἀναγκαίοις reflète l'ἀνάγκη du *Timée* : en 69 a il est dit que nous sommes obligés de monter au divin par le plan de la nécessité (le plan terrestre). En revanche, un paragraphe de W. Völker, *Gnostiker...*, p. 190, rappelle que la vie de l'âme entraîne la mort des passions — l'âme est arrachée aux désirs charnels. Clément reconnaît cependant une limite : il faut céder à certaines nécessités pour que le corps ne soit pas dissous. (*Strom.* VI. 9. 75. 3 ; VI. 12. 99. 6 ; VI. 12. 100. 1 ; VII. 12. 77. 2) L'Ἀνάγκη devient l'ensemble des besoins corporels, qui demeure chez le gnostique même après sa libération de la chair : ce sont les signes irréductibles de sa corporéité. Le gnostique n'échappe pas tout à fait aux nécessités.

[4] *Strom.* I. 6. 35. 3 : le terme employé est ἐπιστήμη. A. Méhat, *Etude...*, p. 431-2 démontre, à l'aide de nombreux textes, que cette phrase peut très bien servir comme définition de *l'étendue* de la gnose. La gnose, en bref, est une Weltanschauung.

[5] *La Gnose*, trad. française p. 15.

[6] *Strom.* II. 17. 76. 3.

connu : l'image de l'harmonie suggère l'idée d'assimilation. Le connaisseur *devient* l'objet de sa connaissance. On a constaté [1] ici l'influence de l'idée de transformation ($\mu\epsilon\tau\alpha\beta o\lambda\acute\eta$), présente dans la morale stoïcienne avec le changement par lequel l'insensé devient sage. Il est évident que dans la perspective clémentine cette transformation signifie le changement d'un être terrestre en un être céleste : le progrès du gnostique consiste en sa montée vers les choses célestes. Il s'identifie avec le plan intelligible. C'est la notion de transformation qui est au fond de la notion des étapes ou des demeures des cieux, qui prennent chez Clément un aspect nettement ontologique. L'âme gnostique traverse des étapes intermédiaires, mais sa métamorphose s'achève dans l'époptie. Dans cette perspective l'acte de connaître se réduit à un changement d'identité, puisque la gnose des intelligibles est une association avec les intelligibles.

> Lorsqu'il vaque à la contemplation, conversant purement avec le divin, celui qui participe de la manière gnostique à la sainte qualité pénètre plus intimement dans l'habitude de cette identité sans passion, de sorte qu'il n'a plus la science et ne possède pas la gnose, mais *qu'il est science et gnose* [2].

Cependant, l'identification complète étant impossible, le gnostique s'assimile dans la mesure où il est possible au Seigneur : « car le disciple n'est pas au-dessus du maître (ni le serviteur au-dessus de son seiggneur) » [3]. Il suffit au disciple d'être *comme* son maître. Le croyant est comme lui, non en essence ($\kappa\alpha\tau'$ $o\dot\upsilon\sigma\acute\iota\alpha\nu$), mais par adoption. Il ne possède donc pas la nature ($\phi\acute\upsilon\sigma\iota\varsigma$) du Seigneur. Nous sommes comme lui

> ... par le fait de devenir éternels, de jouir de la connaissance contemplative des êtres, d'être appelés fils et, appuyés sur ce qui lui appartient en propre, de voir le Père seul [4].

Tout d'abord, il est à remarquer que chaque élément de cette description de la gnose est confirmé ailleurs dans les écrits de Clément. En premier lieu la connexion entre la contemplation et la gnose est à souligner. Le gnostique qui a atteint le sommet priera que sa contemplation demeure et s'affermisse, comme on souhaite la bonne santé pour soi-même [5]. Ce but est un bien en soi, puisqu'il n'existe pas de

---

[1] A. Méhat, *Etude...*, p. 456 ss., qui cite Sénèque, *Ep.* 94. 1 : (scientiam qui didicit) nondum sapiens est nisi in ea quae didicit animus eius transfiguratus est.

[2] *Strom.* IV. 6. 40. 1, trad. A. Méhat, *Etude...*, p. 457.

[3] *Strom.* II. 17. 77. 4; Matt. 10. 24.

[4] *Strom.* II. 17. 77. 4, trad. Cl. Mondésert, S.C.

[5] *Strom.* VII. 7. 46. 4.

considérations qui soient plus importantes : on cherche donc la gnose pour elle-même. Quand on l'a trouvée, on ne demande rien d'autre que de rester dans cet état de contemplation incessante [1], face à face, dans une attitude mieux caractérisée par le terme « charité ». C'est une expérience d'une profondeur inimaginable : le gnostique contemple les βάθη de la connaissance divine (*Strom.* IV. 17. 110. 3). Pour lui sont préparées « des choses que l'œil n'a point vues, que l'oreille n'a point entendues, et qui ne sont pas montées au cœur de l'homme » [2]. C'est une initiation à l'éternité : par la gnose, l'âme s'entraîne pour l'immortalité [3], car la bonté de Dieu n'a ni fin ni commencement [4]. Celui qui en a goûté s'est introduit au plan éternel.

En second lieu, la gnose a pour objet — nous l'avons remarqué — les existences, ou plus exactement les essences (οὐσίαι) [5]. Par cette connaissance de la réalité fondamentale et intérieure des choses, il saura mieux obéir aux commandements du Seigneur. Sa compréhension ne sera pas fragmentée puisqu'il a embrassé l'essentiel de l'enseignement, l'unité de signification qui s'exprime dans une multiplicité de noms [6]. Empruntant aux écoles platoniciennes, Clément affirme que le gnostique se servira de la dialectique, s'efforçant de diviser les genres en espèces jusqu'à ce qu'il trouve les existences qui sont primaires et simples [7]. Enfin la gnose constitue

> la contemplation par l'âme des existences, une ou plusieurs ; mais la contemplation parfaite a pour objet l'ensemble [8].

La suite de notre citation soulève une question qui a été déjà posée et discutée aux pp. 63ss. Certains affirment, dit Clément, qu'il y a une catégorie des choses qui sont incompréhensibles (ἀκατάληπτα). Or, nous avons suggéré, malgré le manque d'une cohérence parfaite dans les

---

[1] Völker, *Gnostiker...*, p. 316 n. 3 remarque que γνῶσις et θεωρία sont presque synonymes : il cite *Strom.* IV. 22. 136. 2 ; V. 1. 1. 5 ; II. 17. 77. 4 et II. 10. 47. 4. J. Scherer, *Klemens von Alexandrien...*, p. 71 fait le même rapprochement.

[2] I. *Cor.* II. 9 : *Strom.* IV. 18. 114. 1.

[3] *Strom.* VI. 8. 68. 3.

[4] *Strom.* VI. 8. 64. 1.

[5] *Strom.* VII. 11. 60. 4. Les passages qui sont cités à la suite manifestent un glissement entre οὐσία (essence) et τὰ ὄντα (les existences) : Clément ne semble pas respecter une distinction ferme entre ces deux concepts... τὰ πράγματα — Hort et Mayor (*Comm.* p. 290) suggèrent que ce terme ne diffère point de l'οὐσία. Ce sont les choses en elles-mêmes, pas les impressions extérieures par lesquelles elles parviennent aux sens.

[6] *Strom.* V. 13. 81. 2.

[7] *Strom.* VI. 10 80. 4.

[8] *Strom.* VI. 8. 69. 3.

textes, que la théodicée de Clément souligne la transcendance de Dieu. Au-delà de toute pensée, de tout prédicat et de l'existence même, Dieu est véritablement ἀκατάληπτος : ce terme prend une signification très forte dans la théologie clémentine. Pourtant dans le passage que nous venons de citer, notre auteur dément l'existence des ἀκατάληπτα. Même celui qui affirme qu'on les saisit simplement en respectant leur caractère mystérieux, a tort, car ce genre de compréhension est « commun ». Il n'est pas digne de l'initié : il est caractéristique de celui qui comprend très peu.

> Mais ce gnostique, dont je parle, saisit ce qui aux autres semble être insaisissable[1].

Car rien n'est incompréhensible au Logos qui, en tant que Pédagogue, communique tout à ceux qui veulent le recevoir.

Dans ces quelques lignes nous trouvons la réponse au problème posé dans notre chapitre sur la théodicée clémentine. A partir d'une perspective purement platonicienne, la théologie de notre auteur semble nier la possibilité de concevoir Dieu. Si le problème est situé uniquement dans le contexte des termes fournis par les platoniciens de son époque (νοῦς, οὐσία, ὕπαρξις etc.), la réponse souligne inévitablement la hardiesse de la théorie clémentine de la transcendance. Mais l'auteur voulait à tout prix mettre en valeur la grandeur du Dieu chrétien : il est donc prêt à dépasser la théologie d'Albinos, par exemple, en proposant une notion absolue de la transcendance. Dieu est même plus haut que l'un : ainsi Clément pousse ces termes à l'extrême de leur signification. Mais comment le créateur du « vrai gnostique » peut-il soutenir la thèse du dieu inconnu ?

La gnose de Clément représente un refus du Platonisme. La connaissance envisagée n'est pas celle du Nous, et dans cette mesure le travail de W. Völker, qui souligne le côté mystique de la notion clémentine de la connaissance, offre un point de vue avec lequel nous sommes entièrement d'accord. La saisie de Dieu est une illumination : les textes qui suivent donnent un aperçu plus précis de l'expérience décrite par notre auteur.

Le noyau de la contemplation gnostique est la notion d'union avec Dieu. *Strom.* VII. 3. 13. 1 ss. souligne l'idée que le saint est dans la présence de Dieu[2] : la vision qu'il embrasse n'a rien de secondaire.

---

[1] *Strom.* VI. 8. 70. 2.

[2] De même le gnostique s'associe, dans la mesure que possible avec les choses intelligibles et spirituelles. *Strom.* VIII. 3. 14. 1. Cf. la notion de « transformation », p. 135.

Il ne voit plus à travers un miroir, mais dans une vision absolument claire et pure. Il s'efforce de s'assimiler à Dieu, afin de demeurer dans un état d'union indissoluble avec lui [1]. La vraie connaissance (ἐπιστήμη) est de connaître (γινώσκειν) Dieu [2] : ayant franchi toutes les étapes de l'expérience mystique le gnostique se trouve face à face avec lui [3].

La Gnose et la charité

Or, il est évident qu'un concept qui est particulièrement approprié pour expliquer ce rapport est celui de la charité. Quelle meilleure façon de caractériser la nature de cette union avec Dieu ? C'est ici que les travaux de M. Méhat sur la gnose suggèrent une piste importante. S'opposant aux points de vue de P. Th. Camelot et de J. Moingt, A. Méhat [4] soutient « que l'amour de charité et la gnose sont, au terme, une seule et même chose ». Nous reprenons un de ses textes :

« C'est l'objet digne d'amour qui mène à sa propre contemplation tout être qui, par amour de la gnose, s'est élancé tout entier vers la contemplation [5].

L'amour, ou la charité, n'est donc pas un stade à dépasser, car c'est l'objet de la gnose qui engendre l'amour. Loin d'appartenir à un moment de l'ascension, l'amour demeure caractéristique de l'union de Dieu et du fidèle. De même que chez Empédocle l'amour est une force motrice, chez Clément l'amour est l'explication principale de la motivation chrétienne.

Il est cependant vrai que la foi élémentaire est dépassée par la charité. Dans sa discussion de la valeur relative de la parole écrite et de la parole prononcée, Clément affirme que toutes les deux sont valables ; en proclamant le Logos, elles « rendent active la foi par la charité » [6]. Autrement dit, la foi est animée par la charité. En tout cas, il est clair qu'elle est dépassée par la charité, car le gentil demande d'abord la foi, mais celui qui s'élève à la gnose demandera la perfection de la charité [7]. Loin d'être dépassée, la charité, elle, appartient au gnostique [8], « imprègne en totalité le gnostique » [9]. La

---

[1] *Strom.* VII. 3. 14. 1.

[2] *Strom.* II. 10. 47. 4.

[3] *Strom.* VII. 10. 57. 1.

[4] *Etude...*, p. 475 ss.

[5] *Strom.* VII. 2. 10. 3.

[6] *Strom.* I. 1. 4. 1.

[7] *Strom.* VII. 7. 46. 3 ; cf. I *Jean* 4. 17.

[8] *Strom.* II. 12. 53. 2.

[9] C'est la phrase d'A. Méhat, *Etude...* p. 478 n. 299, qui fait remarquer le manque

suite va plus loin : il connaît et il *admire* la beauté de la création, ou peut-être le demiurge lui-même.

Il ne faut donc pas chercher à exclure la charité du concept de la gnose. Parmi les acceptions différentes du terme γνῶσις, il y a celle qui désigne l'état d'âme du gnostique quand il connaît — plus précisément, en fonction duquel il connaît. Le dynamisme de l'union de Dieu et du gnostique provient du fait que Dieu est un objet de la charité, et qu'il provoque cette réponse chez le gnostique. La charité est donc caractéristique de l'état gnostique : elle en constitue le soutien le plus solide. Le gnostique pourra supporter l'exil, la persécution, toute sorte de privation et surtout la mort parce qu'il possède la charité qui « excuse tout, espère tout, supporte tout » [1]. Il ne sera jamais arraché de sa liberté et de sa charité intense (κυριωτάτης) envers Dieu ; il est « l'ami royal » de Dieu [2]. La crainte et l'espérance sont des désirs élémentaires, qui servent à diriger le fidèle au début de son pélerinage, mais la charité perfectionne, γνωστικῶς ἤδη παιδεύουσα [3]. La charité est ainsi la source de la force du gnostique : ailleurs il est dit qu'elle nous met en union avec Dieu. « Elle fait toutes choses en unanimité » [4]. C'est l'ὁμόνοια qui provient du fait que la gnose est σύμφωνος avec l'objet qu'elle connaît : Clément s'efforce d'exprimer la notion d'un rapport entre Dieu et le gnostique, et c'est ce concept qui est à la base de toute la théorie de l'assimilation avec Dieu, de l'idée de l'union avec Dieu, et de l'image de l'amitié que nous venons de citer.

> En charité, tous les élus de Dieu étaient perfectionnés [5].

Elle est le *sine qua non* de l'union avec Dieu, l'essence de cette union.

Elle constitue la motivation authentique du gnostique. Il est possible qu'on agisse par crainte de la punition, qu'on obéisse aux commandements de Dieu pour éviter la vengeance. Ou bien, certains suivent la voie chrétienne afin d'obtenir une récompense [6], mais le gnostique considère la vertu comme un bien en soi. Il choisit son but par amour, et non pas à cause de considérations extérieures [7]. Clément insiste sur

---

de clarté de cette formule. διὰ πάντων prend un sens temporel, à partir du contexte : le gnostique aime à travers tous les temps.

[1] I. *Cor.* 13. 7 cité en partie à *Strom.* IV. 8. 52. 3.

[2] *Strom.* IV. 8. 52. 2, 3.

[3] *Strom.* IV. 18. 111. 3.

[4] *Strom.* IV. 18. 111. 3.

[5] *Strom.* IV. 18. 111. 4.

[6] *Strom.* IV. 22. 135. 3.

[7] *Ibid.*

l'importance de la charité parce que c'est la seule vertu qui ne cherche pas son propre intérêt : son expression consiste à donner, dans l'abnégation de soi-même. Elle est donc la motivation la plus haute ; elle ne se laisse pas dépasser. De même, la gnose est qualifiée, elle aussi, de bien en soi. A *Strom.* VI. 12. 98. 3 ss., on nous dit qu'il y a beaucoup de choses qui méritent d'être appelées « bonnes », mais que parmi ces choses il y en a certaines qui ne sont désirées qu'à cause de leurs conséquences, et qui nous stimulent à continuer notre recherche. Cependant la gnose est cherchée pour elle-même : une fois établis dans la contemplation de Dieu, nous ne cherchons rien d'autre. Elle constitue donc le but ultime.

Il est évident que la charité est la vertu la plus adaptée à être associée avec la gnose puisqu'elle possède aussi l'aspect de finalité que nous avons constaté par rapport à la gnose. Ainsi Clément peut dire ;

> Ainsi, raisonnablement, la gnose elle-même *aime* et instruit les ignorants, en leur apprenant à rendre hommage à toute la création du Dieu tout-puissant [1].

Elle fonctionne aussi à l'inverse, de la créature au créateur :

> Brillante et sans flétrissure est la Sagesse, et elle est facilement contemplée par ceux qui *l'aiment* [2].

Ainsi la charité est une impulsion terrestre, et céleste : il n'est pas nécessaire de choisir entre les deux aspects pour spécifier la fin envisagée par Clément : ils sont réciproques. Il est vrai que Clément parle de

> ... la gnose aboutissant à la charité [3].

Mais il affirme aussi que

> La charité atteint sa perfection par la gnose [4].

La gnose, la charité et l'unité

Il reste encore un élément à exposer afin de compléter notre concept de la *gnosis*. E. F. Osborn a apporté une grande contribution aux études clémentines en valorisant le concept de l'unité dans la perspec-

---

[1] *Strom.* IV. 22. 139. 1.

[2] *Sap.* 6. 12. *Strom.* VI. 15. 120. 3, trad. A. Méhat, *Etude...*, p. 478.

[3] *Strom.* VII. 10. 57. 4.

[4] *Strom.* II. 9. 45. 1. A. Méhat, *Etude...*, p. 480 : « il est probable que Clément n'a pas voulu dire autre chose que cette évidence : pour aimer Dieu, il faut avoir à quelque degré connaissance de Dieu ».

tive du philosophe chrétien, idée qui n'est pas sans importance pour le problème actuel. En premier lieu, la vérité est une — le « fleuve intarissable » — dont toutes les cultures et toutes les philosophies sont tributaires. Car la vérité est le Logos.

> Celui qui rassemble les parties dispersées et qui restitue à l'unité la perfection du Logos, sache qu'il verra sans danger la Vérité [1].

La vraie compréhension est globale. Elle ne conçoit pas la réalité en parties, mais d'ensemble, car la réalité est une unité puisque Dieu est un.

Or la charité, comme elle unifie, est une en elle-même.

> ... hâtons-nous... de nous réunir en un seul amour [2] selon l'unité de la substance monadique. Puisqu'elle nous fait du bien, poursuivons en retour l'unité et attachons-nous à la bonne monade [3].

Être un dans la charité fait partie de la vie du gnostique, comme un côté indispensable de son entraînement. Il faut qu'il soit en harmonie avec l'église pour qu'il soit en harmonie avec Dieu. Ce texte définit à la fois l'unité de l'église et celle de la charité ; elles coïncident. Le thème de l'unité des fidèles ouvre des perspectives qui appartiennent à un autre genre d'étude [4], mais il suffit de noter que l'église est proprement unique dans la mesure où elle appartient au Seigneur, qui est un. Elle est une dans sa théologie (malgré la multiplicité des hérésies), dans son principe et dans son exaltation (ἐξοχήν), rassemblée et organisée par l'unique Seigneur (*Strom.* VII. 17. 107. 3 ss.)

Or, de même que la charité sert à concrétiser le rapport entre le connaisseur et le connu, elle constitue le lien qui harmonise les fidèles pour en faire l'église. Voilà donc un sens *horizontal* de l'unité de l'ἀγάπη : l'un divin se reproduit au plan terrestre.

> La charité est une concorde (ὁμόνοια) dans le domaine de la parole, de la vie, des mœurs, bref une communauté de vie ou une persévérance dans l'amitié et la dilection, avec usage de la droite raison dans les relations amicales ; or « un ami est un autre moi » : aussi nommons-nous frères ceux qui ont été régénérés par le même Logos [5].

Deux points ressortent de ce passage. D'abord *l'agape* se présente manifestement comme une force unifiante dans le domaine spirituel et

---

[1] *Strom.* I. 13. 57. 6, cité et traduit par A. Méhat, *Etude...*, p. 483.

[2] Nous lisons ἀγάπην au lieu d'ἀγέλην.

[3] *Protr.* IX. 88. 2, trad. Cl. Mondésert, S.C.

[4] Cf. G. Bardy, *Eglise...*, II.

[5] *Strom.* II. 9. 41. 2 trad. A. Méhat, *Etude...*, p. 485.

social. Elle rassemble dans une communauté de vie ceux qui étaient séparés dans la multiplicité de *l'apistia*. En second lieu la charité fait son œuvre par la « droite raison », trouvant sa source dans le Verbe : elle n'est donc pas étrangère à la Vérité. Nous avons commencé en constatant un rapport entre la Vérité et l'unité, et ailleurs il a été souligné que le premier principe de la théodicée clémentine est la notion de l'Un, au niveau du Père, et au niveau intermédiaire du Fils.

Tous les quatre concepts s'entremêlent dans les passages regroupés par A. Méhat [1] : nous reprenons le texte suivant, dans lequel une relation constante se manifeste entre la gnose, la charité, la vérité et l'unité.

> La cause de cette fermeté, c'est la science la plus sainte et la plus puissante de toutes, la charité. Au service de l'Etre le meilleur et le plus sublime dont l'Un est la marque propre, elle rend le gnostique à la foi ami et fils, homme véritablement parfait, grandi « à la mesure de l'âge ». La concorde (*ὁμόνοια*) [2] aussi est un assentiment au même ; or le même est l'Un ; et l'amitié s'achève dans la ressemblance, car la communauté d'être réside dans l'Un [3].

Il est peut-être nécessaire de faire l'analyse de ce passage. La première phrase nous offre une équivalence entre l'*ἀγάπη* et l'*ἐπιστήμη*. Ensuite, l'Un et le gnostique (et sa qualité d'ami de Dieu) sont évoqués et rapprochés : la phrase finale, qui met en rapport *φιλία* et l'idéal de l'*homoiosis*, est aussi très significative. (Il est à remarquer que les deux aspects de *l'agape* sont présents, et qu'il serait faux d'entendre ce terme dans le sens de « bienfaisance ». Au fond de cette bienfaisance se trouve une motivation chaleureuse et dynamique -la *philia*).

Comment donc faut-il interpréter la charité, vis-à-vis de la gnose et de la vérité ? Clément n'offre pas de réponse claire à la deuxième partie de la question, mais le rapport entre la gnose et la charité est assez clair. Le lecteur de ces écrits est cependant obligé de chercher un dénominateur commun, même à titre spéculatif, pour résoudre un paradoxe qui est assez surprenant. Car Clément, ayant axé toute son entreprise théologique sur la notion de l'unité, ne pouvait guère envisager la multiplicité dans la fin de la vie gnostique. Voilà une question où une synthèse hypothétique est justifiée, où la spéculation est fructueuse.

Empédocle propose, pour expliquer l'harmonie de son univers, la notion de la *philia*. Cet amour, loin d'être passif, constitue un dyna-

---

[1] *Etude...*, p. 485.

[2] Apparemment, remarquent Hort et Mayor (*Comm.* p. 300) une définition stoïcienne de *ὁμόνοια*. En tout cas Clément ajoute tout de suite son propre concept, de l'Un.

[3] *Strom.* VII. 11. 68. 1-2 trad. A. Méhat, *Etude...* p. 485.

misme au sein du cosmos qui unit et réunit sans cesse les éléments dont il est composé. C'est une force cosmique, personnalisée sous le nom d'Aphrodite. Or, il est possible que Clément retienne dans son usage du terme chrétien ἀγάπη des traces de ce concept de la *philia*. *L'agape* pour lui n'est pas simplement la bienfaisance, pas plus que pour les auteurs néotestamentaires : elle évoque aussi l'aspect dynamique d'un rapport personnel. La charité est donc compatible avec la gnose, car connaître Dieu, c'est l'aimer. On connaît le divin en devenant son ami, en imitant son modèle, en s'assimilant à lui. La connaissance est moins un système de données organisées dans une théologie, qu'un état d'âme dans lequel on voit, on comprend, on saisit parce qu'on partage. Il en est de même pour la Vérité, qui est une parce que sa source est une : la charité est la métaphore, la quintessence même, de l'unité.

La marque propre de la charité est l'unanimité (ὁμόνοια). Les quatre buts dont il est question reviennent tous à ce même point de concorde. La charité est bien plus qu'une métaphore — c'est le dynamisme qui anime l'unité de l'église — et, dans le sens vertical, qui anime l'unité de l'église avec Dieu. La charité *est* l'union : « Dieu est charité » [1].

La Gnose et la tradition secrète

Clément prétend qu'il n'apporte rien de nouveau, puisqu'il suit une tradition dont la source est le Christ lui-même. Notre auteur est avant tout un détenteur de la doctrine reçue des apôtres :

> Si nous appelons sagesse le Christ lui-même et son opération par les prophètes par laquelle il est possible de s'instruire de la tradition (παράδοσις) gnostique, comme lui-même à son avènement en a instruit les saints apôtres... [2].

La vraie gnose ne peut être connue que par la révélation. Les philosophes l'ont cherchée, en avançant à tâtons vers la vérité, mais ce sont les apôtres qui l'ont trouvée, à cause d'un acte révélateur de la part de Dieu lui-même. Cette révélation consiste en le Fils de Dieu qui, par sa présence et par son enseignement, a communiqué la vérité aux apôtres.

---

[1] I *Jean* 4. 8. Cité à *Strom.* IV. 18. 113. 3. Voir 114. 1, texte qui insiste sur le fait que la vraie motivation est la charité, malgré le fait que la crainte peut produire des résultats qui ressemblent superficiellement aux fruits de la charité.

[2] *Strom.* VI. 7. 61. 1. Voir W. Völker, *Gnostiker...*, p. 354 ss., surtout p. 361 ss. Völker est parmi ceux qui comprennent la tradition dans le sens de l'interprétation allégorique de l'écriture : il s'agit de reconnaître le caractère symbolique des écrits chrétiens. L'Ecri-

Mais Clément veut encore restreindre son concept de la tradition. Comme l'a remarqué J. Daniélou [1], il est impossible de l'identifier avec la tradition apostolique commune, puisque l'auteur en parle en termes spéciaux :

> Or, c'est cette gnose qui, transmise à un petit nombre depuis les apôtres par une tradition orale, est parvenue jusqu'à nos jours [2].

De même un fragment des *Hypotyposes* semble référer à une ligne spéciale de communication, dont la source est le Christ ressuscité. Nous avons déjà noté ce trait dans les écrits gnostiques, où souvent une seconde étape d'enseignement messianique est évoquée pour expliquer les aspects plus étranges du secret gnostique, par rapport à la tradition apostolique comme elle est présentée dans le Nouveau Testament. Ainsi

> Le Seigneur, après sa résurrection, donna la gnose à Jacques le Juste, à Jean et à Pierre, qui la donnèrent au reste des apôtres, et ceux-là au soixant-dix, dont l'un était Barnabé [3].

Le côté privilégié de cette transmission est donc souligné par le fait qu'elle venait du Christ après sa mort, et par le fait que certains apôtres étaient choisis d'abord.

Ceci dit, il est impossible de limiter (comme le fait J. Daniélou) [4] la tradition secrète à une connaissance apocalyptique, concernant les mystères de l'au-delà. Il est vrai que les mystères du plan céleste figuraient dans la *paradosis* de certains écrits gnostiques, et il est aussi vrai que cette influence n'est pas entièrement absente chez Clément. Les *Hypotyposes* semblent avoir été constitués de considérations de ce genre, d'après ce qu'on peut deviner à partir des fragments regroupés par Stählin. J. Daniélou fait état, avec raison, des allusions suivantes mentionnées dans ces fragments : les sept protoctistes [5], les sept cieux, l'union des anges et des femmes [6], la préexistence du monde des idées, la métempsychose [7]. Une citation de *l'Apocalypse de Sophonie*, en *Strom.* V. 11. 77. 2 [8] :

---

ture est à interpréter par rapport au Christ : p. 362 : « Diese Parallelisierung von Schrift und Christus ist natürlich von hoher Bedeutung... »

[1] *Message...*, p. 415.
[2] *Strom.* VI. 7. 61. 3.
[3] Stählin, III p. 199.
[4] *Op. cit.* p. 415 ss.
[5] Stählin III p. 196.
[6] P. 199.
[7] P. 202.
[8] P. 202.; inconnu à part ce texte, trad. J. Daniélou, *Message...* p. 417.

L'esprit me saisit et me transporta au cinquième ciel. Et je vis les anges appelés Seigneuries et leur diadème placé dans l'Esprit-Saint. Et le trône de chacun d'eux était sept fois plus brillant que la lumière du soleil levant. Ils demeuraient dans le sanctuaire du salut et célébraient le Dieu ineffable et Très-Haut.

L'autre source pour les idées de ce genre est, bien sûr, les *Excerpta ex Theodoto*, où Clément résume la théologie de la gnose valentinienne, en la comparant parfois à la sienne. On peut y discerner l'influence de la vision gnostique, surtout à l'égard des divisions (προκοπαί) et des ordres différents. Les Protoctistes représentent l'ultime degré avant le Seigneur [1] : on assigne aussi des rangs aux anges et aux archanges. Nous reconnaissons en plus le thème de la descente du Sauveur à travers les rangs angéliques [2] : et de la montée de l'âme à travers les étapes différentes [3].

Indéniablement, ce système de concepts fait partie de la gnose dans la conception clémentine. Cependant il n'est pas nécessaire de chercher à l'associer trop étroitement avec la *paradosis*, et effectivement nous n'avons aucun texte de Clément qui suggère que la tradition consistait exclusivement en les doctrines apocalyptiques que nous venons de décrire. Une telle interprétation est arbitraire [4], dans la mesure où elle veut mettre Clément dans une tradition de littérature gnostique et apocalyptique, sans aucune preuve à cet effet. Dans la première partie nous avons développé le concept de la gnose comme la vraie compréhension de l'écriture, et chez Clément ce concept apparaît comme la confrontation de l'écriture et l'histoire, confrontation effectuée par tous les instruments habituels de l'exégèse allégorique. Or, la gnose est le contenu de cette tradition secrète, et la gnose est manifestement un concept global de ce qu'il faut pour adopter la perspective chrétienne sur le cosmos et sur son créateur. A *Strom.* I. 14. 60. 4 il est affirmé que la connaissance du tout est une condition indispensable pour la compréhension des parties : la cosmologie générale est la clef de l'existence de l'homme, par exemple.

Clément, en effet, interprète la *paradosis* dans ce sens large. Ayant parlé de la γνωστικὴ παράδοσις, il continue :

La gnose serait donc une sagesse, science et compréhension de ce qui est,

---

[1] 10. 3.
[2] 18. 1.
[3] 27. 1-6.
[4] Voir J. Daniélou, *Message...*, p. 416.

de ce qui sera, de ce qui a été, solide et sûre, en tant que transmise et révélée par le Fils de Dieu [1].

D'après le contexte il est clair que Clément a l'intention de rapprocher cette définition de la gnose et la tradition secrète. Il faut donc conclure que la *paradosis* de Clément est à interpréter par rapport à son propre idéal gnostique, non par rapport à celui d'un gnostique valentinien, d'un père apostolique, ou d'un autre penseur quelconque.

A. Méhat [2] nous offre des remarques pertinentes sur le sens de la *paradosis* chez Clément, affirmant que le terme a chez lui la même signification qu'il avait chez les philosophes, celle de la transmission d'une doctrine de maître à disciples, d'un enseignement ou d'un apprentissage [3]. La gnose constitue ce corpus d'idées, communiqué de personne à personne. Dans ce cas, il est resté oral jusqu'à Clément, ce qui explique son plaidoyer pour la nécessité d'écrire, au début du premier *Stromate*.

> Mais faut-il refuser à tout le monde, ou n'accorder qu'à certains le droit de laisser des écrits ? Dans le premier cas, à quoi servirait l'écriture ? Dans le second, l'accordera-t-on aux gens de bien, ou aux vauriens ? Il serait vraiment ridicule de récuser les écrits des hommes de bien et d'admettre les compositions des autres [4].

La notion de la transmission orale soulève plusieurs problèmes pratiques, qui sont hors de notre propos, mais il paraît vraisemblable qu'elle était soutenue par la technique employée par les philosophes, de résumer les principes dans quelques dogmes, qui constituaient le noyau de la tradition entière.

Ainsi la *paradosis* représenterait l'ensemble des thèses principales de la gnose. La tradition, communiquée oralement, est en même temps secrète : nous aurons plus loin l'occasion d'approfondir l'arcane, aussi bien que tout le thème de la vérité cachée chez Clément. Ici quelques textes sont à noter : à *Strom.* V. 10. 61. 3, il est dit que la gnose n'appartient pas à tout le monde [5], malgré l'événement révélateur du Christ. Ce point est développé, et il est clair que Clément considérait la tradition orale comme une façon de sauvegarder la vérité contre l'indiscrétion [6]. Hipparchos le pythagoricien avait le grand tort d'exposer sous

---

[1] *Strom.* VI. 7. 61. 1. Voir W. Völker, *Gnostiker* ..., p. 314 ss.

[2] *Etude...*, p. 424-5.

[3] C'est-à-dire, le concept de l'éducation qui s'effectue par συνουσία (l'association avec un maître) que nous connaissons à partir de Platon et de son opposition à la sophistique. *Politicus* 285 c etc.

[4] *Strom.* I. 1. 1. 1, trad. M. Caster, S.C.

[5] Cf. I. *Cor.* 8. 7.

[6] 62. 1-2.

forme écrite les doctrines de son maître ; en conséquence il était expulsé de l'école, et considéré comme mort du point de vue des autres disciples [1]. De même Platon, les Epicuriens et les Stoïciens gardent certaines doctrines pour les initiés : certains de leurs écrits sont employés avec une discrétion absolue [2]. Dans ce passage il y a toute une philosophie de la parole, écrite et prononcée, dont le thème central est l'inefficacité de la parole comme moyen de communication. Elle ne sait pas se défendre contre l'abus.

> Cependant nous n'accepterons pas n'importe quelle philosophie grecque, mais seulement celle dont Socrate, dans Platon, parle en ces termes : « Il y a, selon la formule courante des initiations, beaucoup de porteurs de thyrse, mais peu de Bacchants ». Il veut faire entendre par là : « Beaucoup d'appelés et peu d'élus » [3].

Une fois écrite, la parole n'est plus cachée. La gnose n'appartient pas à tout le monde, mais l'écrit est destiné à la masse [4] : Clément se voit obligé donc d'expliquer la composition des « tapisseries ». Mais le Stromatiste, en cherchant une autre voie, s'exprime d'une façon à la fois énigmatique et explicative, préservant ainsi le principe primaire de la transmission gnostique. Citant I. *Cor.* 8. 7. Clément réaffirme le principe de l'arcane, qui trouve une certaine justification néotestamentaire : « Mais tous n'ont pas cette connaissance » [5].

La Gnose et le temps

Si la gnose est l'intelligence de ce qui est, de ce qui sera, et de ce qui a été, elle possède une signification atemporelle. En effet, elle unit en elle-même les trois aspects du triptyque humain. C'est encore la notion de l'unité qui est fondamentale : nous avons déjà reconnu son importance dans le développement de la gnose, et il en va de même ici. Car la division temporelle est une forme de la multiplicité, puisqu'un moment est différent d'un autre. Le présent n'est pas le futur ; de même le passé appartient à une autre catégorie temporelle. La charité restaure le gnostique à l'« unité de la foi », unité... « qui est indépendante

---

[1] *Strom.* V. 9. 57. 3.

[2] 58. 1. ss.

[3] Multi thyrsigeri, pauci Bacchi ; un proverbe bien connu. Cf. Phédon 69. c, d. Les éditeurs anglais renvoient à Erasme, *Adagia* p. 650, qui donne une liste de ses formes différentes. Cf. *Strom.* V. 3. 17. 4-5. ; Platon *Rép.* VI. 494 a.

[4] *Strom.* I. 1. 2. 2.

[5] *Strom.* IV. 15. 97. 1.

de l'espace et du temps » [1]. Cette unité ne saurait pas admettre la fragmentation inhérente à l'existence spatiale et temporelle, parce qu'elle remonte au Logos, qui n'est pas soumis aux limites de l'existence terrestre. Dans sa prière le gnostique remercie pour le passé, le présent et le futur, qu'il considère comme déjà acquis par la foi [2].

Il y a donc une théologie du temps qui se manifeste dans cet aspect de la gnose. En *Strom.* VI. 8. 64. 1 ss., il est dit que Dieu ne respecte pas les personnes, et que cette attitude fait partie de son caractère éternel. De même sa bienfaisance n'a jamais eu ni de commencement ni de limite. Elles ne se borne pas à certains lieux ou à certaines personnes : bref, elle n'est pas partielle. Le temps, dans la mesure où il consiste en moments séparés et numérotés, porte l'empreinte de la multiplicité. Le gnostique s'entraîne dans une vie qui n'est pas assujettie à ces limites terrestres : son âme est destinée à l'immortalité [3]. Par l'instruction gnostique il apprend à voir au-delà des divisions temporelles en les réunissant.

> Et de plus nous avons la charité, quand par la foi nous sommes persuadés que le passé a été tel et quand par l'espérance nous attendons l'avenir ; car en tout la charité habite le gnostique qui sait que Dieu est un [4].

Le gnostique est amené à considérer toute l'histoire comme une unité, parce que Dieu, qui est un, domine l'histoire. Dans la mesure ou il partage l'éternel, il comprend le temps comme un. Ce thème rejoint évidemment celui de la prophétie, et nous avons déjà abordé ce concept dans la pensée de notre auteur. Un côté de la gnose est « l'intelligence de la prophétie ».

> La gnose des événements prédits montre donc une triple possibilité de réalisation, soit qu'elle se soit produite autrefois, soit qu'elle existe maintenant, soit qu'elle soit destinée à se produire dans l'avenir [5].

Le passage continue en affirmant que les extrémités temporelles sont saisies toutes les deux, par la foi. La prophétie est une, dans la prédiction et dans la réalisation, car le présent devient le passé. Elle fournit l'intelligence et des événements passés et des événements à venir.

La gnose constitue donc une perspective qui n'est pas assujettie au

---

[1] *Strom.* VI. 9. 73. 4.
[2] *Strom.* VII. 12. 79. 2.
[3] *Strom.* VI. 8. 68. 3.
[4] *Strom.* II. 12. 53. 1.
[5] *Strom.* II. 12. 54. 2.

temps [1]. Par la foi et l'espérance elle harmonise le passé, le présent et l'avenir dans une unité de connaissance. Cette position nous rappelle à nouveau que la gnose est plutôt un état d'âme, qui s'associe avec le plan intelligible. Ainsi l'âme du gnostique atteint les régions des intelligibles, dépassant les limites temporelles de la vie terrestre. En vertu de sa position supra-temporelle, le gnostique embrasse à la fois tout le déroulement de l'histoire humaine sans distinguer entre les étapes. L'avenir est à sa portée, car il partage l'éternité. La contemplation gnostique a pour objet les choses éternelles, mais en même temps elle manifeste l'éternité en elle-même.

> L'acte d'intellection tend par l'exercice à une intellection perpétuelle, et cette intellection perpétuelle devenant en vertu d'un mélange sans intervalle l'être de celui qui connaît, demeure dans la stabilité d'une substance vivante [2].

En somme, la gnose parfaite est atemporelle : elle fournit à celui qui est encore lié au temps le moyen de le dépasser.

---

[1] E. F. Osborn. *Philosophy...*, p. 165, expose le rapport entre la charité et l'atemporalité en citant des lignes de T. S. Eliot (*Four Quartets*, London 1944):
Love is most nearly itself
When here and now cease to matter.
[2] *Strom.* IV. 22. 136. 4.

CHAPITRE X

L'HOMME, IMAGE DE DIEU

Existe-t-il une relation naturelle entre l'homme et Dieu ? Question bien importante pour l'histoire de la théologie chrétienne, comme en témoigne la bibliographie de cette question, car elle entre dans toute la controverse qui entoure l'Arianisme. Elle constitue aussi une vraie préoccupation clémentine : effectivement notre auteur avait constaté que la religion grecque était remplie de références à la ressemblance de l'homme avec Dieu. Les poètes, remarque-t-il, appellent les êtres humains semblables aux dieux par la beauté, les égaux de Dieu ; « plus loin ils leur donnent une sagesse égale à celle de Jupiter ». Toutes ces indications amènent Clément à supposer que les spéculations païennes se fondaient sur une lecture, plus ou moins superficielle et incomplète du texte de Genèse : les auteurs profanes « mordillaient » ainsi (περιτρώγοντες) la phrase « à l'image et à la ressemblance de Dieu » [1].

Sa propre position est parfois énigmatique et confuse, comme la formule au début du 3ᵉ livre du *Pédagogue* : « Si l'on se connaît, on connaîtra Dieu ». Ce texte a provoqué certains auteurs à voir l'influence valentinienne ; Clément aurait adopté la notion de la consubstantialité entre l'homme et Dieu. Nous serons amenés à rejeter cette interprétation, mais il reste nécessaire d'expliquer le principe de la connaissance de Dieu par la connaissance de soi-même. Il est de nouveau affirmé (*Péd.* II. 1. 1. 3) que par cette connaissance de soi, on est amené à une appréhension (κατάληψις) de Dieu. Se connaître en ce sens n'est pas une illumination soudaine et claire, mais (comme le signale A. Méhat) [2] c'est l'effet d'une étude [3] : le passage suivant renforce ce point de vue.

> Son sens (sc. de la maxime) est un encouragement à poursuivre la connaissance secrète. On ne saurait connaître la partie sans connaître l'essence du tout,

---

[1] *Strom.* IV. 26. 171. 4.

[2] *Etude...*, p. 453.

[3] Un passage du *Protreptique* parle de la connaissance l'homme comme une illumination (XI. 115. 4). Cela peut être métaphorique : « les rayons de la gnose » illuminent et manifestent l'homme intérieur.

donc il faut s'inquiéter de l'origine du monde, qui nous permettra de pénétrer la nature de l'homme [1].

La connaissance de l'homme suppose la connaissance de tout le mystère de la création : c'est l'étude du tout qui fournira la compréhension de la partie. Cependant la nature de l'homme représente plus qu'un petit détail, traité à la fin d'une longue étude ; l'homme a un rôle unique dans la création. Le texte de Genèse (I. 26) sur l'homme à l'image et à la ressemblance de Dieu est sous-jacent à toute discussion sur la signification de l'homme, et c'est à partir de là que nous essayerons d'éclairer l'attitude de Clément sur ce problème.

Un thème qui fait appel au concordisme clémentin, l'idée de l'homme à l'image de Dieu constitue un élément fondamentale dans l'anthropologie de notre auteur. Le texte suivant nous plonge dans le problème de la connaissance : il soulève l'interprétation de certains passages très peu étudiés :

> Déjà un peu plus mystérieux est le « connais-toi toi-même » qui vient de ce texte : « Tu as vu ton frère, tu as vu ton Dieu » [2].

Ici Clément suggère, non sans hésiter, qu'il y a un élément divin chez l'homme, qui lui permet de connaître le divin : la même notion se trouve en *Strom.* 1. 19. 94. 4 ;

> Mais le divin apôtre l'écrit de nous-mêmes ! « Nous ne voyons, pour le moment que comme dans un miroir », nous nous connaissons nous-mêmes par le rayon qui vient se refléter contre lui, et nous contemplons autant qu'il nous est possible, la cause efficiente [3] d'après l'élément divin qui est en nous-mêmes. « Tu as vu ton frère, est-il dit, tu as vu ton Dieu ».

Ce passage est assez curieux : ce que nous voyons dans le miroir, c'est nous-mêmes. La contemplation de l'homme nous offre une vision (partielle) du divin. L'exégèse du verset I *Cor.* 13. 12 constitue un thème presque aussi important que celui du texte de Génèse 1. 26, et il mérite une étude approfondie. Ici nous nous contenterons de rappeler les textes qui jettent quelque lumière sur nos deux citations.

Le rapprochement entre la vision « dans un miroir », et l'homme comme image de Dieu est fait encore une fois dans les *Excerpta* (15. 2). Malheureusement le Mss. ne permet pas une lecture certaine (voir le

---

[1] *Strom.* I. 14. 60. 3. Il s'agit du « connais-toi toi-même ».

[2] *Strom.* II. 15. 70. 5. La même citation « scripturaire » se trouve chez Tertullien, *De Orat.* 26 : Vidisti fratrem tuum, vidisti Dominum tuum.

[3] τὸ ποιητικὸν αἴτιον.

commentaire de Casey), mais il est dit au moins que la forme est connue par la forme, et la face par la face. Le semblable est le principe de la reconnaissance. Nous sommes dans un domaine où la distinction facile entre le corporel et l'incorporel ne sert plus, car la reconnaissance envisagée est au plan spirituel :

De nouveau, il dit « image » dans le sens de « corps spirituels » [1].

Il est cependant malheureux que le texte ne soit pas lisible, parce qu'il aurait sans doute fourni la réponse à la question (comme le signale Casey) soulevée en 11, 2 :

πρόσωπον δὲ τοῦ ἀσχηματίστου πῶς ἂν εἴη ;

Les autres commentaires de Clément sur le texte paulinien indiquent que la vision « face à face » signifie une contemplation intellectuelle, d'une intelligence pure et incorporelle [2] ; ou par la bienheureuse vision du gnostique, absolument pure et brillante dans sa clarté [3]. On est sans doute justifié à supposer que cette connaissance s'arrêtera au Logos — qui est le πρόσωπον du Père. En tout cas la vision obscure, celle du miroir, est celle des sens : c'est la perception au niveau physique. Si l'on espère comprendre tout à la manière de ce qui est palpable (αἰσθητῶς), c'est s'éloigner de la vérité : voilà pourquoi l'apôtre compare nos perceptions aux reflets d'un miroir [4]. Comme d'habitude, la perception sensible est liée aux limites de la chair, qui, par ses affections et par ses appétits nous empêche de voir clair [5].

On revient donc à la cause efficiente : notre perception de nous-mêmes et de nos frères est obscure, car en contemplant l'être humain nous ne voyons que la cause efficiente. Ce terme s'explique dans le huitième *Stromate* [6], pas aussi clairement que l'on le souhaiterait, dans le passage aristotélicien/stoïcien sur la causation. Utilisant l'exemple d'une statue, Clément distingue quatre sortes de causes relatives à l'existence de l'objet : la matière ; la forme imposée à la matière ; le but de la construction (c'est-à-dire, dans ce cas, rendre hommage à quelqu'un) ; et la cause efficiente qui est le sculpteur lui-même. Autre-

---

[1] *Excerpta* 15. 2. Voir J. Pépin, *Théologie Cosmique...* p. 314, sur la « spiritualité relative » de la nature angélique. Les démons ne sont incorporels que par rapport aux corps terrestres.

[2] *Strom.* V. 11. 73. 4 ss.

[3] *Strom.* VII. 3. 13. 1.

[4] *Strom.* V. 1. 7. 5.

[5] *Strom.* IV. 3. 12. 2.

[6] IX. 25. 1 ss.

ment dit, le sculpteur (la cause efficiente) est la cause par laquelle (δι᾽ ὅ) [1] l'hommage est rendu à la personne en question. Ce qui ressort de cette distinction est d'un intérêt capital, car le concept de l'homme comme cause efficiente complète les autres textes sur l'homme comme image de Dieu. La matière est formée : la statue est faite par la main de l'homme, qui est ainsi une image du Dieu créateur.

Deuxième point : ce chapitre souligne le lien entre la cause et l'effet. Il est impossible, par exemple, de séparer la statue et son créateur, ou la statue et son but. La forme de la statue sort de la main de son créateur ; la forme implique une action créatrice. Cette perspective nous permet de comprendre les nombreuses références de Clément au *sceau divin* [2], dans le sens de l'image ou la forme selon laquelle Dieu crée l'homme. L'être humain porte en lui-même le sceau, l'évidence d'une main créatrice : par sa forme même, l'homme témoigne au caractère divin. L'on sait que le terme σφραγίς est imprégné de signification néotestamentaire, où il désigne le cachet divin [3] — et surtout ce qui témoigne, qui authentifie [4].

Cette interprétation du texte de la Génèse est à souligner. Cl. Tresmontant, dans son excellente introduction [5], affirme que « c'est par « l'âme » que l'homme, selon les Pères, est créé à l'image et à la ressemblance de Dieu, non du point de vue du « corps ». C'est par la liberté, par la raison, le sens moral, etc., qu'il est à l'image et à la ressemblance de Dieu ». Cependant, nous venons de montrer que Clément ne se donne pas tout à fait à l'interprétation « spirituelle » : l'homme ressemble à Dieu (non pas en tant que matière seule) mais en tant que matière formée. Le corps lui-même reflète la main divine.

D'autres passages, bien entendu, tendent à démentir la prise de position que nous venons d'exposer — ce qui ne diminue pas la présence d'un thème que nous connaissons par ailleurs — : l'image de la statue se retrouve chez Epictète [6], dans des termes qui sont très proches de ceux de Clément dans le *Protreptique* :

---

[1] *Loc. cit.* 28. 2 ; *cf.* 27. 3.

[2] Par exemple, *Quis dives...* 4a. 4.

[3] *Rév.* 9. 4. ; 2 *Tim.* 2. 19.

[4] *Rom.* 4. 11 ; cf. Paul, I *Cor.* 9. 2 ; « ... car vous êtes le sceau de mon apostolat dans le Seigneur ». Voir aussi *Eclog. Proph.* 24. Un rapprochement avec le baptême se trouve dans des écrits postérieurs ; II Clém. 7. 6. Chez notre auteur, *Quis Dives Salvetur* 42. 4.

[5] *Naissance...*, p. 52.

[6] II. 8. 12 : « Tu portes Dieu partout avec toi, malheureux, et tu l'ignores... »
18 : « En vérité, si tu étais une statue de Phidias, l'Athéna ou le Zeus, tu te souvien-

> Car nous sommes, nous, les porteurs de l'image de Dieu, dans cette statue
> vivante et animée qu'est l'homme, une image qui habite avec nous, nous
> conseille, nous tient compagnie, demeure à notre foyer, partage nos senti-
> ments, le ressent plus que nous... [1].

Voilà pourquoi on peut se faire une idée de Dieu dans la contemplation
de l'homme ;

> Ceux qui attaquent l'homme modelé et calomnient le corps ne le font pas
> avec raison ; ils ne voient pas que l'homme a été créé avec la stature droite
> pour regarder le ciel, que l'organisation des sens est ordonnée à la connais-
> sance... [2].

Un passage qui contredit directement l'interprétation corporelle se
trouve en *Stromate* VI. 16. 136. 3, où l'on apprend que la ressemblance
ne se trouve pas dans la structure corporelle de l'homme. Dieu a tout
créé par le Verbe ($\lambda o\gamma\tilde{\omega}$), et le gnostique accomplit ses œuvres par
sa faculté intellectuelle ($\lambda o\gamma\iota\kappa\tilde{\omega}$). Nous sommes en présence une fois
de plus du jeu de mots étudié par Cl. Mondésert, par lequel le Logos
est souvent mis en rapport avec la faculté « logique » de l'homme.
C'est par ses facultés spirituelles, qui proviennent du Logos, que
l'homme se rapproche du divin. Nous revenons donc sur le mot final
de Cl. Tresmontant, qui affirme de façon générale :

> Ce n'est évidemment pas par les atomes de carbone, de soufre, ou d'hydrogène,
> que l'homme ressemble à Dieu, mais par cette synthèse spirituelle qu'il est...
> La ressemblance, pour aucun être, n'est chose matérielle, mais elle est signi-
> fication [3].

Ce point de vue, qui vise à une compréhension globale des Pères, peut
s'appliquer à un aspect au moins de la pensée de Clément. *Strom.*
V. 14. 94. 4, par exemple, nous présente le triple schéma : Dieu, Logos
et intelligence, chacun étant l'image de l'autre [4]. Ce texte maintient

---

drais et de toi-même et de l'artiste, et si tu avais quelque sentiment, tu aurais soin de ne
rien accomplir qui soit indigne et de celui qui t'a fait et de toi-même, et de ne point te
montrer aux yeux des hommes dans une attitude qui ne convienne pas ». (Trad. Budé,
J. Souilhé).

[1] *Protr.* IV. 59. 2. Trad. S.C.

[2] *Strom.* IV. 26. 163. 1-2. Trad. J. Daniélou, *Message...* p. 376.

[3] *Naissance...* p. 54.

[4] L'idée de la deuxième copie remonte à Philon (voir Moore *Judaism* I. p. 449 n. 1),
qui distingue aussi entre l'homme de *Genèse* 2. 7 (corporel et animé-mortel) et l'homme
de *Genèse* 1. 26, qui est une idée, ou sceau ($\sigma\phi\rho\alpha\gamma\iota\varsigma$) (*De Op. Mundi.* 134 ss.). Ce concept
du sceau offre une spéculation intéressante sur le sens du mot chez Clément : l'homme
corporel porte le sceau — peut-être dans le sens qu'il *participe* à l'Idée de l'homme. On
soupçonne qu'un concept platonicien se cache derrière le langage biblique.

l'interprétation « spirituelle » du verset de Genèse, en rajoutant le
thème du Logos intermédiaire, qui se rapporte à deux extrêmes,
n'ayant aucun rapport entre eux-mêmes.

> Voilà pourquoi, ajoute-t-on, l'homme a été fait à l'image et à la ressemblance
> de Dieu. Car la raison divine et royale, l'homme inaccessible aux passions [1],
> est l'image de Dieu ; l'esprit humain est l'image de l'image.

De même à *Strom.* VI. 12. 97. 1, Dieu a fait l'homme à l'image de sa
propre nature, juste et saint (citation de la *Sagesse de Salomon* II.
22-23). L'aspect moral de la copie est attesté ailleurs :

> … ce qui montre clairement que nous avons un seul Pédagogue, seul véritable,
> bon, juste, fils à l'image et à la ressemblance de Dieu [2].

En somme, l'homme en tant qu'être spirituel ressemble à la source
dont il est né : en tant qu'être corporel il porte le sceau, l'ensemble des
signes irréfutables de la main de l'artisan qui l'a fait [3].

(II) L'idéal.

Est-il est possible de définir de façon précise les deux termes du
verset de Genèse, dans les allusions clémentines à ce texte ? Il s'agit
d'εἰκών et d'ὁμοίωσις : tout d'abord, il est évident que ce ne sont
pas des synonymes, car l'auteur lui-même en offre une distinction à
plusieurs reprises. La formule de J. Daniélou peut servir,

> Εἰκών souligne davantage la ressemblance avec Dieu comme constituant
> la vraie destinée de l'homme ; ὁμοίωσις marque l'aspect dynamique de cette
> perfection comme but poursuivi [4].

En bref, il s'agit d'un don déjà acquis, et d'un but à atteindre. Cependant, comme le signale cet auteur lui-même, le vocabulaire de Clément
n'est aucunement systématique en ce domaine — la distinction offerte
ne peut être que provisoire. Même le terme εἰκών, comme le signale

---

[1] ἀπαθής — terme de la morale stoïcienne. Le πάθος ne peut pas faire partie de la
nature divine, parce qu'il est associé avec les affections charnelles. Attribuer de telles
émotions au Christ, ce serait le renfermer dans les limites du devenir. En tant que Logos,
comme le remarque Th. Rüther (*Apatheia…*, p. 58), il est Seigneur : nécessairement donc,
il est ἀπαθής.

[2] *Péd.* I. 11. 97. 2. H.-I. Marrou (S.C. p. 282) souligne avec raison l'importance de
ce texte, qui applique le verset de la *Genèse* au Logos. La génération du Verbe remplace
celle de l'homme dans l'interprétation de « l'image et de la ressemblance ».

[3] R. Mcl. Wilson (S.P., Texte und Untersuchungen 63, p. 433) donne une interprétation trop étroite de l'exégèse clémentine du texte : « The phrase κατ᾽ εἰκόνα καὶ ὁμοίωσιν
refers not to the body but to mind and reason ».

[4] *Message évangélique…* p. 375.

W. Völker [1], est étroitement lié à l'idée du progrès moral. Le but du gnostique est de développer son image afin qu'elle devienne parfaitement assimilée.

A *Strom.* II. 22. 131. 5-6, en effet, l'image constitue le don du créateur. Il appartient à l'homme en tant qu'homme. La *homoiosis* (qu'il faut plutôt traduire par « ressemblance » ou par « assimilation ») représente un don futur, de caractère eschatologique [2]. G. Lazzati [3] signale une citation du *Théétète* de Platon (176 b), dans laquelle il est dit qu'on doit s'assimiler à Dieu le plus possible [4].

Il est assuré que le terme *homoiosis* désigne un état plus élevé que celui de l'image. Dans le vocabulaire des *Excerpta* [5], la ressemblance est réservée pour l'homme qui est inspiré du créateur, qui possède une nature consubstantielle à Dieu. L'homme à l'image possède un être d'ordre inférieur, comme celui des animaux. Ailleurs [6] la distinction entre les deux termes est axée sur un plan moral. Il est possible de choisir la bonne voie par crainte ou par désir de récompense : ce mode d'obéir aux commandements du Seigneur est inférieur, car il provient d'un esprit imparfait. C'est de l'imitation [7]. D'autre part, celui qui choisit par la « connaissance » vit selon la ressemblance — sa motivation est beaucoup plus pure. Il s'agit d'une différence d'ardeur, dans les deux cas : différence, dans l'exemple clémentin entre ce qui brûle, et ce qui est éclairé par une lumière extérieure.

Le désir de s'assimiler à Dieu représente le vrai τέλος, [8] le but le

---

[1] *Gnostiker...* p. 114.

[2] Cf. J. Meifort, *Der Platonismus bei Clemens Alexandrinus*, p. 83, qui met l'idéal de l'assimilation dans le contexte de la régénération. « Das 'neue' Leben » ramène l'âme plus près de sa source : c'est donc un but pour l'immédiat, qui n'est cependant pas atteint pendant la vie terrestre.

[3] *Introduzione allo studio di Clemente Alessandrino*, p. 60. L. souligne la séparation de la chair qui s'impose dans l'idée chrétienne de l'assimilation : il n'est pas nécessaire de dire que cette notion ne se trouve pas chez Platon.

[4] Cf. : « Nous suivons le Sauveur en rendant notre vie semblable à la sienne (ὁμοίως), en essayant de régler et d'embellir nos âmes devant le Seigneur, comme devant un miroir ». *Quis Dives* 21. 7.

[5] 50. 1. Voir *Strom.* IV. 13. 90. 3 sur la gnose valentinienne, selon laquelle un esprit différent, inconnu du créateur, était implanté dans l'homme « à l'image » au moment de sa création.

[6] *Strom.* IV. 6. 30. I ss.

[7] Stählin renvoie à Platon, *Rép.* X. 597 e ss. : « der μιμητής ist τρίτος ἀπὸ τῆς ἀληθείας ».

[8] H. Merki, *ΟΜΟΙΩΣΙΣ ΘΕΩ* p. 44 ss., donne les devanciers de Clément pour la notion de la *homoiosis* comme idéal chrétien : notamment un fragment très platonicien de Justin (Ed. J. C. Th. Otto, Iena 1843, II. p. 556).

plus élevé de l'être humain Cet idéal est souvent associé à la notion de *l'apatheia*, l'état d'être libéré des passions, une sorte d'immobïlité d'âme. Dans son excellent article, S. Lilla [1] montre que Dieu est souvent caractérisé comme ἀπαθής, et qu'il s'ensuit que l'idéal de la *homoiosis* se lie très étroitement avec cette notion. L'homme doit viser à contenir ses désirs charnels et ses passions afin d'atteindre à cet état d'impassibilité dont l'exemple parfait est le Christ. Lui, en tant que Pédagogue nous apprend à modifier nos πάθη selon le modèle qu'il fournit en lui-même [2]. Le Logos, dans son rôle d'intermédiaire, transpose l'impassibilité du Père dans une forme susceptible d'être comprise et imitée par l'homme. Dieu est sans besoin, sans passions et émotions — les dieux de Psaume 81. 6 deviennent ceux qui ont rejeté (dans la la mesure du possible) ce qui est humain [3]. On constate un concept négatif de la vertu, qui consiste en l'abandon progressif des choses basses afin de s'approcher de la vie de Dieu, la vie sans passions [4]. L'homme n'a qu'à se débarrasser du poids temporaire du corps et de ses désirs pour devenir, en quelque sorte, divin. Enfin, un caractéristique du divin est l'unité, et la condition d'apathie constitue une sorte d'unité; l'âme n'est plus divisée par ses instincts contradictoires. Philon avait déjà effectué le rapprochement entre l'assimilation de la morale platonicienne et l'impassibilité de la morale stoïcienne; la tradition continue chez Plotin et Porphyre [5]. Clément donc constitue un chaînon important dans l'histoire de ce concept dans la tradition platonicienne.

En résumé : l'image de Dieu est le Logos, et l'image du Logos est l'homme. L'homme, synthèse spirituelle et matérielle, garde en luimême le sceau de son créateur. Fait à l'image de son Dieu, l'homme reflète l'esprit de l'artisan divin. Son but moral est de perfectionner cette image jusqu'à ce qu'elle devienne l'assimilation parfaite à son modèle.

---

[1] *Middle Platonism...*, p. 33. Ses références : *Strom.* II. 8. 40. I ; II. 16. 72. 2. ; II. 18. 81. 1 ; IV. 23. 151. 1 ; V. 4. 24. 2 ; VI. 9. 73. 6 ; VI. 16. 137. 4.

[2] *Strom.* V. 94. 5, par exemple.

[3] *Strom.* II. 20. 125. 5.

[4] *Strom.* III. 10. 23-25.

[5] *De Fuga et Inv.* 63. ; *Opif. Mundi.* 144 ; *Enn.* I. 2. 3 ; *Sent.* 32. 3.

C. ASPECTS CULTURELS

CHAPITRE XI

LA CONTRIBUTION DE LA CULTURE PROFANE

Clément se situe bien dans le courant syncrétiste ou concordiste de son époque : nous avons vu, dans la première partie, l'étendue de ce mouvement intellectuel. Il nous faut maintenant examiner l'importance qu'accorde Clément à cette évolution vers le comparatisme.

Car il s'agit bien des débuts de l'histoire comparée des religions, telle que nous la connaissons, et l'emploi clémentin de cet instrument de recherche n'est nullement négligeable. Bien au contraire, notre auteur représente l'un des défenseurs les plus anciens de la théorie, qui se manifeste comme principe fondamental de son explication du phénomène chrétien. On connaît bien le comparatisme de notre siècle : celui d'Angus [1], de Loisy [2], de Reitzenstein [3] par exemple, qui veulent comprendre le christianisme par rapport aux mystères de la même époque ; on connaît aussi le structuralisme des mythologues contemporains [4]. Or le comparatisme de Clément est bien plus naïf (si l'on ose prendre la pensée contemporaine comme normative) que celle de notre ère : pour lui *ressemblance* signifie *influence* [5]. Ainsi notre auteur éprouve le besoin de postuler un contact historique entre Platon et les écrits de Moïse, par exemple, afin de se permettre de signaler les idées communes à tous les deux. Nous verrons aussi que la théorie du plagiat constitue un effort pour fausser l'histoire afin de mettre en valeur les concepts communs que Clément croyait distinguer dans les religions de son temps.

En tout cas, c'est sous cette forme que Clément (aussi bien que Philon)

---

[1] *The Mystery-religions and Christianity*. A Study in the Religious Background of Early Christianity, New York, 1928.

[2] *Les Mystères païens et le mystère chrétien*, Paris 1930.

[3] *Die hellenistischen Mysterienreligionen nach ihre Grundgedanken und Wirkungen*, Leipzig, 1927.

[4] Voir C. Lévi-Strauss, *Anthropologie Structurale*, ch. XI, par exemple (Paris 1958).

[5] Voir J. Pépin, *Les Deux approches du christianisme*, Paris 1961, p. 18 ss., qui conclut que l'observation d'un symbolisme analogue dans deux contextes différents ne prouve nullement l'influence de l'un sur l'autre, mais il témoigne plutôt d'un archétype commun à l'esprit humain.

nous présente son comparatisme, et il est important d'en examiner le fond puisqu'il constitue la clef de son emploi de la culture comme source d'idées.

La κοινὴ ἔννοια.

Notre auteur est tout à fait prêt à appeler le christianisme une philosophie — « la vraie philosophie » [1]. Mais tout ce qui est de la philosophie n'est pas authentique : en conséquence il faut choisir ce qu'il y a de valable dans des écoles différentes [2]. Voici l'éclectisme, qui refuse d'accorder le monopole de la vérité à une secte ou à une école philosophique. L'éclectisme se fonde sur une notion syncrétiste de la pensée humaine, qui suppose une base commune à toute structure religieuse. Il y a donc, selon Clément une conception naturelle (φυσικὴ ἔννοια), une supposition (πρόληψις) [3], qui doivent leur origine à l'intellect commun (κοινὸς νοῦς). Cette communauté de conception se manifeste dans la morale humaine, car il y a une sainteté naturelle chez les païens qui, selon Paul, n'ayant pas la loi, accomplissent naturellement ce que la Loi commande ; « ils se tiennent lieu de loi à eux-mêmes » [4]. Dieu a accordé ce don à sa création.

> Dieu nous a fait sociables (κοινωνικοὺς) et justes par nature. Mais ce n'est pas à dire que la justice se manifeste en nous du seul fait qu'elle a été déposée en nous : c'est grâce au précepte divin, comprenons-le, que le bien latent dans la création s'anime, quand l'âme a été formée, par apprentissage, à choisir le meilleur parti [5].

Dans ce passage le don de la sainteté est accordé à tous les peuples ; loin de rendre les commandements inutiles, ce fait fournit la base des commandements. La sainteté est naturelle : les commandements font appel à cette capacité, puisqu'ils peuvent la stimuler et la perfectionner.

Mais le côté moral de la conception commune est plus clair que l'aspect intellectuel [6]. Le problème de la philosophie est à considérer à part, mais pour ce qui est de la théologie, de même que tous les hommes possèdent un sens de la justice, de même une idée de Dieu est présente

---

[1] *Strom.* III. 18. 110. 3.

[2] *Strom.* I. 7. 37. 6. Voir la discussion de W. Völker, *Gnostiker...*, p. 338-339.

[3] K. Prümm (*Glaube und Erkenntnis...*, p. 36) note la source stoïcienne de la notion des ἔννοιαι, terme qui chez Clément sert comme synonyme de la πρόληψις. Voir J. Scherer, *Klemens von Alexandrien...*, p. 53 ss.

[4] *Rom.* 2. 14 ; *Strom.* I. 19. 95. 3.

[5] *Strom.* I. 6. 34. 4. ss.

[6] *Strom.* I. 19. 94. 2. Ce texte prend la « justice naturelle » comme une évidence, à partir de laquelle on peut s'adresser au problème plus difficile de la pensée commune.

dans la religion de tous les peuples. Aucune race, aucune classe, que ce soit des agriculteurs, des nomades ou des citadins, ne peut vivre dans l'absence d'un concept d'un être supérieur. Les gens du nord et du sud, de l'est et de l'ouest manifestent la même supposition (πρόληψις) vis-à-vis de Celui qui a tout disposé selon son propre plan. Dieu est connu par une puissance innée, qui appartient à tout homme [1].

Clément s'efforce de montrer que l'homme possède une certaine prédisposition à la connaissance de Dieu, afin de souligner la justice de Dieu. Son anthropologie requiert que l'homme soit considéré comme « une plante céleste » (οὐράνιον φυτόν) [2], fait pour la contemplation des cieux, destiné à la connaissance de Dieu [3]. L'universalité de cette révélation préliminaire est donc soulignée : « car tous les hommes, en général, ont reçu l'émanation divine (ἀπόρροια) » [4].

Dieu n'appartient pas qu'aux Juifs, car il est le Seigneur de tout homme [5]; nous avons déjà constaté que Clément, comme le Stoïcien considérait l'existence du soleil, de la lune et des astres comme un signe universel de l'existence de Dieu. Tous ont été illuminés par la Lumière [6].

Le concept du Dieu purement intelligible est une des données de cette révélation. Toutes les sagesses sont familiarisées avec cette notion, de Numa (le roi « pythagoricien ») et des Egyptiens aux Grecs [7], des Assyriens aux Druides de Gaule, des sages de la Perse à ceux de l'Inde [8]. De toutes ces races, bien entendu, le peuple juif est le plus ancien, occupant une place d'honneur comme source de la vraie philosophie [9]. Au centre de tout ce courant de pensée se trouve le personnage unique et privilégié de Moïse [10].

Les Grecs, principalement les disciples de Pythagore et de Platon, possédaient ce don peut-être à un degré plus élevé que les autres peuples. En tout cas, ils occupent, avec les Egyptiens, la première place dans les

---

[1] *Strom.* V. 14. 133. 7. Dieu est saisi ἐμφύτως καὶ ἀδιδάκτως. Cf. W. Völker, *Gnostiker...*, p. 339 : « Sie (sc. die Philosophie) ist gleichsam eine « natürliche » Religion, die jedem Menschen infolge des göttlichen ἐμφύσημα eignet ».

[2] Cf. Platon *Tim.* 90 a : *Protr.* II. 25. 4.

[3] *Protr.* IV. 63. 4 : X. 100. 2.

[4] *Protr.* VI. 68. 2.

[5] *Protr.* VI. 68. 2. Le Christ et ses apôtres prêchaient l'Evangile à toutes les nations dans l'Enfer.

[6] *Strom.* I. 13. 57. 1.

[7] Les Grecs, semble-t-il, étaient un peu arriérés dans leur saisie de cette notion : nous nous apercevons de l'ambivalence de l'attitude clémentine envers les Grecs.

[8] *Strom.* I. 15. 71. 3 ss.

[9] 72. 4.

[10] 73. 6.

intérêts païens de notre auteur. Ils possédaient une conception naturelle de ces choses : la chose allait de soi parce que Dieu est le créateur de la nature. En soulignant qu'ils profitaient de l'intellect commun, Clément nous invite à considérer qui est l'auteur de cet intellect, et à considérer la justice qui se manifeste dans la distribution de ce don commun [1].

Mais à la suite de cette discussion du don commun de la connaissance de Dieu, la question de l'utilité de la révélation se pose. Clément est bien obligé de reconnaître que tout le monde n'atteint pas la même hauteur : l'émanation divine était implantée dans tous les hommes, mais particulièrement dans ceux qui passent leur vie dans la pensée. Il se trouve donc qu'il y a des degrés dans cette connaissance, comme nous avons déjà constaté dans le cas de la foi. Il semble que Clément voulait souligner la possibilité que tout homme connaisse pleinement la Vérité ; que sa nature même le dirige vers cette Vérité ; et que l'échec de l'intellect représente une déformation de sa propre nature. La capacité d'être sauvé est accordée à tout homme, mais seulement certains en profitent. Comme dans la notion de la double foi, Clément ne tâche pas de distinguer *a priori* entre une classe privilégiée et une classe plus limitée : la capacité de croire est accordée à tout le monde mais le niveau de réussite est inégal. Ainsi la révélation du Verbe sert à animer une faculté, peut-être latente, de l'intellect humain. La justice naturelle est stimulée et rendue active par les commandements. Il en est de même à l'égard de la connaissance. Clément ne veut pas nier l'existence de la base naturelle, mais l'enseignement achève cet état primitif de la connaissance.

> Certes, on peut vivre honnêtement dans la pauvreté, mais on le peut aussi dans l'abondance... [2].
> Il y a donc dans la philosophie aussi, qui fut volée comme par un Prométhée, une parcelle de feu qui peut donner de la lumière si nous l'attisons comme il faut : c'est une trace de sagesse, une incitation à s'occuper de Dieu [3].
> Donc « ces yeux des aveugles qui s'ouvrent », c'est la connaissance claire du Père par le Fils, c'est là le sens profond de la périphrase grecque [4].

---

[1] *Strom.* I. 19. 94. 2-3. Cf. les remarques de Molland, *Clement of Alexandria...* p. 68, qui critique la traduction de Wilson dans l'Edition des *Ante-Nicene Christian Fathers* (qui suit le texte de Potter). Molland adopte la leçon de Stählin, et traduit afin de faire ressortir la notion de la justice dans le don de l'intellect commun.

[2] *Strom.* I. 6. 35. 4. Comme le signale W. Völker, *Gnostiker* p. 281, Clément va assez loin dans son appréciation de la προπαιδεία : même la vertu peut être apprise : voir le texte cité, et I. 3. 23. 13.

[3] *Strom.* I. 17. 87. 1.

[4] *Strom.* I. 19. 92. 2. τῆς περιφράσεως τῆς Ἑλληνικῆς : « Le sens profond de la

Ces textes sont destinés à éclairer la fonction de la révélation chrétienne par rapport à la révélation générale, par l'emploi de métaphores différentes. L'étincelle s'enflamme : la pauvreté devient l'abondance. Le langage n'apporte pas les précisions des théologies postérieures sur la relation de la grâce et la connaissance naturelle de Dieu, mais le thème est plus ou moins clair. Il y a chez l'homme une conception commune, qui provient de l'intellect commun [1] : cette faculté est susceptible d'être perfectionnée dans la contemplation gnostique.

Cependant Clément n'est pas tout à fait à son aise avec la notion de l'intellect commun. Certains passages semblent contester l'idée que tout homme est également doué de cette faculté, bien que cet élément soit incontestablement présent dans la pensée de notre auteur. Il fournit, par exemple, la justification de l'éclectisme, dont les conséquences méthodologiques seront examinées. Mais il est évident que Clément voulait en même temps signaler la primauté du peuple juif, et de Moïse en particulier. Il est donc amené à affirmer que la partie de la vérité qui se trouve dans la pensée païenne remonte à cette source, et que sa présence dans les écrits profanes est le résultat d'un emprunt. De même que Prométhée vola le feu, les Grecs (entre autres) profitèrent de la vérité révélée au peuple juif.

La théorie du plagiat

Thème de l'apologétique clémentine, cette notion se décrit bien par le mot péjoratif « plagiat », car dans sa perspective il s'agit bien d'un vol de la vérité. Cependant, comme instrument d'attaque, ce concept est bien curieux : il est le fruit même du comparatisme. Pour pouvoir plaider le plagiat, il faut admettre l'existence d'un terrain commun entre la pensée juive et celle des Grecs. Paradoxalement, accuser les Grecs d'avoir exploité les idées de Moïse, c'est reconnaître la valeur de leur propre pensée. Ainsi la théorie du plagiat va de pair avec le comparatisme : elle peut même être considérée comme moyen de concilier la κοινὴ ἔννοια avec la notion de la primauté de la religion juive. La méthode de Clément est profondément éclectique, et la

---

périphrase grecque » semble se référer à *l'agnostos theos*, au debut du chapitre. Clément veut dire aussi que toute la pensée grecque est une périphrase. Cf. 91. 5.

[1] Cette idée se rapproche de l'idée de la structure archétypale, qui se manifeste dans toutes les cultures, sous des formes variables. L'homme est conçu comme *véhicule* de ces structures communes : on pense aux mots de J.-M. Domenach : « Je ne pense pas, je suis pensé, je ne parle pas, je suis parlé ; je n'agis pas, je suis agi ». (*Le système et la personne*, Esprit (Mai 1967), p. 772).

théorie du vol de la vérité peut justifier ce concordisme. Les traces universelles de la vérité découlent de la même source.

Voilà ce qu'il y a de naïf dans le comparatisme clémentin, puisque ressemblance (selon les termes de M. Pépin) [1] implique influence. La notion du *nous* commun est bien plus proche de la pensée moderne, mais elle est parfois remplacée chez Clément par la thèse d'un contact *historique* entre les Juifs et les autres peuples. Dans son excellent article [2] Molland remarque que la notion en question « est plutôt indigne d'un penseur comme Clément », sans oublier néanmoins l'emploi de la thèse de la dépendance historique chez certains historiens du 19e siècle. A titre d'excuse, Molland rappelle, avec raison, que Clément disposait de manuels littéraires tout à fait différents des nôtres. Effectivement, il serait intéressant de pousser plus loin l'examen de cette thèse dans la pensée de Clément. Notre propre suggestion, qu'elle avait pour but la conciliation de la méthode concordiste avec la primauté du peuple juif, n'est que partiellement satisfaisante, car la notion de la dépendance historique se trouve aussi dans les syncrétismes de Plutarque. Il est donc vraisemblable qu'il y a une explication plus générale.

> Tous ceux qui sont venus avant moi sont des voleurs et des brigands [3].

Ce texte johannique résume la théorie du plagiat. Les prophètes cependant n'étaient pas des voleurs, prenant le rôle des serviteurs. C'était peut-être un ange, ou une puissance quelconque qui, connaissant les fins des choses, effectua ce vol. Mais par sa propre Providence, Dieu a incorporé cet acte dans son propre dessein pour le monde·

> ... car il y avait alors quelque utilité à ce que ce vol parvînt aux hommes : non que le voleur ait eu en vue l'intérêt des hommes ! — mais la Providence, elle, voulait faire tourner à notre avantage ce criminel coup d'audace [4].

[1] Voir la page 158, note 5.

[2] *Clement of Alexandria...*, p. 63.

[3] *Jean* 10. 8.; *Strom.* I. 17. 81. 1.

[4] *Strom.* I. 17. 81. 5 ss. Dans le passage suivant une toute autre question est étudiée, l'argument dirigé, semble-t-il, contre l'épistémologie des philosophes qui nommeraient Dieu comme *cause* de cet acte. A. Méhat, *Etude...*, p. 325, suggère que Clément se justifie plutôt contre le dualisme des valentiniens et des marcionites, en affirmant le rôle tout-puissant de la Providence. Le passage constitue certainement un refus du dualisme, mais Clément s'adresse surtout au problème philosophique posé par la définition de la cause. Certains affirment que le fait de ne pas empêcher un acte criminel est une cause de l'acte : celui qui n'éteint pas l'incendie au début est la cause des dommages qui en résultent. En revanche, Clément maintient que seule l'activité peut être causative : l'absence de l'activité ne peut pas être appelée une cause. Cette prise de position est de

Voilà donc la première hypothèse sur l'origine du plagiat. C'est, en effet, le diable qui a révélé le secret divin, répandant dans son enseignement, transmis par les faux prophètes, un amalgame de vérité et de mensonge [1]. Les opinions et les puissances de ceux qui se sont révoltés sont partielles (μερικαί), c'est-à-dire qu'elles ont rompu avec l'Unité. Mais la plus grande œuvre de la Providence est d'avoir mené ce méfait à une bonne fin, toujours selon le dessein du Père [2].

Parfois la thèse de l'origine diabolique [3] du plagiat est supprimée en faveur d'un vol direct de la part des autres peuples : parfois la question reste ouverte, comme dans cette phrase : « Toutes ces doctrines, dont on vient de parler, semblent avoir été transmises depuis le grand Moïse jusqu'aux Grecs » [4]. L'emploi du passif évite de se prononcer directement sur la question. Cependant la thèse principale est celle du vol pratiqué au niveau humain — position peut-être durcie par son usage apologétique. Ainsi en *Strom.* I. 20. 100. 5, il est dit qu'une partie de ce qu'ils ont volé est vraie : ces idées sont connues de façon conjecturale et exploitées jusqu'à leur plus grande utilité par le raisonnement nécessaire. Mais en devenant disciples, ils *connaîtront* (ἐπιγνώσονται).

Avant de discuter pleinement du plagiat, Clément affirme qu'il est d'abord nécessaire de démontrer l'ancienneté de la philosophie juive : ainsi il entreprend dans le chapitre 21 du premier *Stromate* de donner une démonstration d'histoire littéraire sur la primauté de la pensée juive, en s'appuyant sur les discussions précédentes de Tatien et de Cassien. Cette discussion est longue et détaillée : elle est suivie, au cha-

nouveau affirmée en *Strom.* VIII. 9. 27. 6 ss. Voir R. E. Witt, *Albinus...* p. 31-41 sur les sources de cette philosophie de la cause. Nous faisons remarquer, avec E. F. Osborn, *Philosophy...* p. 153, que la distinction entre l'acte causatif et l'acte non-préventif est fondamentale dans la théodicée clémentine. Cette distinction représente un instrument important dans la solution du problème du Mal.

[1] *Strom.* I. 17. 85. 3.

[2] *Strom.* I. 17. 86. 2.

[3] A *Strom.* VI. 8. 66. 1 Clément apporte des modifications à la thèse de l'origine diabolique, citant le texte de II *Cor.* 11. 14 afin de prouver qu'au moment où il donna la philosophie le diable parlait temporairement en tant qu'ange. Notre auteur se manifeste toujours peu soucieux du sens littéral des mots, en entendant le verbe néotestamentaire μετασχηματίζεσθαι comme « être transformé », au lieu de « se déguiser » (cf. le lexique Bauer : Arndt et Gingrich). En tout cas, la transformation momentanée du diable explique le fait que les philosophes aient saisi certains aspects de la vérité.

[4] *Strom.* II. 5. 20. 1. Cf. *Strom.* I. 16. 80. 5 : les uns affirment l'origine diabolique de la philosophie hellénique, les autres que certaines puissances célestes l'ont accordée à à ce peuple.

pitre 22, d'une discussion de la date de la traduction en Grec de la Bible, et dans le courant de cette discussion nous lisons la célèbre remarque de Numénius : « Qu'est-ce que Platon sinon Moïse parlant grec ? » [1]. Il n'est pas clair quelle explication Numénius aurait adoptée du rapprochement qu'il fait [2], bien qu'il y ait d'autres textes parmi ses fragments qui confirment cette prise de position concordiste. Nous savons, par exemple, qu'il s'efforçait d'interpréter les écritures juives par rapport à la pensée de Platon [3], par un emploi fréquent des prophètes [4]. Il est même possible que la phrase ὁ μέν γε ὤν [5] reflète la définition que donne Dieu de lui-même en Exode 3. 14 : Ἐγώ εἰμι ὁ ὤν (dans la traduction des Septante) [6]. Quoiqu'il en soit, le personnage de Numénius semblait jouir d'une position unique à l'égard des deux camps : d'une part Origène manifeste une certaine sympathie pour sa pensée [7]; d'autre part Porphyre, qui l'utilisait peut-être comme source [8], conserve un exemple de son interprétation allégorique [9].

Clément poursuit son analyse historique avec la vie de Moïse, et termine par un effort d'expliquer son rôle dans des termes empruntés au *Politicos* de Platon : Moïse tend à devenir aussi, dans l'analyse clémentine, le roi-philosophe de la *République*;

> Voilà donc notre Moïse : prophète, législateur, tacticien, stratège, politique, philosophe. Comment était-il prophète, nous le dirons plus loin, quand nous traiterons de la prophétie. La tactique, elle, fait partie de la stratégie et de l'art royal, au même titre que la science du juge [10].

Au debut du chapitre 25, il est dit que Platon s'inspirait des écrits de Moïse dans sa composition du *Politicos* et qu'il condamna la politique de Minos et de Lycurgue suivant les principes plus élevés de l'auteur juif.

Il est à remarquer qu'ici Clément revient sur la thèse de la dépen-

---

[1] *Strom.* I. 22. 150. 4.

[2] Voir J. Whittaker, *Moses Atticising...*, p. 200.

[3] Fr. 9 a Leemans.

[4] Fr. 9 b.

[5] Fr. 22.

[6] A. J. Festugière affirme que Numénius rappelait le mot des Septante dans sa propre phrase (*Révélation...* III, p. 44, n. 2) : son point de vue est confirmée par J. Whittaker (*Moses Atticising...*), J. H. Waszink (*Porphyre*, Entretiens Hardt 12, p. 35 ss.), et P. Merlan, (*The Cambridge History...* p. 96 ss.). La position opposée est prise par E. R. Dodds (*Les Sources de Plotin*, Entretiens Hardt 1960, p. 15).

[7] Fr. 32. 19.

[8] Cf. J. H. Waszink, *op. cit.*

[9] Test. 46, Leemans.

[10] *Strom.* I. 24. 158. 1 ss.

dance historique, puisque les écrits de Platon sont considérés comme tributaires de ceux de Moïse. En deuxième lieu, le raisonnement qu'emploie notre auteur est assez bizarre. Sa première démarche est de remettre Moïse tout à fait dans le moule platonicien : ayant ainsi retouché quelque peu la physionomie du patriarche juif, il continue en faisant remarquer les parallèles frappants entre ce personnage et celui envisagé par Platon. Dans son apologétique, Clément se bat sur un terrain choisi par l'ennemi : c'est ici que l'équivocité de la théorie du plagiat se manifeste. Ce n'est finalement pas pour diminuer la valeur de la littérature grecque que Clément se sert de cette théorie ; sa version de l'histoire de Moïse, foncièrement grecque [1], trahit son souci d'emprunter un peu à la gloire de ce pays. Sous certaines formes, l'idée du plagiat n'est pas tellement une attaque contre la culture grecque, mais un moyen d'associer le christianisme à la « sagesse du monde ». C'est un stratagème d'argument qui s'imposait à un homme qui appartenait à deux mondes jusque là séparés, — la culture et le christianisme. C'est le langage de quelqu'un qui voulait mettre fin à cette aliénation de *logismos* et de *pistis*.

> A quoi se ramène alors l'incrédulité ($\dot{\alpha}\pi\iota\sigma\tau\acute{\iota}\alpha$) des Grecs ? C'est, en somme, à ne pas vouloir obéir à la vérité qui proclame que la Loi nous a été donnée de Dieu par l'entremise de Moïse, tout en honorant eux-mêmes Moïse à travers leurs propres traditions [2].

Notre auteur consacre les chapitres deux à cinq du sixième *Stromate* au plagiat, en démontrant tout d'abord que les Grecs avaient un penchant pour le plagiat, qu'ils le pratiquaient entre eux-mêmes. Il nous offre de nombreuses citations parallèles, dont certaines ont été capitales pour nos histoires littéraires, afin de prouver que le plagiat était une maladie endémique dans les écrits grecs. Les détails de son argumentation sont trop nombreux à énumérer ; nous nous contentons simplement de conclure sur la signification du plagiat pour la méthode de Clément.

La théorie constitue :

(a) une justification du concordisme, de la recherche des « idées communes » ;

(b) une hellénisation du christianisme, tout en prétendant être l'opposé. La conséquence de ces tendances pour la méthode de Clément sera considérée dans les pages qui suivent.

---

[1] Voir aussi le passage important à *Strom.* I. 28. 176. 1 ss. Comme le note W. Völker, *Gnostiker*... p. 323, c'est un exercice intéressant de propagande : le $\nu\acute{o}\mu os$ juif est interprété par rapport à la philosophie grecque.

[2] *Strom.* I. 26. 170. 2.

Le Syncrétisme et la méthode

Nous avons examiné plusieurs concepts qui favorisent la méthode éclectique, et c'est effectivement dans le concordisme que nous trouvons la réponse aux questions si fréquemment posées sur la méthode de l'auteur. Nous savons, par exemple, que de Faye a trouvé l'esprit de Clément « dépourvu de toute faculté d'analyse » [1]. En effet, le désordre intellectuel des *Stromates* est une évidence ; l'esprit cartésien peut très facilement avoir recours à ce qu'on pourrait appeler la thèse du « Clément confus » [2]. D'autres ont vu dans les *Stromates* un recueil de notes, destiné à l'enseignement dans un cercle restreint, ou à devenir éventuellement un ouvrage plus solide. Tel est le point de vue de Lazzati [3], repris, semble-t-il par Claude Mondésert dans l'introduction de l'édition du 2e *Stromate*, dans les *Sources chrétiennes* [4]. Cependant d'autres auteurs ont mis en jeu l'hypothèse d'un dessein littéraire, selon lequel Clément aurait consciemment donné à son écrit l'allure d'un travail désordonné et paradoxal. En plus, nous avons dans le *Pédagogue* un exemple d'un écrit mené de façon cohérente, et dans le *Protreptique* un sermon qui possède une sorte d'unité rhétorique. Il semble donc que la forme des *Stromates* résulte d'un choix délibéré, et quand on ajoute à ces faits la distinction entre les écrits exotériques, destinés au public (*Protreptique*, *Pédagogue*, le *Discours sur le salut du riche*), et ceux qui sont destinés au gnostique, tels que les *Stromates* et peut-être les *Hypotyposes*, on se trouve dans l'obligation d'expliquer le raisonnement qui a amené Clément à présenter les *Stromates* sous cette forme.

J. Munck [5] a proposé l'idée d'une trilogie, affirmant que ce que nous avons n'est qu'une partie d'un ensemble plus vaste, et qu'avec les *Stromates* l'auteur s'est mis à commencer cette nouvelle trilogie. Mais sur le principe littéraire qui dirige la rédaction de ce que nous avons, il nous dit très peu : cependant son emploi de l'exemple de Kierkegaard est très suggestif : en effet, E. F. Osborn [6] reprend cette idée

---

[1] *Clément d'Alexandrie...*, p. 113.

[2] Cette opinion se trouve dans d'autres ouvrages, à part celui de Faye : notamment dans Patrick, *Clement of Alexandria* p. 32, et dans Tollinton, *Clement of Alexandria*, préface.

[3] *Introduzione allo studio di Clemente Alessandrino*, Milan 1939.

[4] No 38, p. 27.

[5] *Untersuchungen über Klemens von Alexandria...*

[6] *Philosophy...*, p. 10.

en développant surtout la notion de la théologie du paradoxe chez cet auteur [1]. M. Osborn compare, de son côté, la méthode de Clément avec la méthode symbolique du poète T. S. Eliot, où le sens se manifeste dans l'association des symboles sans aucune progression de genre loqique. Mais Osborn avait déclaré, de façon prématurée : « The fever of controversy is waning » [2], en insistant sur le manque de précisions sur le genre littéraire des *Stromates*. Cependant nous disposons maintenant de l'ample volume de M. Méhat, consacré entièrement à la dissection des *Stromates* par l'emploi de tous les instruments de la philologie et de l'histoire littéraire. Cet ouvrage nous offre l'étude la plus complète qui existe sur les *Stromates* — sur la signification de l'ensemble, à travers les connexions cachées, le passage d'un sujet à un autre, le langage ; bref tout le mystère de cet ouvrage énigmatique.

Cependant le désordre apparent de l'écrit résulte au moins partiellement de l'éclectisme de son auteur. Dans son livre *Clement of Alexandria* (p. 2, 7, 52-9), S. Lilla condamne les interprétations théologiques de l'œuvre de Clément, estimant par contre qu'il faut laisser toute son importance à la procédure éclectique. Nous sommes entièrement d'accord qu'il faut souligner le syncrétisme de Clément, puisque des interprétations postérieures théologiques ont souvent faussé ce côté de sa pensée. (Cependant on se demande si Lilla n'est pas tombé dans le piège qu'il dénonce, puisqu'il semble vouloir remplacer l'image du chrétien étroitement bibliciste ou dogmatique par une autre image — celui du chrétien libéral qui interprète le phénomène chrétien à la lumière de la sagesse contemporaine. Ainsi Lilla est gêné par le terme « éclectisme » ; il éprouve le besoin de montrer que cet éclectisme était contrôlé par la théologie de base de Clément et que sa pensée n'était éclectique qu'en apparence. Pourtant le syncrétisme de Clément est flagrant : Lilla, au lieu d'écarter toute interprétation théologique de notre auteur, semble échanger un parti contre un autre.)

La conséquence de l'intellect commun est qu'il est possible de recueillir dans toute la littérature, quelle que soit son origine, des reflets de de la vérité. En *Protr.* VII. 73. 1 ss. Clément trouve des traces de la vraie théodicée chez Aratos, Hésiode, Euripide, Sophocle, Orphée, Ménandre et maints autres auteurs profanes. Ces voyages littéraires se multiplient à travers les *Stromates*, et il n'est pas besoin de répéter les citations innombrables qui rapprochent les auteurs bibliques de toute

---

[1] *Loc. cit.* : « This doctrine, which derives from Kierkegaard, includes the assertion that no single set of consistent propositions can express the truth concerning God ».

[2] *Op. cit.* p. 7.

l'armée des auteurs païens. Cependant les remarques que fait Clément sur ce processus sont intéressantes : il partage, par exemple, la méfiance d'Héraclite envers la πολυμαθίη. [1]. La sagesse n'est pas mesurée par l'étendue des connaissances, et le fait de s'occuper de la philosophie ne signifie pas forcément qu'on est philosophe. Une telle attitude est honteuse : en fait il faut trouver un facteur qui est capable d'harmoniser les éléments différents de son érudition. Voici à nouveau la préoccupation de l'un contre le multiple :

> Car la philosophie n'est pas dans la géométrie, qui comporte des postulats et des hypothèses, ni dans la musique, qui ne procède que par approximation, ni dans l'astronomie, qui est bourrée de raisonnements appuyés sur des éléments matériels, fluents et de pure apparence, — elle est la science du Bien en lui-même et de la vérité en elle-même ; et les sciences susdites sont différentes du Bien, et seulement des voies d'accès au Bien [2].

L'érudition n'est utile que dans le service du Bien. La saisie de la vérité elle-même est la clef de la signification de toute autre connaissance. La méthode concordiste de Clément ne constitue donc pas une diversification de la vérité, mais une recherche de son unité. L'aspect « multiple », qui se manifeste dans la multiplication de citations, n'est qu'une impression superficielle. Le gnostique fait ressortir l'unité qui est dérobée dans le kaléidoscope de la culture humaine.

La Vérité est venue sur terre comme la pluie, en tous les endroits, sur toutes les plantes. Et elles en tirent un bénéfice pour la croissance, quelle que soit leur nature ou origine. L'arbre implanté dans du sol riche manifeste une croissance plus magnifique, mais il est néanmoins vrai que les autres plantes possèdent une vie propre à elle-mêmes [3]. C'est donc avec raison que l'on cherche de la vérité dans tous les coins de la pensée humaine, si l'on admet le besoin de l'art de l'agriculteur : le vigneron soigne la vigne et en recueille le fruit. Cette image est développée en *Strom.* I. 9. 43. 1 ss., où Clément attaque ceux qui demandent la foi pure et qui voudraient se passer de la philosophie, de la logique et de la science. Car le Seigneur est appelé la Vigne, dont le fruit est à cueillir avec tous les travaux du vigneron. Il faut couper, creuser, lier, pour que la Vigne produise bien son fruit. Il en est de même avec la culture, car il faut un apprentissage dans son étude. Celui qui sait l'utiliser, en profitera :

---

[1] *Strom.* I. 19. 93. 2.

[2] *Strom.* I. 19. 93. 4.

[3] *Strom.* I. 19. 93. 4.

> De même ici, j'appelle « fort » celui qui oriente toutes ses activités vers la Vérité, si bien que, cueillant de la géométrie, de la musique, de la grammaire, de la philosophie même ce qu'elles ont d'utile, il garde bien sa foi à l'abri de toutes les attaques [1].

La vérité est une : inutile donc de craindre la connaissance des choses profanes. Toute idée qui est véritable participe de cette unité, qu'il faut rechercher dans les cultures les plus lointaines et exotiques.

Ce concept représente la base de la méthode clémentine. C'est une justification de l'éclectisme. (Nous reviendrons, au chapitre 14 sur sa signification pour la philosophie du symbole). C'est, selon le mot de M. Méhat, de la « théologie *ouverte* » [2].

Clément et la philosophie

L'attitude de notre auteur envers la philosophie a été déjà exposée, sous quelques aspects, dans la section précédente : la notion de la pensée commune, et du plagiat sont des concepts qui sont appliqués par Clément à la philosophie aussi bien qu'aux autres aspects de la culture. Il reste encore d'autres notions à aborder, si l'on veut résumer de façon complète le rôle de la philosophie dans la théologie clémentine.

Clément est le premier penseur chrétien [3] à s'adresser vraiment à la philosophie : Justin et Tatien sont très peu philosophes, malgré leur usage de vocabulaire technique ; Tertullien et Hippolyte sont franchement méfiants. En revanche Clément trahit très souvent son profond respect pour Platon, « lui qui parmi les philosophes recherche avec ardeur la vérité » [4], qui parle, comme les prophètes, sous l'inspiration de Dieu [5]. G. Butterworth [6] a étudié les citations et les réminiscences du *Phèdre* de Platon dans les écrits clémentins, démontrant la profondeur extraordinaire de l'influence de l'un sur l'autre. On perçoit chez Clément une affection très intense pour la « Bible » du Néoplatonisme [7].

---

[1] *Strom.* I. 9. 43. 4 ss.

[2] A la fin de son livre, *Etude...*

[3] A part les gnostiques valentiniens.

[4] *Péd.* II. 1. 18. 1.

[5] *Strom.* I. 8. 42. 1.

[6] Classical Quarterly 10 (1916) 198-205. Le début du *Protreptique* manifeste des ressemblances stylistiques et conceptuelles à celui du *Phèdre* de Platon, où la scène commence d'une façon semblable. Cet auteur conclut (*op. cit.* p. 205) « The parallels given above are enough to show that Clement knew the Phaedrus intimately ... He uses the language of Plato as unconsciously as he uses that of the Scriptures... »

[7] Voir l'étude de F. L. Clark, *Citations of Plato...*, qui offre une liste complète des citations de Platon dans l'œuvre clémentine.

C'est sans doute pourquoi il est prêt à appeler le christianisme une philosophie, — la philosophie, « notre philosophie » [1], « la philosophie selon le Christ » [2], « la vraie philosophie » [3]. Il est évident que pour lui le terme est bien positif.

La nécessité de la philosophie est démontrée par un argument emprunté à Aristote.

> A supposer que la philosophie soit inutile, il est au moins utile d'établir cette inutilité [4].
>
> Il faut philosopher pour savoir s'il faut philosopher, et même s'il ne faut pas philosopher ; en effet, on ne saurait condamner une chose sans d'abord la connaître ; donc il faut philosopher [5].

Cet argument, qui est d'ailleurs toujours utilisable, signale que même le rejet de la philosophie requiert un jugement de caractère philosophique. Une telle affirmation serait au moins discutable : donc la voie s'ouvre à la philosophie. Mais ceci ne veut pas dire que tout ce qui passe pour de la philosophie est acceptable : le christianisme a ses propres règles intellectuelles. L'éclectisme est mis en jeu pour distinguer entre le vrai et le faux, entre ce qui participe à l'unité de la foi, et ce qui demeure dans la multiplicité de l'erreur [6]. Il est à remarquer que notre auteur manifeste une préférence pour le Platonisme et le Pythagorisme : le Stoïcisme et la pensée épicurienne sont suspectes à cause de leur tendance à confondre le matériel avec le spirituel. La doctrine des Stoïciens, selon laquelle la divinité imprègne toute la matière, est franchement impie [7]. Cependant même ici Clément demeure éclectique, dans la mesure où il accorde à un Stoïcien (Cléanthe) la « vraie théologie » [8].

La méthode est authentiquement éclectique, puisque Clément condamne rarement une école en bloc. Même les sophistes, normalement considérés comme des dilettantes de la pire espèce s'occupent d'une activité qui peut être fructueuse — l'analyse des noms et des expressions. Mais il faut un principe pour déterminer ce qu'il y a de valeur dans tous ces systèmes : le gnostique possède cet instrument, avec

---

[1] *Strom.* II. 20. 110. 1.

[2] *Strom.* VI. 8. 67. 1.

[3] *Strom.* I. 5. 32. 4 ; I. 18. 90. 1.

[4] *Strom.* I. 1. 19. 1.

[5] *Strom.* VI. 18. 152. 5.

[6] *Strom.* I. 19. 92. 3 ; V. 3. 17. 4.

[7] *Protr.* 66. 3.

[8] *Strom.* V. 3. 17. 6 ; V. 11. 76. 1.

lequel il trouve le bon et il rejette le mauvais. Pour reprendre la métaphore clémentine, c'est l'agriculture qu'il pratique. La Vérité est
comme le soleil : elle éclaire toutes choses, en révélant leur vraie couleur.
La philosophie hellénique est partielle, mais la Lumière chrétienne
éclaire ce qu'il y a de vrai [1] : elle interroge tous les arguments probables
(πιθανολογίαι) [2] des sophistes [3]. Le gnostique possède cet « esprit
de perception » [4] qui évalue toute philosophie : en général il cherche
la philosophie qui respecte certains points, à savoir le monothéisme, la
divinité spirituelle, la providence, et l'idée de la loi morale [5].

La vérité est à chercher n'importe où : le gnostique, armé de la foi
n'aura rien à craindre dons son examen de la philosophie. Il doit même
poursuivre la vérité avec toute l'ardeur du chasseur [6], ou pour reprendre une autre métaphore, tous les soins du vigneron. Le gnostique
aborde la philosophie profane armé d'une faux (τὸ δρέπανον) [7].

Il est évident que Clément se manifeste, par rapport à ses contemporains ecclésiastiques, comme un défenseur convaincu de la philosophie. Il n'hésite pas à blâmer ses adversaires parmi les chrétiens, qui
manifestent une défiance qui « peut venir de la pusillanimité de certains, qui ont peur d'être troublés dans leur foi et préfèrent se boucher
les oreilles pour ne pas entendre les sirènes » [8]. A celui qui craint la
philosophie grecque, comme les enfants « l'ogre », Clément répond
que cette crainte n'est pas digne de celui qui possède la vérité. La vérité
est d'une telle puissance qu'elle ne se laisse pas détruire par la persuasion [9].

D'autres soutiennent que la philosophie est *inutile* : elle nuit aux
hommes, bien entendu, mais sa caractéristique principale est d'être
hors de l'intérêt d'un chrétien. La foi est une chose, avec ses propres
concepts, mais la philosophie est tout à fait autre chose : elle est étan-

---

[1] Cf. Albinos : « Car, (le Premier Intellect), sans être lui-même cette faculté, il lui
donne de concevoir et aux choses conçues d'être conçues, car il révèle par sa lumière ce
qu'il y a en eux de vrai ».

[2] Les « plausibilités » ; πιθανολογία = un argument probable-opp. un argument
nécessaire.

[3] *Strom.* VI. 10. 83. 2.

[4] *Strom.* VI. 17. 154. 4.

[5] *Strom.* I. 16. 80. 6.

[6] *Strom.* 1. 2. 21. 1 ss.

[7] *Strom.* VI. 8. 65. 5. Voir aussi *Strom.* VI. 15. 119. 1-4, où cette image est développée.

[8] *Strom.* VI. 11. 89. 1.

[9] *Strom.* VI. 10. 80. 5.

gère à la foi [1]. Clément répond par la thèse de l'intellect commun que nous avons étudiée, et avec la notion de *revelatio generalis*. La recherche de la vérité « aliénée », dans les terrains étrangers, ne peut qu'affermir la foi : elle est aussi utile dans l'apologétique [2].

En troisième lieu, certains revendiquent la foi seule et pure, comme solution finale du salut [3]. Le ton apologétique de ce passage obscurcit un peu le point de vue visé par Clément, mais il semble critiquer ceux qui nient le rôle de l'effort humain dans le processus du salut [4]. L'effort, pour notre auteur, constitue précisément « l'élagage » du vigneron — la critique de la philosophie, de la géométrie, de l'astronomie etc.

Il faut reconnaître, bien entendu, que la philosophie est devenue moins importante par suite de la venue du Christ. Avant elle était la seule voie, pour les païens, vers le salut : après l'incarnation du Verbe, elle reste utile mais pas nécessaire; seule la foi s'impose de façon nécessaire [5]. La philosophie seule est incapable d'atteindre la vérité, c'est la *recherche* de la révélation complète, et la foi en constitue la fin [6]. Comme le dit J. Daniélou [7], sur ce point Clément ne diffère en rien de Tertullien. Mais le gnostique, dans le développement de sa foi peut en profiter, en tirant de chaque discipline sa contribution à la vérité [8]. La dialectique, par exemple, est un instrument bien utile pour la précision doctrinale que requièrent les hérésies différentes : elle aide dans la formulation de la foi [9].

Clément ne propose donc pas une théologie rigoureusement bibliciste, dans laquelle le seul instrument de précision serait la Bible elle-même. Dans sa perspective, elle se sert de la philosophie comme discipline annexe.

Pour récapituler, on nous offre cinq explications sur l'origine de la philosophie, dont plusieurs sont déjà familières : Molland souligne [10]

---

[1] *Strom.* I. 1. 18. 3.

[2] Elle est utile aussi à l'intérieur de l'église : « La culture générale ($\pi o\lambda v\mu a\theta i a$) vient à l'aide de celui qui propose les dogmes les plus importants à la persuasion des auditeurs, et en engendrant l'admiration des catéchumènes, elle conduit à la vérité ». *Strom.* I. 2. 19. 4.

[3] *Strom.* I. 9. 43. 1.

[4] Voir J. Daniélou, *Message evangélique...*, p. 280.

[5] *Strom.* I. 3. 28. 2.

[6] *Strom.* I. 20. 97. 2.

[7] *Op. cit.* p. 281.

[8] *Strom.* VI. 10. 80. 1.

[9] *Strom.* I. 6. 33; I. 2. 20. 3.

[10] *Clement of Alexandria...*, p. 66.

avec raison que nous ne sommes pas obligés d'en choisir une pour définir la position clémentine. Tous les points de vue sont présentés comme plausibles, et peut-être même compatibles [1].

(a) La théorie du plagiat, d'origine humaine ou diabolique.

(b) La théorie du hasard, où les affirmations véritables qui se trouvent dans les écrits grecs sont le résultat du « hasard », dirigé par la Providence.

(c) La théorie de l'intellect commun, ou la supposition commune.

(d) La théorie de la prophétie. Si l'on considère la philosophie grecque, dans ses aspects véritables, une proclamation antérieure (προαναφώνησις) de la vérité, on est amené à la considérer comme une sorte de prophétie.

(e) La théorie du reflet, comme celui d'un miroir.

Cette question sera examinée dans notre chapitre sur le symbolisme.

Clément et les mystères

Le vocabulaire des mystères est très fréquent chez Clément : ce fait est incontestable. Notre problème est de l'interpréter, parce qu'il apporte une certaine conception de la connaissance. La terminologie ainsi employée par Clément est à considérer dans le sens métaphorique : il n'est pas nécessaire de supposer l'existence d'un culte chrétien, analogue aux mystères, en Alexandrie. On connaît l'importante controverse sur cette question à l'égard de Philon, poursuivie par Goodenough et Nock : cependant chez Clément il est clair que les 91 emplois du terme μυστήριον [2] se réfèrent au voyage de l'âme dans son pèlerinage spirituel. Le mystère fournissait une métaphore psychologique qui a influencé le concept clémentin de la gnose [3], mais qui n'a nullement influencé la pratique du culte, ni même le concept des sacrements. Plutarque avait déjà donné un exemple de l'interprétation psychologique ou allégorique du culte d'Isis et Osiris : c'est-à-dire que les démarches différentes dans la pratique du culte sont interprétées par rapport au progrès de l'âme. Ce fait a poussé Loisy, dans son étude sur les mystères [4], à porter un jugement assez sévère sur la version de Plutarque : « Mais Plutarque interprète l'institution au point de vue de

---

[1] Les points b-e se trouvent dans un passage consacré à ce sujet (étudié de très près par Molland, *op. cit.* p. 65 ss.) : *Strom.* I. 19. 94. 1-7. Cf. *Bousset, Jüdisch-christlicher Schulbetrieb...* p. 210.

[2] Selon l'étude de H. G. Marsh, *The Use of* MYΣTHPION, article dont nous avons beaucoup profité.

[3] C'est K. Prümm (*Mysterion von Paulus bis Origenes...*) qui souligne que le problème du *mysterion* chez Clément se rattache à la gnose. (Cet article reprend la question, suivant l'étude de Marsh).

[4] *Les Mystères païens et le mystère chrétien*, Paris p. 139.

sa philosophie morale, assez superficiellement et inexactement... Cependant les mystères d'Isis étaient une religion ». Mais son interprétation vise à une analyse plus profonde qu'un simple résumé des rites : il cherche une formule générale, par laquelle le culte d'Isis et Osiris peut s'expliquer. Son éclectisme l'oblige d'offrir une « psychologie » des mystères, car l'éclectisme revient, au fond, à la science du facteur commun. Plutarque cherche à comprendre ce phénomène par rapport à des lois générales.

Il n'y a donc aucune raison, a priori, pour que Clément ne soit pas capable du même genre d'interprétation. Notre auteur distingue entre les petits mystères et les grands : les petits, affirme-t-il, ont à préparer l'initiation par l'enseignement. Mais les grands mystères s'occupent du tout, de l'essence des choses. Nous sommes d'abord initiés dans les petits, mais ensuite dans la contemplation de l'être même. Ainsi Clément conçoit le progrès de l'initié dans les mystères [1].

On trouve chez lui un effort pour adapter le terme à un usage chrétien. Un tiers de ses propres usages se réfèrent aux rites païens, et on constate souvent un ton de condamnation très sévère. Les mystères de Dionysos sont tout à fait inhumains [2], et notre auteur va jusqu'au point de révéler les objets secrets du rite, pour mieux les ridiculiser. En fait la majeure partie de la première section du *Protreptique* est consacrée à une attaque contre les mythes grecs et contre la pratique des mystères, envers lesquels Clément manifeste un dégout très net. Tels sont, conclut-il, les mystères des athées [3]; athées parce qu'ils adorent des personnages et des objets foncièrement terrestres. Un dieu de ce genre n'est pas digne du nom : cette conception est si loin du concept judéo-chrétien du Très-Haut, l'Ineffable, qu'elle ne mérite même pas le nom de théisme.

Mais ce qui est frappant dans le *Protreptique* est la tactique employée vers la fin de l'écrit : l'attaque contre le paganisme ayant été achevée, Clément procède à la proclamation du christianisme, mais dans des termes directement empruntés aux mystères. Il ne veut pas céder le terme à la religion païenne.

> ... hâte-toi, Tirésias; crois; tu verras; le Christ brille plus que le soleil, lui qui fait voir les yeux des aveugles; la nuit fuira loin de toi, le feu prendra peur, la mort s'en ira; tu verras les cieux, ô vieillard, toi qui ne vois pas Thèbes [4].

---

[1] *Strom.* V. 11. 71. 1; IV. 1. 3. 1. Cf. H. A. Echle, *Sacramental Initiation...*, p. 55.

[2] *Protr.* II. 17. 1.

[3] *Protr.* II. 23. 1.

[4] *Protr.* XII. 119. 3.

Cependant ce *kerygma* exprimé dans la terminologie des mystères n'est pas uniquement de l'apologétique. Marsh signale [1] qu'une grande partie des usages chrétiens sont en relation avec des citations bibliques. Clément, innovateur, mais toujours soucieux de donner l'impression opposée, tâche de montrer que ce style de présentation est traditionnel : il se veut traditionaliste. Il n'est pas difficile de trouver la raison derrière cette préoccupation de la tradition, puisque le *mysterion* est souvent associé à la notion de l'arcane, ou de la réserve, où la vérité est soustraite à tous sauf à ceux qui sont capables de la recevoir. Or, cette notion était familière depuis longtemps dans le milieu alexandrin, car Philon s'en servait à l'égard de l'Ancien Testament. Néanmoins, en ce qui concerne le christianisme, elle était nouvelle : elle constitue donc une innovation de la part de Clément. Ainsi, dans ce contexte le terme *mysterion* représentait un moyen privilégié pour introduire l'arcane dans la pensée chrétienne [2] : d'une part il est tout à fait enraciné dans le vocabulaire néotestamentaire [3] ; d'autre part, il est étroitement lié à la notion de l'arcane. Dans cette perspective la vérité complète n'est livrée qu'à ceux qui la méritent et qui sont qualifiées pour l'entendre — les initiés. L'idée s'élargit dans tout le thème de la vérité cachée, auquel nous consacrons le chapitre 12. P. Th. Camelot [4] signale que dans son exégèse des passages pauliniens sur le mystère [5], Clément parle des *mystères* (τὰ μυστήρια), alors que le texte paulinien emploie le singulier. Ceci lui permet de distinguer entre le *mystère*, révélé à tous, et les mystères (cachés dans l'Ancien Testament) réservés aux saints. (Ce fait constitue en quelque sorte un démenti d'une affirmation précédente de P. Th. Camelot : « Mais redisons-le, ce n'est pas qu'il voie une influence des mystères païens sur la *forme* ou sur le *contenu* des mystères chrétiens... ») [6].

Une autre question intéressante est celle des sacrements. Est-ce que les mystères chrétiens incluaient les actes rituels du croyant aussi bien que sa pensée ? Le problème est évidemment très intéressant du point de vue théologique, bien qu'il soit un peu au-delà du problème

---

[1] *Op. cit.* p. 65.

[2] Nous n'ignorons pas, bien entendu, que l'arcane s'était déjà manifesté chez certains des Pères apostoliques. (Cf. C. L. Franklin : *Justin's concept of deliberate concealment in the Old Testament*, Thèse, résumé Harvard Theol. Review 54 (1961) 300-301).

[3] Marc. 4. 11 ; Mt. 13. 11. etc... Le terme paraît 21 fois dans les écrits pauliniens.

[4] *Foi et Gnose*, p. 86 ss.

[5] Col. I. 26 ; Eph. 3. 5-9. *Strom.* V. 10. 61. 1.

[6] *Op. cit.* p. 85.

de la connaissance : effectivement, comme le note Echle [1], *mysterion* est souvent compris comme une désignation du sacrement, d'autant plus à cause de son équivalent latin, *sacramentum*. Cependant Marsh fait remarquer qu'on ne trouve qu'un seul texte qui rapproche le *mysterion* et le sacrement. Il s'agit de *Péd.* I. 6. 43. 1, où il est question de l'Eucharistie : mais ailleurs, selon l'auteur anglican [2], Clément emploie le terme σύμβολα à l'égard des éléments de l'eucharistie. Ce n'est pas dans l'emploi de l'image du *mysterion* qu'il faut chercher la théologie clémentine de l'eucharistie.

Il est néanmoins vrai que certains actes et certains événements sont qualifiés de « mystères », la création et l'incarnation par exemple [3]. Dans cette perspective ces actes divins deviennent énigmatiques, dans le sens qu'ils ne sont évidents qu'aux « pneumatiques » : tous les êtres humains s'en aperçoivent, mais certains seulement en saisissent la signification. Nous sommes donc ramenés à la notion de l'arcane.

Il reste un autre aspect — le plus important — à examiner, à savoir l'équivalence de *mysterion* et de *symbolon*. Mais ce côté capital du mystère nous fournit le point de départ de notre étude sur la théorie du symbolisme.

Nous concluons donc que l'œuvre de Clément constitue un exercice de comparatisme. L'impression fondamentale de notre étude sur l'usage de la culture profane chez Clément est que notre auteur représente une attitude *ouverte* à la pensée païenne de son époque. C'est le syncrétisme élevé au rang de méthode de recherche et de pensée, méthode désignée par le terme « éclectisme ». Toutes les théories différentes de la culture se ramènent à la notion de la « supposition commune » : elles sont toutes des aspects ou des explications de ce phénomène central, qu'il s'agisse de la théorie du plagiat, ou de la théorie du κοινὸς νοῦς.

La même sympathie joue pour son attitude envers les mystères. Cette terminologie offre à Clément la mise en scène du drame chrétien, qui se déroule de la même façon que la révélation des mystères [4]. C'est une métaphore qui est plus qu'une métaphore, car elle influe sur la conception de la gnose.

---

[1] *Op. cit.* p. 54.

[2] *Op. cit.* p. 75.

[3] *Péd.* III. 1. 2. 1 ; *Strom.* III. 17. 102. 2.

[4] La « mise en scène » des mystères appliquée au christianisme se manifeste dans les passages sur la purification et sur la Vision : *Strom.* V. 11. 70. 7 ; I. 28. 176. 2.

CHAPITRE XII

LA DISSIMULATION DE LA VÉRITÉ

On ne saurait lire les écrits clémentins sans être frappé de l'importance du vocabulaire « mystérieux » — secret, initiation, voile, inexprimable, méthode de dissimulation etc. Il est clair que pour notre auteur la doctrine chrétienne se protège contre l'abus en revêtant une forme énigmatique : de même Dieu se dérobe dans la « nuée mystique ». Il s'agit de l'arcane, l'existence d'un voile entre la vérité et la foule. Nous considérerons en premier lieu l'arcane dans son sens philosophique.

L'Arcane et la philosophie

Le silence est l'hommage le plus adapté à la nature divine : paradoxalement, la présence de Dieu paralyse les facultés humaines. Dieu, le Premier Principe, est inexprimable car son être dépasse les catégories du langage humain. Nommer, c'est diviser; et Dieu est indivisible [1]. Or il est ici question de l'arcane, ou de la théorie que la vérité chrétienne doit être réservée à un groupe particulier. La notion de la réserve se manifeste sous plusieurs aspects, et nous constatons en premier lieu qu'il existe dans la pensée de notre auteur une réserve de caractère *logique*. Dans ce sens la vérité est cachée non pas à cause d'un principe de prudence librement adopté, mais à cause de la nature même du sujet. Dieu est logiquement innommable : le désir de le nommer, ou de lui attribuer des prédicats quels qu'ils soient, constitue une tendance à vouloir diminuer sa grandeur. Il est donc évident que la raison fondamentale de l'arcane est simplement qu'il n'y a rien à dire : les Égyptiens ont construit des sphinx devant leurs temples afin de démontrer le caractère obscur de leur théodicée [2]. Vu sous un angle au moins, la présentation énigmatique de la vérité provient de la nature du sujet. C'était, selon Clément, l'opinion de Platon.

> Car le Dieu de l'univers est au-delà de tout discours, conception et pensée; il ne peut jamais être exprimé par l'écriture; étant ineffable même à sa propre puissance [3].

---

[1] Voir le chapitre VI.
[2] *Strom.* V. 5. 31. 5.
[3] *Strom.* V. 10. 65. 2.

Si donc la doctrine chrétienne se présente sous un forme obscure, c'est parce que l'objet même de cette doctrine existe dans l'obscurité et la transcendance. Il s'ensuit que la voie du silence est parfois plus sûre et que le gnostique ne doit pas céder à une préoccupation excessive du sens des mots [1]. Cependant il ne faut pas en rester là. Platon a bien fait de signaler le caractère inexprimable de Dieu, mais il faut maintenant affirmer l'existence du Logos [2].

Le Logos est la pensée elle-même, et ne fait que refléter l'existence et la nature du vrai Dieu : l'inaccessibilité de Dieu est donc mitigée par la présence charnelle de son intermédiaire. Que sa venue sur terre marque un point capital dans l'histoire est attestée par le mutisme de Zacharie :

> Jean, héraut du Logos, invitait ainsi les hommes à se tenir prêts pour la venue de Dieu, du Christ, et c'est aussi la signification du silence de Zacharie, attendant le fruit précurseur du Christ : la lumière de la vérité, le Logos, devait délier, une fois devenue bonne nouvelle, le silence mystérieux des secrets prophétiques [3].

Zacharie a repris sa faculté à la suite de la révélation du Logos, ce qui symbolise que le silence était brisé : la venue du Verbe constituait le dévoilement de l'énigme.

L'Arcane et la prudence

L'autre aspect de la réserve s'associe souvent à la terminologie des mystères. L'idée que le vrai contenu des mystères n'était dévoilé qu'à celui qui en avait gagné le droit par initiation est appliquée par Clément à la connaissance du christianisme. C'est le principe du célèbre verset de Matthieu (7. 6) : « ... et ne jetez pas vos perles devant les pourceaux, de peur qu'il ne les foulent aux pieds » [4]. Dans ce passage Clément expose sa distinction entre la foule et l'élite, affirmant qu'il faut se purifier avant d'exprimer ou d'entendre les vraies paroles. La comparaison avec les mystères se trouve de nouveau en *Strom.* V. 4. 20. 1, où il est affirmé que les prophéties et les oracles sont présentées

---

[1] *Strom.* II. 15. 68. 3. C'est une citation de Pindare : Stählin cite un texte d'Euripide qui exprime le même sentiment : dans les deux cas nous constatons le mot κρείσσων — le silence est plus *fort* que le discours.

[2] *Protrept.* VI. 68. 2.

[3] *Protrept.* I. 10. 1. Le terme employé par Clément est σιωπή, qui signifie normalement le silence, ou l'habitude d'être silencieux : en se servant de ce mot Clément peut rapprocher le mutisme de Zacharie avec le thème du Silence.

[4] Cité en *Strom.* I. 12. 55. 3.

en forme énigmatique, de la même façon que les mystères ne sont pas
manifestés à n'importe qui. La préparation de la purification s'impose
à celui qui désire entendre ou voir les mystères [1].

> A ceux qui approchent d'une manière déraisonnable, ferme la source profonde
> de l'eau vive; mais donne à boire à ceux qui ont soif de la vérité. Tiens-la
> cachée à ceux qui ne sont pas capables de recevoir « la profondeur de la gnose » [2].

Il était impossible, affirme notre auteur, que les dons spirituels que
reçoit le gnostique soient accordés sans déguisement. En *Strom.* V.
7. 41. 1 la distinction entre les profanes et les « pneumatiques » est à
nouveau affirmée, à l'égard de la culture égyptienne : cependant dans
ce passage les mystères sont métaphoriques, car Clément s'efforce
d'appliquer le concept à d'autres aspects de la culture égyptienne.
Ayant appliqué le *mysterion* au christianisme, notre auteur n'hésite
pas de l'appliquer à l'ensemble des traditions religieuses des Egyptiens :
tout le symbolisme des hiéroglyphes est dissimulé suivant ce même
principe de déguisement. (Dans le cas de la doctrine chrétienne, ce sont
la prophétie et les paraboles qui fonctionnent selon le principe de la
Réserve) [3]. La distinction entre le profane et l'initié est précisément
la raison pour laquelle la prophétie se présente d'une façon obscure
et énigmatique : les écrivains inspirés ont construit leurs écrits en
tenant compte de ce principe [4].

Ainsi il reste un arcane, malgré la révélation. Il est vrai que pour
Clément le Logos est le « mystère manifeste », qui éclairait le visage
du Père. Mais l'incarnation n'amène pas Clément à renoncer au caractère secret de la doctrine chrétienne. D'une part, comme nous l'avons
vue, la théodicée sera inévitablement énigmatique, du fait de la transcendance du Père. D'autre part Clément envisage un arcane indépen-
damment de ce premier point. En *Strom.* V. 10. 60, 61, notre écrivain
expose le sens d'un passage de l'Ecriture [5], se préoccupant surtout du
problème du terme *mysterion*. Dans ce passage il semble contredire la
notion de la dissimulation de la vérité, ce qui pose pour Clément, un
problème à résoudre. H. G. Marsh [6] a étudié ce problème : il signale que
Clément cherche une solution dans le fait que le terme paraît deux fois
dans le passage. Ce fait le pousse à proposer que les deux usages indi-

---

[1] Voir aussi *Strom.* V. 4. 25. 2.; I. *Cor.* 2, 6-8.

[2] *Strom.* V. 8. 54. 2.

[3] *Strom.* VI. 15. 126. 3.

[4] *Strom.* VI. 15. 127. 3 ss.

[5] *Col.* 1. 27.

[6] *Art.* p. 66; suivi par W. Völker, *Gnostiker...*, p. 17 n. 1.

quent l'existence de deux sens : d'un côté il y a ce qui était autrefois un *mysterion,* mais qui est à proclamer à tous les peuples : l'incarnation ; de l'autre il reste une vérité qui est réservée aux apôtres et aux saints. Notre auteur soutient donc l'existence de deux mystères chrétiens, l'un révélé, l'autre réservé.

En résumé : une partie de la doctrine chrétienne est à proclamer à tous les peuples. Mais une partie demeure dissimulée et énigmatique : ce mystère est à expliquer (i) par la prudence (ii) par la transcendance du sujet.

Le voile

La parole ne dévoile pas le vrai Dieu. D'abord elle est insuffisante : dans cette perspective la parole revêt l'allure ambiguë du κάλυμμα, le masque qui est à la fois énigmatique (parce qu'il cache) et symbolique de la révélation. La parole s'efforce de représenter son sujet : le résultat est un *symbole,* qui peut être suggestif mais qui peut être aussi déroutant s'il est pris pour la réalité. Voilà la base de notre chapitre XIII, sur la philosophie du symbole chez Clément. Deuxièmement la parole est insuffisante parce qu'elle est rendue énigmatique par les apôtres du christianisme, par souci de prudence. L'initié aux mystères pratique la même prudence afin de protéger ce qu'il connaît contre les profanes. Ce double aspect de la dissimulation se manifestera dans toute notre analyse du voile.

Le fait que la vérité est dissimulée stimule la motivation de celui qui cherche : quand il aura trouvé, le but de sa recherche sera encore plus délectable, du fait qu'il a été atteint avec beaucoup de peine. La nature de l'être humain est telle qu'il ne respecte que ce qui est difficilement obtenu [1]. Cette idée est reprise en *Strom.* V. 9. 56. 5 : l'existence du voile ennoblit et grandit la vérité, et la rendant même plus auguste. Le voile fait ressortir l'éclat de la vérité. Quant à celui qui cherche, le voile stimule sa curiosité : il demeure constamment alerte, toujours prêt à découvrir [2]. De même la philosophie grecque constitue une sorte de voile, mais la vérité sera dévoilée à celui qui cherche avec beaucoup de diligence : il y a un vrai visage derrière le masque (μορμολυκεῖον) [3]. En *Strom.* V. 4 nous avons une longue explication du concept de la dissimulation que Clément considère comme un

---

[1] *Strom.* I. 2. 21. 2.

[2] *Strom.* VI. 15. 126. 1.

[3] *Strom.* II. 1. 3. 5.

principe, respecté des Egyptiens et des Juifs à la fois. Le voile devant le Saint des Saints symbolise cette méthode : seuls les saints ont le droit d'accéder à la vraie doctrine, seuls les purs peuvent toucher à ce qui est pur. Le principe de la dissimulation est un donné pour Clément, un facteur commun de toutes les religions.

> Tous ceux qui ont traité de la divinité, les barbares comme les Grecs, ont caché les principes des choses, et transmis la vérité au moyen d'énigmes, de symboles, puis d'allégories, de métaphores et d'autres procédés analogues ; tels les oracles des Grecs, et Apollon Pythien est bien appelé « oblique » [1].

Les maximes grecques (le « connais-toi toi-même » par exemple) sont susceptibles d'une interprétation très profonde, parce qu'elles cachent dans une forme très brève une sagesse très large. De même la maxime Χρόνου φείδου peut donner lieu à une interprétation beaucoup plus riche que le simple sens littéral : Clément exploite toute l'équivoque de cette expression. Nous reviendrons sur ces réflexions, car une attitude générale envers l'herméneutique se manifeste dans son traitement de la maxime. C'est le principe de la suggestivité du texte — il est important dans ce qu'il *suggère*, non pas dans ce qu'il signifie. (Voilà, en passant, la clef de la pratique des étymologies).

La poésie est un voile, ainsi que les rêves et les signes : tous ces modes d'expression demandent la recherche et conduisent ainsi à la découverte de la vérité. Mais bien qu'il soit vrai que toute parole et toute représentation conçue par l'esprit humain ne sert qu'à voiler les essences des choses, les « pneumatiques » arrivent à voir derrière la parole, et à en saisir l'essence [2]. Le voile est la robe énigmatique que revêt la vérité, et on peut en tirer plusieurs sens. La vérité pure serait trop claire, mais le voile sert à dérouter l'ignorant. Cependant le gnostique saisit la vraie signification du voile symbolique [3].

> C'est à nous que Dieu les a révélées par son Esprit ; car l'Esprit pénètre tout, même les profondeurs de Dieu [4].

Le plan spirituel constitue la Réalité pour Clément, et c'est à ce niveau

---

[1] *Strom.* V. 4. 21. 4 : traduit par J. Pépin, *Mythe et Allégorie* p. 267, qui affirme : « L'ésotérisme assuré par l'allégorie est donc pour Clément une pratique religieuse universelle, qu'il s'agisse de l'énoncé des dogmes, du déroulement du culte, des leçons magistrales des philosophes ou de l'enseignement indirect des poètes ».

[2] *Strom.* V. 4. 25. 5.

[3] *Strom.* V. 9. 57. 2. Voir aussi *Strom.* VI. 15. 127. 4 : la prophétie normalement considérée comme un *dévoilement*, est un exemple de dissimulation. Elle est énigmatique, selon notre auteur ; elle peut donner lieu à plusieurs interprétations.

[4] I. *Cor.* 3. 10, cité *loc. cit.*

que la vraie compréhension s'effectue. La parole envers laquelle Clément est toujours méfiant est une représentation terrestre — forcément insuffisante — de la Réalité.

Il serait trop fatigant, affirme notre auteur, d'examiner toute l'écriture pour démontrer le caractère énigmatique de la doctrine [1]. Les symboles du Temple, surtout le voile lui-même, respectent tous le principe de dissimulation. Il est évident que Clément reprend des thèmes communs dans l'interprétation du symbolisme du Temple, car il offre plusieurs versions du voile intérieur. Il est intéressant de voir dans quelle mesure la notion de dissimulation est utilisée : notre auteur entend toute forme de symbolisme comme un « voile » [2]. Il est peut-être insolite pour le lecteur moderne de voir le symbolisme associé surtout à la dissimulation, et à la pratique de la brièveté ($\beta\rho\alpha\chi\upsilon\lambda o\gamma\acute{\iota}\alpha$) [3]. La mentalité moderne s'intéresserait plutôt à la valeur suggestive du symbole, mais l'attitude de Clément est tout à fait autre. Le symbolisme est analogue au « mutisme » de l'initié : c'est l'instrument de l'arcane.

Hipparchos le pythagoricien fut expulsé de l'école à la suite de sa divulgation des principes de la philosophie pythagoricienne : il était considéré désormais comme mort. Mais en fait tous les philosophes ont éprouvé le besoin de dissimuler certaines choses; Pythagore, Platon, les Epicuriens, et les Stoïciens ont tous adopté le principe du voile, soit par le refus de prononcer certains secrets, soit par l'usage des écrits ésotériques.

> N'ont-ils pas, en dissimulant des opinions humaines, empêché les ignorants d'y parvenir ? Et la sainte et bienheureuse contemplation de la Réalité, n'a-t-elle pas profité de cette dissimulation ? [4]

On remarque dans ce texte les deux justifications du voile que nous avons déjà rencontrées : d'une part il rend la vérité plus précieuse, d'autre part il la protège. Platon lui-même propose ces avantages de la méthode de la dissimulation : nous devrions surtout écrire d'une façon énigmatique afin qu'il n'y ait pas de possibilité d'abus.

> Je dois t'écrire en énigmes, afin que, si cette lettre est saisie sur mer ou sur terre, celui qui la lira ne puisse la comprendre [5].

---

[1] *Strom.* V. 6. 32. I.

[2] *Strom.* V. 8. 45. 1, sur le symbolisme pythagoricien. Cf. *Strom.* V. 9. 58. 6, où les termes « symbole », « voile » et « allégorie » sont mis en rapport.

[3] *Strom.* V. 7. 46. 1.

[4] *Strom.* V. 9. 58. 5.

[5] *Strom.* V. 10. 65. 1.

De même ce principe est observé par Paul. Cependant le témoignage cité par notre auteur aborde un sujet tout à fait différent, à savoir la distinction entre les νηπίοι et les πνευματικοί dans l'église chrétienne [1]. C'est donc par une exégèse faussée que Clément réussit à introduire la notion de la réserve dans la pensée paulinienne. Il ne s'agit pas de la foule (des profanes) comme le prétend notre auteur, mais des catégories différentes parmi les chrétiens.

Nous reprenons la notion qui a été déjà soulignée; le rapprochement du voile et du symbolisme. Même la prophétie, le dévoilement du présent ou de l'avenir, constitue pour l'auteur alexandrin une sorte d'énigme. En lisant la prophétie l'on peut en multiplier les interprétations, et cet aspect bigarré de la forme en question suffit pour qu'elle soit qualifiée de « voile ». Dans le même contexte notre auteur place les mythes de la *République* — ils sont à expliquer par le *voile de l'allégorie* [2]. La parabole aussi fait partie de la technique de dissimulation; ceci est expliqué dans un passage qui prétend donner un résumé du concept du voile. Ensuite il est dit qu'en fait toute l'économie qui a prophétisé le Seigneur constitue une parabole pour ceux qui ignorent la vérité. Le style de la parabole est très antique, affirme-t-il, ayant été employé surtout par les prophètes. La prophétie est donc énigmatique, comme les oracles grecs : Dieu a voulu cacher sa signification puisqu'il voulait démontrer que les philosophes ignoraient la vérité [3]. C'était pour cette raison donc que Dieu a présenté la révélation prophétique sous une forme ambiguë, susceptible d'une variété d'interprétations; ce n'était pas pour la beauté de style, mais pour créer le voile qui devait séparer la doctrine de la foule [4]. En fait, comme le note W. Völker [5], le παραβολικὸν εἶδος s'applique à beaucoup plus qu'aux paraboles du Nouveau Testament que nous connaissons. Cette forme devient la technique principale dans la voie de la dissimulation. Völker cite plus qu'une fois la phrase importante « le caractère parabolique des écritures » [6] : effectivement nous verrons que l'exégèse allégorique fait de toute la Bible une parabole. Tout ce qui a été écrit est considéré comme symbolique, énigmatique.

A travers ces témoignages l'on est conscient d'une certaine con-

---

[1] I. *Cor.* 3. 1-3; *Strom.* V. 10. 66. 1.

[2] *Strom.* V. 9. 58. 6.

[3] *Strom.* VI. 15. 127. 3.

[4] *Strom.* VI. 15. 129. 4.

[5] *Gnostiker...*, p. 384.

[6] *Strom.* VI. 15. 126. 3.

ception de la parole qu'il faudra mettre en valeur. Au mieux, Clément
se méfie du véhicule de l'expression humaine. Ayant commencé par le
thème de la vérité voilée, nous avons vu qu'il implique plus de choses
que n'imaginent les auteurs qui le limitent à la notion de l'arcane.
S'il faut donner encore une preuve de l'étendue de l'idée, nous ne pouvons pas trouver de meilleur texte que le suivant :

> ... πολυκευθὴς γὰρ ὁ λόγος
> Car la parole dissimule beaucoup [1].

Contrairement à ceux qui prennent la parole pour un instrument de
l'éclaircissement, Clément insiste que l'expression verbale constitue
un masque devant les idées, un voile que seul le gnostique sait pénétrer.

Il est évident que la terminologie de cette notion indique souvent
un paradoxe dans la théologie clémentine ; le vocabulaire de la dissimulation (ἀπόκρυψις etc.) nous fait penser à la Révélation (ἀποκάλυψις).
Clément est pleinement conscient de cette difficulté : le dixième
chapitre de *Stromate* V est consacré à cette question, comme le signale
le traducteur anglais dans l'édition *Ante-Nicene* : « The opinion of the
apostles on veiling the mysteries of the faith ». Il est affirmé qu'il
y a deux *mysteria* ; celui qui était voilé et qui a été révélé, et celui qui
est réservé aux saints — l'arcane. Clément ne peut renoncer tout à
fait au principe de la dissimulation ; le terme « mystère » se réfère surtout
à la notion du secret et de l'arcane. On a beaucoup écrit sur la
la « mystique » de notre auteur et de certains autres auteurs chrétiens [2],
mais chez Clément le terme μυστήριον signifie plutôt l'aspect caché
de la doctrine à laquelle il faut être initié. P. Th. Camelot [3] souligne
que le *mysterion* désigne aussi bien la réalité cachée que la forme, le
symbole qui l'enveloppe. Le mystère est le Christ lui-même : Christus
in vobis, spes gloriae. Mais le fait que notre auteur choisit d'appeler
la théophanie un « mystère », indique la façon dont il envisageait la
structure de cette théophanie. Et, paradoxalement, c'est le caractère
secret de la manifestation qui est prééminent. (Nous ne nions pas la
pensée mystique de Clément, mais elle est exprimée surtout dans le
vocabulaire de la gnose). L'importance du terme chez notre auteur
se trouve surtout dans son association à la doctrine de la Réserve.

---

[1] *Strom.* VI. 15. 132. 1.

[2] Voir par exemple les articles de J.-B. Colon, *A propos de la « mystique » de saint
Paul...*, et son résumé des points de vue différents.

[3] *Foi et Gnose*, p. 88-9.

Le Voile et la méthode

Le préjugé (comme le note E. F. Osborn) [1] contre l'écriture était assez fort au second siècle. La voix humaine était l'instrument le plus sûr pour la proclamation de la vérité chrétienne [2]. Le premier chapitre des *Stromates* justifie Clément d'avoir fixé par écrit la doctrine chrétienne. Si la parole même est traîtresse, la parole fixée dans l'écriture l'est encore plus : les choses secrètes sont transmises par le discours plutôt que par l'écriture. Clément se sent obligé de donner des justifications pour son ouvrage : ce qui est intéressant dans le contexte de notre étude est la discussion de la méthode des *Stromates*.

> Certaines choses, je les passe volontairement sous silence, par un choix éclairé de science (...). Il y en a que mon écrit mettra sous une forme voilée, les unes qu'il développera, les autres qu'il se contentera d'énoncer ; il essayera de dire sans en avoir l'air, de révéler en cachant, de montrer par son silence [3].

La forme et le fond des *Stromates* coïncident, car la composition de l'écrit cherche à dissimuler ce qui est énigmatique de nature. Les semences de la gnose sont cachées : elles sont à chercher avec toute l'ardeur d'un chasseur [4]. Mais l'auteur reste silencieux sur certains points, notamment sur l'interprétation complète des mystères [5] : les *Stromates* existent bien entendu pour diriger l'âme vers la connaissance de ces notions, mais en accord avec le parallélisme de forme et de contenu, le mystère est présenté sous forme mystérieuse. W. Völker [6] souligne que le genre littéraire des *Stromates*, qui visent à κρύπτειν ἐντέχνως τὰ τῆς γνώσεως ... σπέρματα [7], représente plus qu'une démarche de tactique : la méthode énigmatique employée par Clément s'accorde avec une conception fondamentale de la doctrine religieuse : elle *est* mystérieuse. Les signes incorporés dans la rédaction de l'écrit suffisent au gnostique, qui, par sa faculté de perception, sait les interpréter de façon cohérente.

La pudeur requiert que la proclamation chrétienne soit dissimulée :

---

[1] *Teaching and Writing...*, p. 335.

[2] Papas, chez Eusèbe, *H.E.* III. 39. 3, 4.

[3] *Strom.* I. 1. 15. 1. Trad. A. Méhat, *Etude...*, p. 128.

[4] *Strom.* I. 2. 16. 3. A. Méhat, *Etude...*, p. 129 signale l'équivoque inhérente dans le mot « cacher ». « Il ne signifie pas seulement dissimuler aux regards. Associé à l'idée de semence, il contient l'idée d'une présence agissante, d'un germe appelé à se développer ».

[5] *Strom.* I. 1. 14. 2.

[6] *Gnostiker...* p. 16.

[7] *Strom.* I. 2. 20. 4.

la transcendance de Dieu y oblige. Ainsi Clément se sert de ce qu'il appelle « le style symbolique », puisqu'il le considère l'approche la plus appropriée des choses divines. Le 7e *Stromate* se termine ainsi :

> Les *Stromates* ressemblent, non à ces jardins soignés et plantés en quinconces pour le plaisir des yeux, mais plutôt à une montagne ombreuse et touffue, peuplée de cyprès et de platanes, de lauriers et de lierre, mais en même temps de pommiers, d'oliviers et de figuiers, où se mêlent à dessein les essences d'arbres aussi bien fruitiers qu'improductifs à cause de l'audace des maraudeurs et des voleurs de fruits, car l'écrit veut rester caché [1].

Le symbole cache et révèle, et c'est à son deuxième aspect que nous consacrons le chapitre suivant.

---

[1] Trad. A. Méhat, *Etude*..., p. 144.

CHAPITRE XIII

LA THÉORIE DU SYMBOLE

La méthode symbolique de Clément tourne autour de la notion du symbole, car l'importance qu'il attache à la transcendance de Dieu tend à minimiser l'efficacité de la parole. D'une part Dieu se situe au-delà de *l'ousia*, du nom et de la monade : à strictement parler, pour notre auteur il n'« existe » pas, car l'existence est un prédicat qui est indigne de lui. Comment nommer un Dieu qui n'« existe » pas ? Les noms sont des instruments faits pour un travail tout à fait autre que celui de nommer le Transcendant. La parole, et tous ses emplois n'ont aucune efficacité en dehors du plan intelligible. Cependant Clément se trouve dans la position d'être héritier d'une *théologie* : il constate d'ailleurs que tout à travers la littérature de sa connaissance, le divin fait l'objet d'une véritable avalanche de paroles. La culture est bourrée de représentations verbales, artistiques et musicales du divin. La poésie, la philosophie, la théologie et même le théâtre essaient tous de saisir le divin par l'ultime arme humaine, la parole. Mais la saisie de Dieu ainsi réalisée est illusoire : deux idées poussent Clément à formuler ce jugement négatif sur le pouvoir du langage. D'abord, l'exil de Dieu aux régions supra-célestes, hors de la portée de l'esprit humain soulevait la question de la valeur de la parole, et apportait l'idée de la théologie négative, dans laquelle *l'abandon* de la parole constitue la voie vers Dieu.

En second lieu le comparatisme, notion essentielle dans la méthode de notre auteur, soulevait la question de la valeur notionnelle de la pensée théologique. Que Clément ait cru possible de trouver les mêmes idées implantées dans des structures différentes, indique qu'il y avait une tendance à niveler et assimiler les traditions mythiques. La « supposition commune » ne fait que se manifester sous des formes qui sont à première vue différentes. Mais la vérité réside dans la *communauté* de la pensée humaine : le vrai connaisseur de la culture humaine ne s'efforce pas de distinguer entre Zeus et Osiris, mais de les assimiler.

Si donc la structure mythique A est considérée équivalente de la structure B, et si elles sont toutes les deux jugées véritables, force nous est d'expliquer dans quel sens elles sont significatives. Un mythe doit être jugé faux par rapport à une théorie positiviste de la vérité : l'affirmation « Zeus est puissant » ne correspond à rien. Mais une affirmation de caractère symbolique ne peut être soumise à ce critère, car sa vérité est d'un autre genre. Voilà le problème : nous verrons que les passages que Clément consacre au symbole constituent un effort de préciser ce qu'est, cet « autre genre » de vérité. Nous commençons par le problème du prédicat.

Les noms

Nous avons déjà cité la remarque suivante : « Car le discours dissimule beaucoup ». Ainsi le fait de nommer quelque chose est un acte de dissimulation : la doctrine, comme nous l'avons vu, est une parabole, une forme énigmatique. Cette conception de l'Ecriture provient en partie de l'idée de la transcendance de Dieu, qui échappe à tout prédicat. Quand nous l'appelons « bon », « un », « esprit », « Créateur » etc., nous sommes loin de proférer son véritable nom [1]. On ne dit pas son nom, car c'est impossible [2]. Clément envisage un certain nombre de catégories de prédicats, mais Dieu n'est descriptible par aucune : il n'est ni genre, ni différence, ni espèce, ni individu, ni nombre, ni accident [3]. La raison est simple ; le nom appartient au plan du devenir.

> ... tout ce qui peut se nommer, que l'on veuille ou non a été engendré [4].

Cette liste n'est pas celle d'Aristote, bien entendu, mais elle représente néanmoins un effort de la part de Clément d'épuiser toutes les possibilités : si Dieu n'appartient pas à une des catégories, c'est que le langage n'est pas applicable à lui. Et les noms ne s'appliquent qu'à ce qui a été engendré.

En second lieu le prédicat *divise* : nommer quelque chose, c'est le déclarer distinct des autres choses. Le nom est donc partiel : il appartient à la multiplicité. Mais Dieu est Un : il ne se laisse pas morceler par le langage [5]. Ainsi la distinction néoplatonicienne entre l'Un pur et l'Un multiple dévalorise le langage, car il est considéré comme appartenant à la multiplicité :

> ... en variant la simplicité de la foi par l'emploi de noms divers [6].

---

[1] *Strom.* V. 12. 82. 1.
[2] *Strom.* VI. 18. 166. 2.
[3] *Strom.* V. 12. 81. 5.
[4] *Strom.* V. 13. 83. 1.
[5] *Strom.* V. 12. 81. 6.
[6] *Péd.* I. 5. 12. 1.

Le nom est équivoque. Il est à interpréter; il peut y avoir des conceptions différentes de ce qu'il veut dire. Voilà la source des hérésies, puisque les gens se servent de l'Ecriture comme ils veulent. Ils selectionnent des expressions ambiguës, n'en cherchant pas la vraie signification, mais en se servant des mots seuls pour y attacher l'idée qu'ils souhaitent voir entrer dans la doctrine chrétienne. Il existe une science de l'herméneutique, une dialectique chrétienne, qui vise à établir le sens du texte sacré [1]. Celui qui ne dépasse pas le niveau des noms risque de tomber dans l'hérésie ou de demeurer dans la superficie. Ainsi les sophistes consacrent leur vie aux disputes absurdes sur les sens des mots; la préoccupation excessive de la définition des mots constitue un abandon de l'essentiel — c'est la poursuite des ombres [2]. L'étude des mots a sa place car le gnostique a besoin de savoir quels sont les termes qui ont une seule signification, et qui en ont plusieurs. Mais cette discipline si importante qu'elle soit, n'est qu'une des études annexes qui servent à le guider vers l'époptie [3]. Elle peut produire beaucoup de lumière dans l'âme humaine, mais il faut éviter de la poursuivre jusqu'à un point ridicule.

Ainsi la parole est un stade à dépasser. Elle est faible, et impuissante à nommer Dieu [4]. En *Strom.* VIII. 8 il est indiqué que les noms appartiennent à un schéma de copie/modèle, du genre avec lequel on est familiarisé à partir de la *République* de Platon. L'art est une copie d'un objet, qui est lui-même une copie de l'Idée : de même chez Clément, le nom possède ce rapport très diminué avec la Réalité. Le nom est le symbole de la conception, qui est elle-même la copie du sujet. La conception est une représentation : elle fait l'objet de la philosophie. Mais sa représentation à elle — le nom — est un particulier, et les particuliers sont innombrables. Le nom effectue une fonction faute de mieux. Si nous nommons Dieu, nous nous trompons : mais en multipliant les noms, nous essayons de fixer notre pensée sur la bonne voie [5]. Les noms sont des signes qui conduisent l'âme vers la Vérité : ils ne sont pas la Vérité elle-même.

---

[1] *Strom.* VII. 16. 96. 2-4. ss. Les hérétiques, affirme-t-on ne cherchent pas à démontrer la substance de la prophétie τὸ σῶμα ... τῆς προφητείας. Hort et Mayor (*Comm.* p. 338) signalent qu'Aristote (*Rhét.* I. 1. 3.) emploie la phrase σῶμα τῆς πίστεως pour désigner la substance de la preuve, par rapport aux appels aux sentiments, etc.

[2] *Strom.* VI. 18. 162. 3.

[3] *Strom.* V. 10. 82. 3.

[4] *Strom.* VI. 18. 166. 2.

[5] *Strom.* V. 12. 82. 1.

La philosophie du symbole

Ces considérations nous amènent à essayer d'évaluer le rôle du symbole dans la pensée de Clément. Déjà chez Justin on a constaté [1] que *mysterion* s'emploie comme synonyme de parabole et de *symbolon*, et nous avons déjà cité quelques textes de Clément où le mystère est associé à la méthode symbolique de composition. Il faut bien distinguer entre la forme et le contenu, car parfois c'est celui-ci qui est désigné comme « mystère » — si la parabole est appelée un « mystère », cela peut se référer au secret livré dans la parabole. Mais Marsh [2] signale un nombre de passages où il est indisputable que c'est le *style* de présentation qui est en jeu. En *Strom.* VI. 15. 124. 5 une parabole est expliquée ἐπικεκρυμμένως ... καὶ ἐν μυστηρίῳ. Un autre texte démontre une coïncidence de forme et de contenu : τὰ μυστήρια μυστικῶς παραδίδοται [3]. On peut donc assimiler *mysterion* et *symbolon* : nous avons déjà signalé le rapport entre le voile et l'expression symbolique. En *Strom.* V. 7 et 8 nous trouvons une discussion du symbolisme égyptien qui juxtapose à plusieurs reprises ces trois notions : le mystère, le voile et le symbole.

C'est à partir de ce contexte que nous devrions examiner la théorie clémentine du symbole. Le symbole (comme la parole, qui est un exemple du symbole) possède une fonction révélatrice : il évoque la vérité dans sa propre façon. Mais il est aussi énigmatique, l'instrument de l'arcane. Il cache et révèle : voilà le particularisme du symbolisme clémentin. Comme nous avons démontré dans l'Appendice II, le symbole constitue une technique ambiguë : a priori on aurait imaginé que le symbole était pour Clément un moyen d'éclaircissement. Il est indéniable que cela représente un côté du symbole pour notre auteur, mais le concept du symbole comme *énigme* n'est nullement absent de la pensée clémentine.

> ... et tout ce que réclamera le commentaire de la question proposée, on le dira, mais surtout comment ceux qui ont en fait repris les thèses philosophiques des Anciens, s'efforcèrent d'imiter la manière voilée de la philosophie barbare, ce genre symbolique et énigmatique [4].

---

[1] Von Soden, Z.N.T.W. (XII 188-227) qui a étudié l'usage du terme dans les deux premiers siècles : cité par Marsh (*op. cit.*) et appliqué à Clément. Cet auteur conclut que de même chez Clément le terme *mysterion* est équivalent de *symbolon* : et qu'il signifie aussi l'exégèse allégorique (*op. cit.* p. 66).

[2] *Ibid.*

[3] *Strom.* I. 1. 13. 4.

[4] *Strom.* II. 1. 1. 2. Trad. Cl. Mondésert.

Ainsi les aspects dissimulés de la philosophie se trouvent dans la forme symbolique et énigmatique. Le domaine du symbole et de l'allégorie s'étend à toute forme d'expression. Pour en démontrer les aspects différents, Clément prend l'exemple de l'écriture, exemple dont il est très conscient du fait de son environnement [1]. Cette écriture, affirme-t-il comporte trois catégories :

> (a) L'écriture *epistolographique* ; courante, utilisée par exemple dans la communication par lettre.
> (b) L'écriture *hiératique*, des scribes sacrés.
> (c) L'écriture *hiéroglyphique*.

(I) Le hiéroglyphe peut représenter la réalité par simple imitation. Un cercle, par exemple, représente le soleil : ici le rapport entre la figure et le signifié est naturel et évident.

(II) La forme métaphorique part un peu plus loin du rapport naturel, pour traduire une idée abstraite, ou un verbe par exemple.

(III) La forme allégorico-énigmatique. Ici la liaison entre le signe et sa signification n'est ni naturel, ni évident. Elle est conventionnelle, arbitraire. Cette écriture restera obscure et incompréhensible pour celui qui en ignores les conventions. Il y a cependant une sorte de logique dans une représentation de ce genre, car elle s'explique d'une façon systématique. C'est le point de liaison même qui est arbitraire, et qu'il faut connaître. Le soleil est figuré par un scarabée, parce que cet insecte pousse devant lui une boule de fumier ; il passe la moitié de l'année sous terre et l'autre moitié au-dessus, etc.

C'est cette forme qui apporte le plus du point de vue de la compréhension de la religion. La réalité est exprimée d'une façon allégorique : l'allégorie possède sa propre logique ; mais le point de rapport avec la réalité demeure énigmatique. L'allégorie peut être comprise, mais uniquement par ceux qui en possèdent la clef.

Toutes ces nations sont évidemment très importantes pour l'herméneutique clémentine. La sagesse est comparée à une trouvaille, à une richesse inépuisable [2]. C'est derrière la parole que cette richesse se trouve. Les prophètes et les poètes philosophent, allégoriquement (δι᾽ ὑπονοίας) [3], et c'est par cette technique qu'on tire de l'Ecriture

---

[1] Ce texte (*Strom*. V. 4. 20. 3 ss.) apporte beaucoup de précisions pour l'égyptologue : il a été bien étudié par J. Pépin, *Mythe et Allégorie*, p. 269 ss., qui donne une bibliographie de la question ; et par J. Vergote, *Clément d'Alexandrie et l'écriture égyptienne...* ; E. Drioton, Τὰ πρῶτα στοιχεία ..., qui répond à l'article de Vergote.

[2] *Strom*. V. 4. 23. 2.

[3] Nous rappelons que ce terme est un synonyme d'« allégorie » (voir le chapitre 4).

ses vraies ressources. Dans cette perspective l'herméneutique vise à donner, non pas le sens littéral des paroles sacrées, mais tout l'ensemble de notions qui sont dérobées par la « forme parabolique des écritures ». Du point de vue pratique, cette sagesse cachée constitue un amalgame d'idées stoïciennes et platoniciennes, telles qu'on en trouve dans toute l'œuvre de Philon [1]. La science d'interprétation constitue donc un effort pour *multiplier* les idées, non de les limiter. La parole, le signe, le rêve, sont tous des énigmes; ce n'est que par la recherche que leur signification peut ressortir [2].

Clément continue à exposer ces principes [3] en soulevant la question des symboles pythagoriciens, dont le rapport avec le signifié est très spécial. Par exemple le conseil de ne pas garder une hirondelle dans sa maison signifie qu'il ne faut pas accueillir les personnes bavardes et loquaces. Cette interprétation est renforcée par des citations scripturaires et autres sur les qualités de certaines bêtes : il y a une idée morale qui est constamment sous-jacente. Il en est de même pour le reste des maximes et des textes scripturaires cités dans ce passage. Il se trouve qu'il existe une sorte de communauté de sagesse qui se cache derrière les remarques des prophètes et des poètes différents. C'est pourquoi Clément se permet de joindre dans le même thème un texte biblique, un conte de Prodicos, et une injonction pythagoricienne [4]. La multiplicité de symboles ne doit pas nous tromper quant à l'unité de signification, à découvrir par l'herméneutique.

Au chapitre 6 nous passons à un autre aspect, celui des objets symboliques. La construction du temple, les sept circuits qui l'entourent, le symbolisme de la robe et ses couleurs ont tous une signification. Les couleurs, par exemple, signifient les quatre éléments dont le *cosmos* est composé, et que nous connaissons à partir du *Timée* de Platon. Les cinq pains utilisés par le Seigneur possèdent un sens caché : le chiffre cinq évoque les cinq sens et ceux qui ne vivent qu'au plan

---

La recherche du « sens caché » devient le but de l'interprétation allégorique. Ainsi il y a plusieurs niveaux de signification dans un texte. Ce n'est que les sophistes qui se limitent au sens littéral des mots. (*Strom.* I. 3. 22. 1 ss.; 23. 3).

[1] Voir I. Christiansen, *Die Technik der allegorischen Auslegungswissenschaft...* : cet auteur offre une analyse plus précise du contenu de l'allégorisme philonien. Les pages 77-98 sont particulièrement intéressantes, sur le rapport entre les catégories d'Aristote et la technique du *Symbolfindung*.

[2] *Strom.* V. 5. 24. 2.

[3] *Strom.* V. 5. 27. 1 ss.

[4] *Strom.* V. 5. 31. 1.

des sens. Il semble aussi que Clément suggère que l'acte du Christ annonce sa propre mort et le rite de l'Eucharistie [1].

Le domaine du symbole est donc universel, car Clément considère que les paroles, les objets et les rites sont tous à interpréter; qu'ils se prêtent tous à une compréhension plus profonde que l'apparence immédiate. Dans le chapitre 9 du cinquième *Stromate*, Clément entreprend de donner les justifications de cette forme de l'expression, cette façon de dire la vérité sans la dire. Nous prenons d'abord le côté énigmatique du symbole, que nous avons déjà abordé dans notre discussion de l'arcane. En premier lieu l'énigme du symbole provient de la nature du signifié : Dieu est ineffable. Ensuite le symbole énigmatique stimule la pensée, en réveillant la curiosité du penseur [2]. Il encourage une certaine vigilance. En troisième lieu il ennoblit la vérité, car son mystère est rendu encore plus impressionnant par le voile qui le couvre. Voilà ce qu'il y a d'utile dans le symbole.

Mais il y a aussi l'aspect suggestif du symbole, quelque peu négligé par ceux qui discutent de la question [3]. Clément ne renonce pas tout à fait aux noms, car ils servent à fixer notre pensée dans la bonne voie. Les noms font partie de l'œuvre créatrice de Dieu, et il est impossible qu'ils soient disposés tout à fait au hasard. Le dessein divin les imprègne, aussi bien que les autres fonctions du *cosmos*.

Nous avons à examiner en premier lieu la notion du *reflet*. Clément cite souvent le verset biblique sur notre perception imparfaite, « comme dans un miroir » [4]. Or il est vrai que le miroir représente souvent l'énigme (nous l'avons vu dans le chapitre 5) et le contraste entre la vision complète et la vision partielle du miroir se trouve plus d'une fois chez Clément [5]. Mais dans son article [6], Molland rappelle que le miroir n'est pas toujours le signe de l'obscurité, et dans le chapitre 10 nous avons souligné l'aspect positif du reflet du miroir. Le miroir fournit une certaine perception, celle des sens, qui est instructive même si elle n'est pas complète. La contemplation de l'homme lui-même constitue

---

[1] *Strom.* V. 6. 33. 4. Cf. Jean 6. 9.

[2] *Strom.* VI. 15. 126. 1.

[3] Voir les chapitres d'E. F. Osborn, *Philosophy...* et de Cl. Mondésert, *Clément d'Alexandrie...* Ce sont des traitements pondérés et utiles : cependant nous trouvons qu'il est nécessaire d'élaborer encore la valeur suggestive du symbole.

[4] I. *Cor.* 13. 12.

[5] *Péd.* I. 6. 36. 6; *Strom.* IV. 3. 12. 2; *Strom.* V. 11. 74. 1; *Strom.* VI. 13. 102. 2; *Strom.* VII. 12. 68. 4.

[6] *Clement of Alexandria...* p. 70 ss.

une perception de ce genre, car l'homme dans sa nature corporelle et spirituelle reflète la main divine.

> D'autres veulent que les philosophes aient dit certaines choses en tant que reflets de vérité. Mais le divin apôtre l'écrit de nous-mêmes ! « Nous ne voyons, pour le moment, que comme dans un miroir », nous nous connaissons nous-mêmes par le rayon qui vient se refléter contre lui, et nous contemplons, autant qu'il nous est possible, la cause créatrice d'après l'élément divin qui est en nous-mêmes [1].

Les philosophes païens ont connu la vérité par un reflet ($\emph{ἔμφασις}$) : les chrétiens aussi bénéficient de ce reflet terrestre de la Réalité divine. Le reflet est l'empreinte de la main divine, effectuée par la Providence. Le cas de l'homme, comme nous l'avons vu, est un exemple spécial du reflet, car sa stature et sa structure physique signalent son destin. La cause efficiente, c'est-à-dire, la matière formée et douée de signification, est le reflet qui nous permet un aperçu de la nature divine. Ailleurs chez Clément le reflet se manifeste comme une notion universelle : il y avait toujours, dit-il, un « reflet naturel » du Dieu unique et tout-puissant chez l'homme [2]. Dans ce passage l'*ἔμφασις* signifie la révélation, plutôt que l'obscurité [3]. Un autre passage emploie le terme « reflet » dans son double sens : la méthode énigmatique des *Stromates* apporte un *reflet* et un souvenir de la vérité si l'on les lit avec intelligence [4]. En *Strom* V. 5. 29. 4 il est dit que Platon et Pythagore saisirent un reflet de la vérité [5], et ailleurs l'*ἔμφασις* désigne la révélation accordée aux Grecs [6].

La notion (sinon le terme) est évidemment platonicienne, car Platon lui-même parle du monde visible comme une image, ou un reflet du monde réel. L'idée du miroir et du reflet se retrouve [7] assez souvent dans les écrits de Platon, et la célèbre allégorie de la caverne [8] enseigne que les hommes ne perçoivent que l'ombre des être réels. C'est dire que la réalité qui est accessible à nos sens, est une forme diminuée du Réel. Plus proche de Clément, Plutarque considère la nature comme un miroir

---

[1] *Strom.* I. 19. 94. 4. Trad. M. Caster, S.C.

[2] *Strom.* V. 14. 87. 2.

[3] Voir Molland, *Clement of Alexandria*, p. 72 ss., sur ce passage. Cet auteur passe en revue les traductions différentes du passage ; nous profitons beaucoup des précisions apportées dans cet article.

[4] *Strom.* IV. 2. 4. 3.

[5] Nous nous référons à l'exégèse de Molland (*op. cit.*), toujours très pénétrante.

[6] *Strom.* VI. 2. 4. 3.

[7] *Théétète* 206 d ; *Timée* 46. a ss.

[8] *Rép.* 514 a ss.

dans lequel on peut voir de plus grandes choses [1], et un texte plus important affirme que les mythes contiennent des reflets (ἐμφάσεις) de la vérité. Or c'est dans ce sens que Clément affirme que la philosophie païenne reflète la vérité. Il est à remarquer aussi que les reflets se trouvent au-delà du plan notionnel, car toute la création est remplie d'indications de l'existence de l'être divin. Aussi il faut noter que Clément comprend dans sa théorie du symbolisme la parole, les nombres et les objets [2]. Comme le dit J. Daniélou : « Il y a l'allégorie philonienne, morale, physique ou anagogique. Il y a l'allégorie pythagoricienne ou stoïcienne des poèmes d'Homère. Il y a l'exégèse judéo-chrétienne, qui reflète les divers courants de l'exégèse juive et hérite d'autre part de la typologie néo-testamentaire » [3]. Dans la première partie nous avons discuté de la notion de « suggestivité », qui couvre également tous les domaines de l'expérience sensible.

Cette notion représente un deuxième courant dans le symbolisme clémentin : elle part évidemment de l'idée de la Providence qui a tout disposé de sorte que les choses sont harmonieuses et ordonnées. Il s'ensuit que tout est significatif; même les objets les plus simples cachent une richesse de signification. Au niveau de la parole, la notion de la signification universelle trouve sa formulation dans la doctrine de l'inspiration de la Bible. Principe de l'herméneutique juive, l'idée de l'inspiration affirme que l'Ecriture ne peut rien contenir de fortuit : « si le sens premier n'exprime qu'une vérité toute ordinaire, c'est qu'il cache un sens second » [4]. Nous poursuivons cette forme d'exégèse dans notre section sur l'allégorisme : ici il est important de noter que l'idée de la richesse de signification s'applique à la parole sacrée. Cependans ce ne sont pas seulement les écrits juifs qui sont accessibles à ce genre d'interprétation. La pratique de l'étymologie, présente chez Clément, indique que les reflets de la Réalité se retrouvent à travers tous les langages.

Il faut souligner que l'étymologie pratiquée par les Anciens n'a rien à voir avec la science moderne de la philologie. Les étymologies des auteurs de l'époque ont trop souvent suscité la condescendance des philologues modernes : on a tendance à accueillir les étymologies anciennes comme on accepte la naïveté d'un enfant. Cette attitude ignore le fait que la philosophie (si l'on appelle ainsi) qui est sous-jacente,

---

[1] Plutarque, *Moralia* 967 d.

[2] Voir J. Daniélou. *Message...*, p. 225.

[3] *Typologie et allégorie...*, p. 50.

[4] Cl. Mondésert, *Clément d'Alexandrie*, p. 137.

part d'un intérêt tout autre que l'histoire d'un mot. L'étymologie (ἔτυμος λόγος) est la mise en valeur du vrai contenu d'un mot. Socrate l'exprime admirablement :

La justesse d'un nom, suivant nous, consiste à faire voir la nature de la chose [1].

Ainsi l'analyse du mot vise à éclairer la chose nommée, non pas l'histoire du mot lui-même. Le souci principal de l'étymologie est de donner un enseignement sur les choses, non pas sur le langage. Or, nous disposons de l'excellente étude d'Ursula Treu, qui commence son catalogue des étymologies clémentines en notant que l'allégorie va de pair avec l'étymologie [2]. Les deux formes d'interprétation visent à dénicher la richesse abondante qui est suggérée par le mythe ou par le terme.

Quelques exemples typiques :

Ἀπόλλων : dérivation ἀ privatif et πολλοί. Le nom du Dieu reflète son caractère transcendant. C'est le dieu qui est la négation de la multiplicité [3].

θεός : dérivation de θεῖν. Dieu et la contemplation sont ainsi associés [4].

θεός : dérivation de θέσις. Cette étymologie veut souligner que Dieu a créé l'ordre et l'harmonie de l'univers : il semble y avoir aussi un jeu de mots sur διαθήκη — l'alliance [5].

ὁ φῶς (homme) : dérivation de τὸ φῶς (lumière) [6]. L'homme (régénéré) est illuminé. Comme le note U. Treu [7], cette dérivation fait que le vocabulaire des Grecs annonçait déjà la vérité chrétienne : leur terme « homme » contenait la suggestion du Logos chrétien.

νήπιος (le tout-petit dans la Foi) : dérivation νε - ἤπιος, qui donne le sens de « nouvellement — doux ». Le croyant est de nouveau rendu délicat : l'accent est mis sur la régénération [8].

παιδαγωγία : dérivation de παῖδες et ἀγωγή [9].

---

[1] *Cratyle* 428 e.

[2] *Etymologie und Allegorie…*, p. 191. Cet auteur signale la définition de l'allégorie comme *metaphora continuata* et que l'allégorie est considérée comme une θεραπεία μύθων. « In der Antike liegen Etymologie und Allegorie dicht beieinander » (*loc. cit*).

[3] *Strom.* I. 24. 164. 3.

[4] *Protr.* II. 26. 1 ; *Strom.* IV. 23. 151. 3.

[5] *Strom.* I. 29. 182. 3.

[6] *Péd.* I. 27. 3.

[7] *Op. cit.* p. 196.

[8] Voir U. Treu, *op. cit.* p. 194 ; Introduction S.C., p. 77 ; M. Lacroix dans *Mélanges Desrousseaux*, Paris 1937, p. 261-272.

[9] *Péd.* I. 5. 16. 1.

Sur ces six exemples il y a des remarques à faire : premièrement, le fait que le terme θεός possède deux étymologies différentes est parfaitement admissible. Ce fait confirme la notion que l'étymologie ancienne ne visait pas à préciser la valeur d'un terme par rapport à son usage : elle cherche plutôt à trouver ce qu'*évoque* le terme en question. Il s'agit de la notion de la suggestivité : les coïncidences (apparentes) qui se trouvent dans les formes des mots ne sont que des reflets de la Réalité elle-même, projetés dans le langage. Qu'une étymologie correcte soit donnée (comme celle de παιδαγωγία), ne prouve rien contre ce que nous affirmons. L'analyse d'un vocable du point de vue de sa suggestivité peut très bien donner des résultats qui sont acceptables du point de vue de notre science philologique — mais c'est un hasard.

Les reflets de la Réalité se manifestent dans tout le plan sensible. Nous avons vu que dans le domaine des mythes, de la philosophie, et du langage il se trouve qu'il y a des éléments révélateurs. Certains événements sont significatifs : le mutisme de Zacharie symbolise l'attente du Logos. Tout le plan divin est implicite dans cet événement historique [1]. Le serpent (si l'on suppose l'historicité du récit) signifie allégoriquement le plaisir et le péché charnel : sa nature même suggère cette comparaison [2]. Ainsi la nature porte en elle-même une sorte de symbolisme. Les effets de l'alcool qui se manifestent dans le corps, sont une image (εἰκών) de la licence sexuelle [3]. Il y a donc une analogie entre les faits physiologiques de l'ivresse et le comportement décadent : ce n'est pas que l'un cause l'autre, mais l'un *symbolise* l'autre. Les nombres aussi sont significatifs, comme nous l'avons déjà constaté, ainsi que le symbolisme de la colonne de feu, qui conduisait les Hébreux dans le désert. La lyre a plusieurs sens : d'abord elle signifie le Seigneur, mais sons sens second compare la communauté chrétienne à un hommage musical à Dieu lui-même [4].

Il est évident qu'il y a un symbolisme naturel, une sorte de complicité entre les êtres qui les lie ensemble. Nous avons tâché de mettre l'accent sur les notions du *reflet* et de la *suggestivité* afin d'expliquer le symbolisme clémentin. Mais il faut essayer de saisir la philosophie qui est derrière cette perspective sur le monde. Comment se fait-il qu'il y a un lien implicite entre des mots différents, qui reflète des

---

[1] *Protr.* I. 10. 1.

[2] *Protr.* XI. 111. 1.

[3] *Péd.* II. 2. 20. 4.

[4] *Strom.* VI. 11. 88. 3.

réalités abstraites ? Pourquoi certains objets, certains événements, certains mythes ont-ils une signification ? La réponse est dans l'οἰκονομία divine : tout ce qui existe est investi de signification. L'homme et son monde sont significatifs à cause de leur origine. Dans sa disposition de l'univers Dieu a laissé des traces de sa nature : l'une de ces traces, comme nous l'avons vu, est le principe de l'analogie·

Il existe une parenté entre tous les êtres, malgré leur multiplicité. Il en découle qu'ils sont tous comparables, qu'il existe une certaine similarité entre eux au sein de leur diversité. On est donc justifié à chercher à exposer un rapport entre la notion A et l'objet B ; c'est-à-dire entre la vérité spirituelle et l'élément terrestre, car

> Le verbe divin et sa providence, c'est ce qui commande et dirige toute vérité : elle veille sur chaque chose... Elle ne laisse pas même le moindre détail de son organisation sans soin... [1].

Le principe utilisé dans cette disposition minutieuse du *cosmos* est celui de l'égalité, ou de l'analogie. Les choses sont proportionnées : en quelque sorte elles se ressemblent. Il y a donc un parallélisme entre le plan céleste et le plan terrestre, et le gnostique s'en sert pour son ascension vers la sainte contemplation.

Mais il y a aussi un parallélisme entre les éléments divers du plan terrestre — un parallélisme horizontal. Le fait de cette relation permet à l'esprit de faire une sorte de synthèse qui embrasse tous les éléments de l'expérience sensible. Ainsi le gnostique cherche

> à découvrir les ressemblances et les analogies, au point de dépister le semblable dans le dissemblable [2].

Il nous semble que c'est ce raisonnement qui explique la notion du reflet et de façon plus large, celle du symbole clémentin [3].

---

[1] *Strom.* VII. 2. 9. 1 ss.

[2] *Strom.* VI. 11. 90. 4.

[3] Voir notre chapitre sur la voie de l'analogie. Il est raisonnable d'expliquer le concept de suggestivité chez Clément de cette façon : cependant ce genre de symbolisme se trouve chez d'autres auteurs qui sont hors de la ligne platonicienne. L'étymologie, par exemple, est très ancienne (Vloir U. Treu, *op. cit.* p. 192) : elle est pratiquée par une très grande variété d'auteurs. Néanmoins il est probable que l'ontologie platonicienne (qui est à la base de la théorie clémentine) constitue chez les Grecs au moins, une simple précision d'une conception générale des choses, dans laquelle la parenté des êtres est soulignée. Il faut reconnaître aussi que l'exégèse juive partait d'un point de vue tout à fait différent.

L'allégorisme

L'herméneutique clémentine est tributaire (a) de la typologie chrétienne, (b) de l'allégorie philonienne, avec ses interprétations morales et mystiques, (c) de l'allégorie pythagoricienne et stoïcienne des textes d'Homère et des autres poètes. Sa complexité est indéniable. Il est à remarquer en premier lieu que la Bible entière est à interpréter allégoriquement : il n'est pas question de certains passages qui sont considérés comme spécialement symboliques [1].

Notre auteur s'intéresse plus à l'allégorie philonienne qu'à la démonstration typologique [2]. Pour les jours de la création dans le récit de la Genèse, Clément emploie une interprétation qui est déjà courante [3]. Le repos du septième jour signifie, par exemple, que l'ordre donné par le Créateur [4] devait rester ainsi. La création temporelle est niée, parce que le temps lui-même est créé. Toutes choses ont été engendrées de la même essence, et du même acte de puissance. On peut considérer aussi que la distinction entre la sagesse populaire et celle du savant est un emprunt philonien [5], et cette notion est renforcée par une interprétation du récit d'Abraham et de Sarah [6]. Abraham devient le type de la foi et de la fidélité : Sarah (la sagesse) demeurait stérile, n'ayant rien engendré de vertueux-Hagar, qui offrait ses services à Abraham, représente son union avec la culture païenne. Cette aventure était fructueuse. Dans la même ligne de pensée la maxime des Proverbes [7] : « Ne reste pas trop avec une femme que tu ne connais pas », est interprétée dans le sens suivant : il ne faut pas trop utiliser la culture profane. Un certain usage des idées philosophiques est admissible, mais elles

---

[1] Voir R. P. C. Hanson, *Allegory and Event...* p. 117 ss : R. M. Grant, *The Letter and the Spirit* p. 84 ss. : J. Pépin, *Mythe et Allégorie* p. 268 ss. : Cl. Mondésert, *Clément d'Alexandrie...* p. 153 ss.

[2] Voir A. Méhat, *Etude...* p. 200 ss. qui souligne l'influence philonienne dans sa discussion du problème, mais qui affirme aussi que « les extraits indiscutables de Philon sont assez bien groupés et nettement orientés. Clément sait ce qu'il peut demander à son prédécesseur juif et, chaque fois qu'il a recours à lui, c'est dans une intention assez précise ». Clément se sert de Philon notamment dans les sections où il veut introduire la philosophie hellénique.

[3] Cette exégèse se trouve chez Aristobule (voir Eusèbe, P.E. XIII. 12. 9-12) et chez Philon, *De Opificiis* 13.

[4] *Strom.* VI. 16. 142. 1 ss. L'interprétation de Hanson, *op. cit.* p. 118, est incorrecte.

[5] *De Congressu* 77.

[6] *Strom.* I. 5. 30-32.

[7] 5. 20.

peuvent séduire celui qui les fréquente avec trop d'assiduité ¹. Un autre exemple, qui est de genre philonien, est celui de la femme de Lot qui était transformé en une colonne de sel ². Son amour de Sodome signifie son impiété et son athéisme : son immobilité signifie son manque de sensibilité ³. Les frères de Joseph ont eu le tort, selon l'interprétation clémentine, de ne pas entendre le Torah allégoriquement.

Un bon exemple de ce qu'on pourrait appeler la philosophie alexandrine est attaché au verset suivant ⁴ :

« Caïn sortit de devant la face de Dieu et habita dans la terre de Naïd, en face de l'Eden ; or Naïd veut dire agitation et Eden délices ; ces délices, hors desquelles le désobéissant est rejeté, sont la foi, la gnose et la paix ; et celui qui se croit sage, commence par ne pas même vouloir entendre les commandements divins, mais, tel un homme rétif qui sait tout par lui-même, il s'en va, de son plein gré, sur une mer agitée et enflée, descendant de la connaissance de l'Etre inengendré aux êtres mortels et engendrés, passant continuellement d'une opinion à une autre ⁵.

Derrière ces noms Clément trouve toute une sagesse sur la nature de l'incroyance. Le souci de la stabilité est très évident et l'instabilité s'associe à l'incroyance. Le concept platonicien du devenir se laisse entrevoir dans l'usage de la mer comme symbole de l'instabilité, et la mention de la descente aux γεννητά. En revanche, la gnose est inengendrée.

C'est ce qu'a dit l'Ecriture avec le maximum de concision : « Ne te répands pas en mots ». Le style est comme le vêtement sur le corps ; la chair et les nerfs, ce sont les choses. Que les soucis de l'habit ne passe pas avant le salut du corps... ⁶.

Ici des considérations morales sont ajoutées au texte. Ces citations font partie de la deuxième catégorie suggérée par Mondésert ⁷ : le sens *doctrinal* de l'Ecriture, où l'interprétation fait ressortir des vérités morales, religieuses, et théologiques ⁸. Cette catégorie couvre presque

---

¹ *Strom.* I. 5. 29. 9.

² *Protr.* X. 103. 4.

³ *Strom.* V. 8. 53. 2.

⁴ *Gen.* 4. 16.

⁵ *Strom.* II. 11. 51. 4-6.

⁶ *Strom.* I. 10. 48. 4.

⁷ *Op. cit.* p. 156.

⁸ Cl. Mondésert (*loc. cit.*) emploie ce qui est sans doute la meilleure méthode de manier l'herméneutique clémentine — celle qui consiste à décrire le genre de notion qui se trouve derrière le texte. Cette approche est plus utile que d'essayer de définir l'herméneutique clémentine par rapport à ses sources différentes.

totalement l'exégèse des *Eclogae Propheticae*, dans lequel nous trouvons très peu d'exemples de typologie. On trouve une très forte influence philosophique, avec bien entendu de nombreuses notions théologiques : mais en général les *Eclogae* nous fournissent des interprétations cosmologiques, morales et mystiques (la cinquième catégorie de Mondésert). Cependant une interprétation typologique se trouve en VII, où le verset [1] : « ... et les ténèbres couvraient l'abîme, l'esprit de Dieu planait sur les eaux », est commenté. Cet événement préfigure le baptême du Christ, qui consacre ainsi l'eau pour la régéneration de ses disciples [2]. J. Daniélou a étudié l'interprétation du déluge chez Clément [3], et il démontre qu'il préfigure un rite de purification, mais sans référence explicite au Baptême. En tout cas, l'exemple des *Eclogae Propheticae* indique que Clément pratiquait une typologie sacramentelle : cependant comme l'affirme J. Daniélou [4], en effet Clément ne va pas au-delà de l'allégorisme philonien.

Cependant un exemple de typologie sacramentelle et personnelle se trouve dans *Strom.* V. 11. 72. 2. Sur la gnose :

> Moïse voulant désigner symboliquement la sagesse divine l'a appelée arbre de vie, planté dans le Paradis, lequel Paradis peut être aussi le monde où se trouve tout ce qui est créé [5].

Pour prendre cette première partie du texte, l'arbre de vie signifie la gnose. Daniélou [6] cite des parallèles toujours philoniens dans lesquels l'arbre de vie représente la piété [7] et la *phronesis*. Il est d'ailleurs la bonté [8] et la sagesse [9].

Mais la seconde partie revient à une typologie messianique :

> C'est aussi dans celui-ci que le Verbe a fleuri et porté des fruits, étant devenu chair, et qu'il a vivifié ceux qui ont goûté sa douceur, puisque sans le bois on ne parvient pas à la gnose.

L'arbre de vie égale le Verbe, et déjà chez Justin nous trouvons que l'arbre représentait Jésus [10]. Ceci rappelle la fonction « vivifiante »

---

[1] *Gen.* I. 2.

[2] Voir R. P. C. Hanson (*op. cit.* p. 119, 315-318).

[3] *Sacramentum Futuri* p. 86-94.

[4] *Op. cit.,* p. 87.

[5] *Strom.* V. 11. 72. 2 : commenté par J. Daniélou, *Typologie et allégorie...* p. 50. ss.

[6] *Ibid.* p. 51.

[7] *Quaest. Gen.* I. 11.

[8] *Leg. Alleg.* I. 18.

[9] *Ibid.* III. 17. 52.

[10] *Dial.* 86. 1.

du Verbe, que nous avons examinée ailleurs à propos du texte des *Psaumes* (33. 9 : goûtez et voyez…), et Barnabé aussi accorde cette fonction au Verbe : « Il a vivifié ceux qui ont goûté sa douceur » [1]. Cet arbre fructueux est le Christ, mais il faut remarquer aussi que l'accent est mis sur la gnose, plutôt que sur la rédemption. On ne parvient pas à la gnose « sans le bois » : la croix est symbolique de la vie.

En *Péd.* I. 5. 23. 1, nous trouvons un exemple du « typisme » qui est relativement libre d'influence philonienne.

> Isaac lui-même… est la figure (τύπος) du Seigneur, enfant en tant que Fils (car il était aussi fils d'Abraham comme le Christ est fils de Dieu), et victime comme le Seigneur.

Il faut en conclure que la typologie n'est pas tout à fait absente de l'herméneutique clémentine [2]. Elle constitue une forme de « sens second » qu'il trouve dans le texte sacré, bien qu'elle n'ait pas la même place que l'interprétation philosophique et psychologique que nous associons surtout avec le milieu alexandrin [3].

Ainsi l'exégèse de Clément suppose un sens premier, et un sens second [4]. En général le sens littéral du texte n'a aucun intérêt; les passages anthropomorphiques sur la nature de Dieu sont inutiles sans la thérapie de l'exégèse, et l'exégèse, c'est l'art de trouver le sens second [5]. Les exemples que nous avons cités ci-dessus démontrent les tendances de l'exégèse clémentine et la signification pour notre auteur du sens second [6].

---

[1] XI. 6.

[2] Il est évident que nous accordons moins d'importance à la typologie que ne le fait J. Daniélou, dans son chapitre *Clément d'Alexandrie Exégète*, dans *Message…* Cependant Daniélou passe en revue plusieurs exemples de typologie : un autre exemple est celui du buisson ardent (*Péd.* II. 8. 75. 1). Les épines du buisson se rapportent à la couronne du Christ etc. Daniélou a néanmoins bien vu que Clément ne voulait nullement assimiler l'allégorie grecque et la typologie : il ne visait pas à greffer l'une sur l'autre. En fait, la possibilité d'une variété d'interprétations fait partie du symbolisme clémentin : il est possible qu'un passage soit susceptible d'une interprétation typlogique *et* allégorique.

[3] Den Boer remarque (*Hermeneutic Problems…*) que la typologie a du paraître un peu étrangère à un Alexandrin, élevé dans un milieu philonien. Il faut signaler que chez Clément nous n'avons pas encore l'affirmation des trois sens de l'Ecriture, telle qu'elle est formulée chez les théologiens postérieurs : cependant il est vrai que les commandements sont à comprendre dans trois sens — symbolique, moral, et prophétique.

[4] *Strom.* VI. 15. 132. 3; *Strom.* VII. 16. 96. 2.

[5] Hort et Mayor (*Comm.* p. 339) notent, à propos de *Strom.* VII. 16. 96. 2, que le principe employé pour interpréter les passages anthropomorphiques de la Bible est celui de trouver τί τῷ κυρίῳ πρέπον.

[6] Voir Cl. Mondésert, *Clément d'Alexandrie* p. 154 ss. sur les autres distinctions.

Clément et les arts

Une étude de la théorie clémentine du symbole ne saurait être complète sans une enquête sur sa conception du symbole dans le domaine des arts plastiques. Nous trouvons chez notre auteur une prise de position assez nette qui se fonde sur la notion que Dieu est incomparable. Ce principe, qui est fondamental dans la théodicée clémentine repose sur le texte d'Isaïe :

> D'après qui pourriez-vous imaginer Dieu ?
> Et quelle image pourriez-vous en offrir ? [1].

Sa forme, si l'on ose en parler, est invisible, peut-être inexistante. Ses fonctions et son œuvre sont connues, mais son visage est insaisissable. Il en est de même pour une représentation artistique : il est impossible de connaître Dieu à partir d'une image [2].

La conséquence de ces notions est que Clément identifie les arts plastiques avec l'idolâtrie [3]. Les Grecs ont créé des statues et des images en bois et en pierre, déroutant ainsi l'esprit humain : l'attrait de ces images constitue une forme de l'esclavage, car les sens sont liés à des objets terrestres [4].

> Mais vous, l'art vous trompe et vous fascine d'une autre manière, en vous entraînant, sinon à l'amour, du moins au respect, à l'adoration des statues et des peintures [5].

C'est la tendance des arts plastiques de séduire les sens, d'attirer l'attention sur les éléments terrestres de la vie, qui inquiète notre auteur. Nous constatons de nouveau la fusion de la morale et du domaine spirituel, car chez Clément une préoccupation excessive des réalités charnelles représente un départ de la vie contemplative. L'art est simplement déroutant ; c'est une tentation de se livrer à une

---

« D'autre part, ce qui permet de passer du sens premier aux sens seconds, ce sont les analogies plus ou moins évidentes entre l'image ou l'idée du texte, et la réalité envisagée comme sens second ; ces analogies peuvent être de tous ordres : sensibles, intellectuelles ou même sentimentales, du domaine naturel ou du domaine religieux ». *Op. cit.* p. 155.

[1] 40. 18.

[2] *Strom.* V. 14. 117. 3.

[3] Voir une bonne mise au point de la question dans G. W. Butterworth, *Clément of Alexandria and Art...*, qui affirme avec raison que l'importance de la contemplation pure servait à dévaloriser la représentation terrestre du divin : « Thinking rather than acting comes to be looked upon as the highest work of man ». (*Op. cit.* p. 69).

[4] *Protr.* I. 3. 1.

[5] *Protr.* IV. 57. 5.

vie superficielle [1]. L'activité de créer des images est interdite pour le
chrétien. Il est vrai que les statues grecques évoquent inévitablement
les mœurs [2] des divinités grecques auxquelles Clément s'attaque assez
souvent. L'association de la vie immorale des dieux grecs à leurs images
permet à Clément de souligner la notion que l'idole représente l'adoration des plaisirs de la chair : la statue grecque est le symbole propre
de l'immoralité.

Les êtres humains ont tendance à prendre les éléments sensibles de
leur expérience pour des dieux, tandis que le vrai dieu est au-delà de
ces limites. Les arts contribuent à cette notion érronée [3]. C'est Dieu
lui-même qui a créé le soleil, le feu et les astres. L'âme humaine est
la plus belle création qui existe : l'âme seule est sainte. Des constructions
matérielles ne peuvent jamais atteindre cette beauté, car elles restent
terrestres [4]. Une image ne peut pas être sacrée [5].

Nous avons vu ailleurs que Clément ne prétend pas à la beauté de
style ; il la méprise pour les mêmes raisons, qu'elle séduit les sens.
Butterworth [6] remarque que cette position est curieuse pour un admi-
rateur de Platon, dont les écrits sont très soignés du point de vue de
la construction et du style. En fait Clément est sensible à la beauté [7] :

> Le marbre de Paros est beau, mais il n'est pas encore Poseidon ; l'ivoire est beau,
> mais ce n'est pas encore le Zeus d'Olympie ; toujours la matière a besoin
> de l'art, tandis que Dieu est sans besoin.

Mais le principe du refus du plan terrestre l'oblige à renoncer à ses
instincts. L'art, c'est l'opposé de la raison [8]. Même si l'image est belle,
et l'œuvre bien faite, nous devons résister à son appel. Plus elle est
belle, plus l'image est séduisante pour le chrétien [9]. La beauté artistique
est donc un piège, car elle représente une tentation trop forte pour celui

---

[1] *Protr.* IV. 62. 2.

[2] *Protr.* IV. 61. 4.

[3] *Protr.* VI. 67. 2 ; *Strom.* VII. 6. 31. 4.

[4] *Strom.* VII. 5. 28. 2 ss.

[5] Voir le même raisonnement chez Plutarque (*De Is. et Os.* 71 ss.). Cependant l'étude
de Clerc (*Plutarque et le culte des images...*) démontre que cet auteur n'est pas catégorique
sur cette question. Les démons, par exemple, peuvent parler au moyen d'une image.
(*De Defect. Orac.* 21 : voir d'autres textes regroupés par Clerc.) Suidas (s.v. Ἡραΐσκος)
mentionne un savant égyptien qui savait distinguer entre les statues vivantes et celles qui
ne l'étaient pas.

[6] *Op. cit.* p. 75.

[7] *Protr.* IV. 56. 5.

[8] *Protr.* IV. 57. 4.

[9] *Protr.* IV. 57. 5.

qui y est sensible. La musique aussi peut être dangereuse, puisqu'elle est parfois érotique ou guerrière [1].

La position de Clément est évidemment extrêmement rigoureuse — decevante même pour les amateurs des arts — mais on perçoit dans ces remarques l'influence de la condamnation de Platon. Dans la *République* Platon diminue la valeur des arts plastiques à cause du fait que leurs créations sont si distantes de la Réalité. L'image est une copie de l'existence sensible, qui est elle-même une copie du monde des Idées. Le lien de l'image avec la Réalité est donc très atténué. (On remarque que Platon, comme Clément, semble regretter son refus de l'art.) Mais on peut se demander pourquoi Clément n'a pas attribué à l'image matérielle le même genre de suggestivité qu'il accorde à la parole. Effectivement, les arts plastiques ne sont pas inclus dans sa théorie positive du symbolisme ; Clément ne veut pas admettre le symbolisme de l'œuvre des grands artistes grecs (Phidias etc.). Dion Chrysostome [2] affirme que la représentation artistique nous rapproche du divin, et Plutarque manifeste une certaine sympathie pour cette position [3]. Pourquoi Clément se manifeste-t-il si opposé à ce principe ?

Il semble que sa position se durcit à cause du fait que les arts étaient associés à l'idolâtrie. Aujourd'hui on apprécie l'œuvre de Picasso, mais on ne *l'adore* pas, au sens strict du terme. Autrement nous n'attribuons aux arts qu'une valeur symbolique : on ne risque pas de confondre le symbole avec le divin. Mais dans le milieu clémentin il y avait précisément cette tendance d'identifier le sacré avec l'image — c'est l'idolâtrie. De plus il n'existait pas d'art chrétien, et ce qu'il y avait rappelait inévitablement le paganisme. Il était possible pour notre auteur de développer sa notion du symbolisme de la parole, car le chrétien possédait son texte sacré : mais dans le domaine des arts, le symbolisme avait toujours à naître.

Conclusion

Chez Clément la faiblesse du langage, et la transcendance de Dieu, requièrent un langage symbolique. Le symbole n'offre pas de saisie complète du divin, mais il guide la pensée dans une certaine voie. En effet, tout langage est symbolique : la parole n'est pas révélatrice toute

---

[1] *Péd.* II. 4. 43. 1 ss. ; 42. 1.

[2] *Orat.* XII. p. 405.

[3] Voir l'art. cité de Clerc.

seule, elle est à interpréter. Ainsi toute l'écriture est une allégorie, ou
une parabole. Il faut souligner de nouveau que le symbole est équivalent du mystère, ce qui implique deux notions différentes. D'abord il
y a un aspect énigmatique : une certaine pudeur entoure la vérité,
qui s'accorde avec le principe de l'arcane. Mais le terme *mysterion*
implique aussi l'existence d'une richesse inépuisable, offerte à celui
qui le pénètre. L'initiation à la doctrine chrétienne est comparée à celle
des mystères : le fidèle observe un certain nombre de règles rituelles,
et sa récompense est une vision d'une clarté éblouissante. Voilà la
récompense de celui qui sait interpréter l'écriture symboliquement :
la contemplation des vérités pures. Nous avons souligné aussi les
divers sens de la suggestivité du symbole. Nous ne pouvons pas faire
mieux que de citer les propos de M. Pépin [1] :

> Dans ce domaine où la faiblesse humaine ne peut se flatter d'atteindre l'évi-
> dence, le discours direct est mal adapté : le mythe au contraire respecte le
> halo de mystère qui défend l'approche du divin ; il est comme une parure
> qui le protège et en sauvegarde le caractère imposant...

L'importance historique de cette position n'est pas négligeable :
si d'une part les philosophes ne cessent pas de souligner l'apport du
mythe à la philosophie [2], les théologiens n'ont jamais cessé de chercher
une façon de se débarrasser des structures mythiques (prises au pied de
la lettre). On pense à la « démythisation » de Rudolf Bultmann, par
exemple, pour lequel les mythes bibliques ne servent qu'à donner des
aperçus des vérités « éternelles », c'est-à-dire existentielles. La « démythisation », terme par lequel nous entendons tout départ du sens
littéral du texte, est directement tributaire de l'allégorisme : elle trouve
une base rationnelle chez Clément au moins, dans sa théorie du symbolisme.

---

[1] *Mythe et Allégorie*, p. 480.
[2] *Op. cit.*, voir l'Introduction.

CHAPITRE XIV

LA THÉOLOGIE DE L'HISTOIRE

En abordant ce sujet nous trouvons Clément devant le problème peut-être le plus aigu de sa théologie : c'est le point de rencontre entre sa pensée platonisante (et gnostique) et son christianisme. L'importance de l'histoire pour le Christianisme est une évidence, puisque sa clef de voûte est l'incarnation, ou « l'historicisation » du divin. D'autre part l'histoire du peuple juif constitue la réalisation du dessein divin au niveau du devenir. Mais notre auteur est également héritier du mépris platonicien du devenir ; l'idée de l'incarnation, par exemple, serait impensable pour Plotin, dont toute la pensée nous encourage à nous enfuir du domaine historique. En ce qui concerne la question soulevée dans ce chapitre, nous considérons notre auteur aux prises avec un paradoxe au sein de sa pensée [1]. La question essentielle est la suivante : dans quelle mesure Clément tient-il compte du devenir ?

C'est d'abord un problème d'eschatologie. Il s'agit de savoir si, au moment de la *Parousia*, la cité humaine a un destin dans le devenir, ou si son identité humaine sera anéantie en faveur de la Cité céleste. Hegel nous a donné une philosophie du progrès du devenir collectif [2], où l'homme ne réalise son humanité que dans un déroulement progressif. Foncièrement historique, ce penseur envisage un destin collectif, où la liberté individuelle se perd dans une liberté plus profonde. Cette eschatologie se trouve sous une autre forme dans la pensée marxiste, ainsi que chez certains auteurs chrétiens, pour lesquels l'aspect social du Christianisme est primordial [3]. Dans cette perspective le destin

---

[1] Mme M. Harl, dans son étude sur l'incarnation chez Origène, pose la question de la même façon : « Nous allons attaquer Origène au point le plus ardu de son travail théologique, celui où l'opposition entre sa foi chrétienne et ses opinions philosophiques est la plus vive ». (*Origène et la fonction révélatrice...*, p. 101) Cette méthode paraît très fructueuse parce qu'elle est sensible aux difficultés apportées par ces traditions opposées, et elle est ouverte aux possibles contradictions dans la solution.

[2] Voir M. Nédoncelle, *l'Indigence spirituelle du devenir collectif et de son histoire...*, qui examine cette façon d'évaluer l'histoire, et qui affirme le caractère spirituel de la *parousia*, et la réalité de l'existence céleste, conçue par l'œil de la foi.

[3] Nous pensons, par exemple, aux théologiens de la « mort de Dieu » : la position de Clément sur l'incarnation est l'opposé exact de celle de Thomas J. J. Altizer (*The Death of God*). Cet auteur souligne l'aspect kénotique de l'incarnation, lui prêtant un sens

historique de l'homme est mis en valeur. Il faudrait voir, dans une discussion de l'église chez Clément, quel est le rôle et le destin de la cité humaine.

En second lieu, c'est un problème du temps. Le but traditionnel du sage grec était l'identification avec le Bien : par conséquent, il s'efforçait d'atteindre un état atemporel, car la Réalité est éternelle et immuable. Il faudrait déterminer en quelle mesure la morale clémentine est située dans le temps, et dans quel degré notre auteur est anti-temporel.

En troisième lieu, c'est un problème de la chair. Pour le Gnostique et le Néoplatonicien la chair est un fardeau, qui ne possède aucune valeur positive. Elle constitue le vêtement de l'âme, mais sa fonction est entièrement négative : elle peut corrompre l'âme, en imposant une vie au niveau des sens; elle n'apporte rien dans sa recherche d'elle-même. Mais le Verbe s'est fait chair. Il appartient à Clément de défendre cette idée monstrueuse : quel rapport le Verbe peut-il avoir avec la matière ?

Nous nous tournons donc vers le problème de la christologie clémentine. Le chapitre 6 a déjà apporté quelques précisions sur le rôle du Logos dans la connaissance : il est l'image de Dieu. Il nous fait connaître Dieu. Le Fils n'est pas complètement un, ni complètement multiple : c'est l'Un en multiplicité [1]. Il est donc nommable :

> Il l'appelle un chant nouveau, parce qu'il a maintenant reçu un nom, nom autrefois consacré et digne de sa puissance — le Christ [2].

Le Christ est donc révélateur du Père, le *visage* du Père [3] : c'est le Père rendu visible.

Le Verbe est la puissance du Père [4], et cette force divine descend de la hiérarchie des êtres jusqu'au rang le plus infime [5]. Ailleurs on

---

hégélien : selon ce philosophe l'esprit descend constamment en subissant des incarnations successives. La signification finale du Christ donc se trouve dans l'incarnation : par cet acte, selon Altizer, l'au-delà a été banni des aspirations de l'homme. Par contre chez notre auteur l'incarnation n'est qu'un commencement du voyage de l'âme humaine vers les régions célestes.

[1] *Strom.* IV. 25. 156. 1-2.

[2] *Protr.* I. 6. 5.

[3] *Péd.* I. 7. 57. 2.; I. 8. 71. 3.; *Excerpta* 10. 6.; *Strom.* V. 6. 34. 1.; voir la discussion de Mme Harl, *Origène et la fonction révélatrice...*, p. 77, p. 82.

[4] *Strom.* VI. 6. 47. 3; V. 1. 6. 3.

[5] *Strom.* VII. 2. 8. 5. De Faye (*Clément d'Alexandrie...* p. 258 n. 5) démontre le caractère stoïcien de cette notion, et de ce qui suit. Mais le terme δύναμις évoque aussi la

constate que l'immanence du Verbe est soulignée : il s'étend du centre de l'univers jusqu'aux extrémités [1]. Dieu est donc répandu à travers l'univers ; tout est pénétré et connu par lui.

Il y a donc une descente. De Faye s'est penché sur la question de la personnalité de Jésus [2] : à un moment précis, note cet auteur, le Logos devient Jésus-Christ. Il est alors une personne. Or, il est vrai que de nombreux termes soulignent l'aspect personnel du Christ. Il est démiurge, sauveur, la volonté même du Père [3] : ces fonctions supposent une personne, un rôle qui ne peut être que personnel. Mais De Faye finit par souligner le « pré-docétisme » de Clément, car l'influence platonicienne fait du Verbe un être abstrait [4]. Ainsi il est nécessaire de voir de plus près les textes qui traitent de l'humanité du Christ, afin de trouver la phase principale de la pensée clémentine sur ce sujet.

En *Protr.* I. 8. 1 ss. l'aspect kénotique est clairement souligné. Le célèbre verset des *Philippiens* [5] (... « il n'a pas retenu avidement son égalité avec Dieu ; mais il s'est anéanti lui-même, en prenant condition d'esclave ») est cité : Clément le commente de la façon suivante :

> ... C'est lui-même, le Logos, qui vous parle maintenant en toute clarté, faisant rougir votre incrédulité, oui, je dis bien, le Logos de Dieu devenu homme, afin qu'à vous encore ce soit un homme qui apprenne comment un Dieu est devenu homme. Alors n'est-il pas étrange, mes amis, que Dieu sans cesse nous exhorte à la vertu, et que nous, nous nous dérobions devant le secours et que nous différions le salut ? [6].

Cette affirmation de l'incarnation nous laisse voir un aspect intéressant de la christologie clémentine. Le Fils nous exhorte sans cesse : il s'agit du Verbe comme *Pédagogue* [7]. C'est donc pour pouvoir communiquer

---

distinction entre l'essence et l'existence : *l'ousia* de Dieu est inconnaissable, mais sa puissance est manifeste. Voir l'étude d'A.-J. Festugière, *La Révélation...*, IV, 6-17, sur le rapport entre la puissance et l'existence de Dieu : un texte de Josèphe notamment (c. *Apion* II. 167) rapproche la puissance et l'aspect connaissable (γνώριμος) de Dieu.

[1] *Protr.* I. 5. 2.

[2] *Clément d'Alexandrie*, p. 261ss.

[3] *Protr.* XII. 120. 2.

[4] Les travaux qui ont été effectués depuis les ouvrages de De Faye nous mettent en garde contre la simplicité des alternatives de cet auteur. Pour lui il s'agit ou bien du Jésus de l'histoire, ou bien du Jésus docétique : Mme Harl (*Origène et la fonction révélatrice...* p. 101) lui fait le même reproche vis-à-vis d'Origène : elle met en jeu la notion de la valeur sacramentelle de l'humanité de Jésus.

[5] II. 6, 7.

[6] *Protr.* I. 8. 4.

[7] Voir W. Völker, *Gnostiker...*, p. 101 ; le rôle du Logos dans l'histoire du salut (Heils-

d'une façon humaine que le Verbe s'est fait chair. Cette citation vient
à la fin d'un long passage qui décrit l'activité du Christ, qui enjoint,
qui persuade, fait peur, se lamente : bref, il subit toutes les émotions
humaines dans sa mission salvifique. En tant qu'humain, le Christ
sait apprendre la voie divine : il sait s'adapter à la variabilité de l'âme
humaine. Cependant tout en soulignant l'humanité du Logos, Clément
ne se réfère pas aux faits historiques de la vie du Christ : l'activité
pédagogique qui est si longuement décrite, s'effectue incessamment. Il
assume cette fonction même avant l'incarnation, enseignant par des
signes tels que le buisson ardent : et maintenant, après, par cette œuvre
d'instruction continue. Il faut conclure que dans ce passage, c'est le
caractère du Christ comme Logos, plutôt que comme chair qui ressort.
Le Verbe est personne : il n'est pas encore chair.

Ainsi on sent l'ambiguïté de la position clémentine sur le Logos.
Ce que Clément attend surtout de son Logos, par rapport à celui de
Philon, c'est le salut. Mais Dieu ne peut pas lui-même sauver l'homme,
noyé comme il l'est dans la multiplicité et dans les ténèbres. Cette
fonction devient alors celle du Logos : mais si l'on sépare trop brusque-
ment du Père, l'histoire du salut semble se réaliser en dehors de
lui. C'est pourquoi Clément se sent obligé d'insister que

> La nature du Fils est la plus proche de Celui qui est seul tout-puissant [1].

En fait, tout ce passage vise à maintenir l'équilibre délicat entre le
Logos, le plus proche de Dieu, unique dans sa majesté, et le Logos sauveur qui persuade, qui se soucie et qui s'occupe du destin humain.
Le Christ *essaie*, mais on ne peut pas affirmer qu'il est empêché.
Il souhaite le salut de tous, mais il ne « l'envie » pas. Clément a du mal
aussi à accepter, que le Christ éprouve la tristesse ou la joie, car il est
impassible [2]. La miséricorde du Pédagogue et du Sauveur semble
s'associer mal avec l'état d'impassibilité parfaite qui est la sienne :
car le Verbe, en tant que divin, n'est soumis à aucun *pathos*. De Faye
en conclut : « Ainsi le Logos, même lorsqu'il est devenu le Christ, oscille
entre le divin et l'humain. En somme, c'est vers le divin qu'il incline » [3].

Or, c'est précisément parce que la chair est la source des *pathé*

---

geschichte), c'est celui du Pédagogue. Il ne relâche jamais son enseignement, qu'il
poursuivit πολυτρόπως καὶ πολυμερῶς (*Hébr.* I. 1). C'est une *Paideia*. Ainsi (*op. cit.* p. 98)
la « philanthropie » est le thème principal de l'œuvre salvifique.

[1] *Strom.* VII. 2. 5. 3.

[2] *Strom.* VII. 2. 7. 3-4.

[3] *Op. cit.* p. 263-4.

que Clément hésite à affirmer sans ambages l'incarnation du Christ. L'élément personnel, requis par le rôle du Logos comme Sauveur, est acceptable dans la mesure où le principe de l'apathie est observé. Ces deux notions sont parfaitement compatibles. Jésus est une personne, la personne parfaite, c'est-à-dire un exemple parfait de l'impassivité. Ce sont les considérations qui provoquent le passage peut-être le plus docétiste, en *Strom*. VI. 9. 71. 1 ss. Ici il est dit que tandis que le Gnostique est soumis toujours à certaines affections, qui sont nécessaires pour l'entretien du corps, il serait ridicule, dans le cas du Seigneur, de supposer que son corps aurait besoin de la nourriture; qu'il avait besoin de boire, de manger et de dormir.

Cependant le passage est surprenant : examiné soigneusement il tend à aller contre la thèse du docétisme clémentin. Car le Christ possède un « corps ». Ce corps est animé par une « puissance sainte » [1] : il s'ensuit, dit-il, que le Seigneur n'avait pas besoin de l'alimentation dont il s'est servi : mais « pour que ceux qui étaient autour de lui ne le conçoivent pas de façon différente ». Autrement dit, pour ne pas donner l'impression d'être un phantasme, le Christ a participé aux besoins simples de la vie. Cette affirmation importante a une double signification : Jésus possède un $\sigma\tilde{\omega}\mu\alpha$, dont le fonctionnement n'est pas soumis aux mêmes lois physiologiques que le $\sigma\tilde{\omega}\mu\alpha$ de l'être humain. Mais ce corps spécial ne doit pas donner lieu à des spéculations comme celles de certains qui ont supposé que son existence était celui d'un phantasme.

Il y a donc chez Clément une incarnation, à proprement parler, bien que ce texte soit souvent cité pour prouver le contraire. Il est vrai que la chair du Christ est « spéciale », qu'elle fait l'objet d'une définition particulière. Il est vrai aussi que la modification apportée par Clément tend vers le docétisme. Le Christ était entièrement impassible, inaccessible aux douleurs et aux plaisirs : cette apathie parfaite est imitée par ses disciples. Ainsi, comme nous l'avons déjà suggéré, la chair est suspecte pour Clément, à cause de sa morale : l'abandon du $\pi\acute{\alpha}\theta o\varsigma$, étant la clef de sa morale suppose la renonciation à la chair. (Mais même ici il faut faire attention : W. Völker [2] veut minimiser la tendance vers l'abstrait dans la christologie clémentine, en affirmant que l'apathie du Christ ne le distingue pas trop nettement de l'homme, comme certains le supposent. Il est tout à fait vrai que l'état d'apathie

---

[1] *Strom*. VI. 9. 71. 1 ss.
[2] *Gnostiker*..., p. 531 ss.

est un but qui est accessible à l'homme, car il fait partie de la morale chrétienne : il est vrai aussi que le Gnostique peut *atteindre* un certain degré d'apathie. Ainsi le fait qu'il est *apathés* ne peut pas fournir une base à partir de laquelle l'on peut affirmer que le Christ de Clément est retiré du plan humain).

Il était donc impossible que Clément présente l'incarnation par rapport à une définition normale de la chair, et dans cette mesure l'historicité du Christ est diminuée, de la même façon que celle du Gnostique est diminuée dans son ascension vers la gnose. Cependant il est à remarquer que l'incarnation implique toujours, dans un sens ou un autre, une définition spéciale : aucun théologien ne peut envisager l'équivalence exacte entre le Christ et l'homme : la théologie de l'incarnation n'est jamais formulée sans restriction. Le Christ est parfaitement humain, dans tous les aspects, sauf...

Un second aspect du passage que nous sommes en train de discuter, c'est le côté « théâtral » de l'humanité de Jésus. Il effectuait certains gestes, non pas par besoin, mais afin que la réalité de sa chair ne soit pas mise en doute. Le Logos, selon Clément, voulait surtout qu'il soit perceptible, afin d'être intelligible. Si l'on pouvait mettre en cause son existence corporelle, l'effet de la révélation serait perdu, et l'incarnation deviendrait incompréhensible. Mme Harl [1] remarque qu'il est difficile de trouver une attribution explicite de ce rôle révélateur au Verbe incarné : mais il est certain que dans notre passage l'importance du Christ corporel est liée au problème de la révélation chez Clément [2].

Le Verbe est devenu chair afin d'être vu [3].

Cette affirmation est extrêmement claire. Le but du Verbe était de se présenter aux yeux de l'homme, comme personne.

---

[1] *Origène et la fonction révélatrice...*, p. 82.

[2] On pourrait supposer que la position de Clément est trop équivoque, parce que le Christ est obligé de « faire croire » qu'il a besoin de manger etc. Il est important de souligner que Clément ne nie pas le corps du Christ; il ne nie que le fonctionnement normal de ce corps selon les lois physiologiques. En *Péd.* I. 6. 43. 2 le Seigneur est appelé le « mélange » intime du sang et de la chair : κρᾶσις est effectivement un terme technique stoïcien, qui signifie « composé ». Cf. Aristote, *Top.* 122 b 26; Plotin *Enn.* 3. 16. C'est aussi le titre d'un écrit de Galien, περὶ κράσεως. L'usage de ce terme, et les explications physiologiques qui suivent, suggèrent que Clément aurait pu défendre de façon systématique la prise de position citée dessus. Voir R. V. Sellers (*Two Ancient Christologies...*, p. 18 ss.) qui fait remarquer l'affirmation que Jésus n'aurait pu vaincre la mort sans être *homoousios* avec l'homme (*Strom.* IV. 13. 91. 2).

[3] *Strom.* V. 3. 16. 5.

Chez Clément le Verbe fait une entrée dans l'histoire, par sa présence indiscutable dans la chair. Ainsi nous pouvons affirmer que notre auteur rattache le centre du christianisme à un certain point dans l'histoire. Mais nous avons aussi souligné dans quelle mesure il penche vers le docétisme, c'est-à-dire vers la doctrine du Christ abstrait. Cependant l'importance attribuée au σῶμα du Christ ne doit pas nous tromper quant au reste de sa théorie de la connaissance. La structure entière de la théologie clémentine interdit d'attribuer une importance trop considérable à une perception sensible. En général ce n'est pas le Christ de l'histoire qui nous est présenté, mais le Christ théologique [1]. La théorie clémentine de la connaissance requiert, nous l'avons vu, une ascension, dont le point de départ est l'expérience sensible. L'existence dans la chair est un stade à dépasser.

La *kenosis* est considérée comme un drame [2]. La chair est prise comme un masque, afin que le drame du salut soit joué. Si nous prenons les faits de la vie du Christ comme ultimes, nous prenons le symbole pour la réalité. L'histoire, comme le mythe, est soumise à l'interprétation allégorique [3]. Il est peut-être trop tôt dans l'histoire de la philosophie chrétienne pour parler de l'incarnation comme sacrement, mais nous pouvons néanmoins constater certaines tendances dans cette direction.

D'abord Dieu lui-même ἐποπτεύεται, est « éclairé », par le Fils [4]. Dans un écho du langage des mystères, le Fils constitue la porte par laquelle on entre dans la clarté de la vision mystique. Rappelons aussi que dans la version clémentine de la théologie mystique, le Verbe constitue un stade intermédiaire après lequel vient la vision complète; la vision partielle par laquelle nous parvenons à l'époptie. (Il faut signaler en passant un passage du *Pédagogue* [5] qui semble assimiler la chair et le sang du Christ à la nourriture de l'Eucharistie). Le Christ est la monade : la théologie négative et la méthode analogique peut mener jusqu'à ce stade, mais finalement il n'est que la voie vers l'extase.

---

[1] *Protr.* I. 8. 1. Cf. Le Verbe « en bas » et « en haut » d'Origène (voir Mme Harl, *Origène et la fonction révélatrice...*, p. 193). Ceci s'accorde avec le vocabulaire johannique sur la « descente » et la « montée » (*Jean* III. 12; VI. 62).

[2] *Protr.* X. 110. 2.

[3] Voir P. Th. Camelot, *Foi et Gnose* p. 80.

[4] *Protr.* I. 10. 2.

[5] I. 6. 43. 1 ss. Sur l'interprétation de ce passage, voir W. Völker, *Gnostiker...*, p. 598-600, et F. Quatember *Die Christliche Lebenshaltung...*, p. 103 n. 75.

La nourriture, c'est-à-dire le Seigneur Jésus, Logos de Dieu, c'est l'esprit devenu chair, la chair céleste sanctifiée [1].

Nous concluons donc que l'entrée du Christ dans l'histoire n'est pas niée par notre auteur, mais cette théophanie n'est importante que dans la mesure où elle fournit le moyen de dépasser l'histoire.

L'homme et l'histoire

Cl. Mondésert [2] a bien fait de souligner qu'on trouve chez Clément un concept général de l'homme. Bien que ce soit une notion qui nous est très familière, dans notre milieu où les sciences sociales prédominent, l'idée de l'unité de la race humaine n'était pas une évidence pour Clément. C'est seulement avec Irénée et Clément que nous trouvons une doctrine chrétienne de l'homme — ἀνθρωπότης [3].

> Le bon pédagogue, la Sagesse, le Logos du Père, lui qui a créé l'homme, s'occupe de sa créature toute entière, et il guérit aussi bien son âme que son corps, cet universel médecin de l'humanité [4].

Mais quelle importance faut-il attacher à l'histoire de l'Homme ? L'humanité est bien entendu enracinée dans le plan du devenir — et il y a une histoire de son existence. Mais quelle est sa signification ? Dieu est entré dans une alliance avec le peuple juif, afin qu'il soit son héritier ; ce peuple élu, par sa révélation privilégiée avait pour rôle d'appeler « ceux qui sont dans les ténèbres ». Ainsi le dessein divin se déroule dans le temps, car il s'associe au destin d'un peuple particulier. Mais l'histoire est une parabole : un événement au niveau des γεννητά, même s'il est ordonné par Dieu, n'est que le symbole d'une vérité cosmique ou spirituelle : et ce point de rencontre entre Dieu et le processus historique est interprété allégoriquement par Clément [5]. Mais ce n'est pas nier la réalité du processus historique :

> Ces Testaments sont deux quant au nom et à la date, ayant été donnés par une sage ordonnance suivant la croissance et les progrès de l'humanité, et sont pourtant un par leur vertu, l'ancien et le nouveau, provenant par l'intermédiaire du Fils du Dieu unique [6].

---

[1] *Péd.* I. 6. 43. 3. Trad. S.C. (M. Harl) : voir la note de cette édition qui signale que le terme πνεῦμα n'est pas à comprendre dans le sens trinitaire : il signifie plutôt essence.

[2] *Clément d'Alexandrie* p. 190 ss.

[3] Voir Cl. Mondésert (*op. cit.* p. 192) : le mot se trouve 27 fois dans l'œuvre de Clément, d'après l'Index de Stählin.

[4] *Péd.* I. 2. 6. 2.

[5] *Strom.* VI. 6. 44. 3.

[6] *Strom.* II. 6. 29. 2.

Ainsi Clément conçoit pleinement l'idée du déroulement temporel du plan divin dans l'humanité. Mais les actes de Yahweh sont plus que de simples faits. Réduire un acte divin à n'être rien qu'un fait de l'histoire, ce serait le considérer dans une perspective spirituellement aveugle. Le respect du fait scientifique est totalement absent chez Clément, puisque les actes de Dieu ont pour lui une valeur pédagogique. Loin d'être une simple série de faits, l'histoire des Juifs est imprégnée de signification, dont l'interprétation typologique fournit la clef. Les événements de l'alliance préfigurent ceux du Nouveau Testament [1]. Comme l'affirme A. Méhat [2], en général pour Clément, « la Prophétie », c'est l'Ancien Testament [3].

De même, l'institution de l'église est peu importante, sauf dans son existence céleste. Butterworth signale que Clément ne s'intéresse pas de façon excessive aux problèmes ecclésiastiques, puisque l'Eglise représente pour lui « a grand idea » [4], une source de l'allégorie. Le Gnostique [5] habite l'église, mais il ne s'y attache pas d'une façon excessive, car il devrait se préparer pour un départ soudain. Il vit comme un étranger dans le monde, étant céleste de nature. C'est un pèlerin, qui se sert des logements temporaires en parcourant son chemin, mais qui embrasse en vérité les demeures de l'au-delà. C'est l'église qu'il perçoit, par l'œil de la foi : « car nous marchons par la foi, et non par la vue » [6]. Par sa connaissance donc le Gnostique perçoit la vraie église, considérant celle d'ici-bas comme une demeure temporaire [7].

> Celui qui mange de ce repas acquerra le meilleur des biens qui existent, le royaume de Dieu, parce qu'il s'est préparé dès ici-bas à la sainte assemblée de la charité, à l'Eglise céleste [8].

La préoccupation du gnostique n'est pas pour l'église dans le monde. Il s'agit encore une fois de la théorie des ressemblances, parce que l'Église réelle se reflète sur terre dans une image qui est infiniment

---

[1] Voir J. Daniélou, *Message...* p. 232.

[2] *Etude...*, p. 164.

[3] *Strom.* I. 15. 70. 4 ; II. 6. 29. 3.

[4] *Clement of Alexandria and Art*, p. 75.

[5] *Strom.* IV. 26. 166. 2.

[6] *2 Cor.* 5. 7.

[7] Cf. M. Nédoncelle, *l'Indigence spirituelle du devenir collectif* p. 135 : « La fonction de cette Eglise est certes de donner visiblement ce qu'elle reçoit par ses rites et ses institutions. Mais elle ne tient pas sa vraie puissance de la nature où elle s'exprime et qu'elle doit transmuer ».

[8] *Péd.* II. 1. 6. 2.

moins perfectionnée que son modèle : pareillement, la morale platonicienne exige qu'on prête son attention surtout au Réel, plutôt qu'à
ses images inférieures. Les grades de l'église terrestre (ceux des évêques,
des presbytres, des diacres) sont des imitations de la « gloire angélique ».
Tout le chapitre 13 du sixième *Stromate* expose ce rapport de copie/
modèle qui existe entre les églises des deux plans.

> Et l'église terrestre est l'image de la céleste : en effet, nous prions que la
> volonté de Dieu soit fait sur terre comme aux cieux [1].

En conséquence, il faut conclure que pour Clément l'homme mène sa
vie dans une réalité secondaire : que les institutions humaines, de
même que les expériences humaines, n'ont aucune signification en
elles-mêmes. Leur importance est dérivative.

L'homme dans le temps

Nous avons déjà constaté que la morale de l'apathie possède une
fonction anti-historique dans la pensée de Clément, car c'était le besoin
de déclarer le Christ sans *pathos* qui a diminué le sens de l'incarnation
chez notre auteur. Effectivement le souci de l'apathie est un désir
de stabilité : c'est une façon de lutter contre le devenir. En face du
mouvement incessant du devenir se trouve la stabilité et l'immobilité
éternelle de la Réalité : la morale de l'apathie représente un effort pour
atteindre cet état de repos complet. Dans le chapitre 9 nous avons signalé
la rapport entre la gnose et l'éternité, et dans cette mesure, le but du
gnostique est de s'échapper de l'histoire.

Cette impression est renforcée par l'emploi des images que nous avons
déjà notées, sur le Gnostique comme étranger, pèlerin dans un monde
temporaire. Le Gnostique vit dans l'unité de la foi, qui est « indépendante de l'espace et du temps ». Dans le chapitre IX nous avons esquissé
le rapport du Gnostique avec le temps, et nous avons affirmé que son
idéal était de dépasser le temps. Dans la mesure où il embrasse la gnose,
il partage l'éternité — qui n'est pas un déroulement infini du temps,
mais un état ontologique, élevé au-dessus du devenir. Le présent, le
passé, et le futur lui appartiennent : il les embrasse dans sa prière [2].
La gnose elle-même est éternelle, et le Gnostique tend à absorber
cette qualité par assimilation [3].

---

[1] *Strom.* IV. 8. 66. 1.

[2] *Strom.* VII. 12. 79. 2.

[3] *Strom.* IV. 22. 136. 4.

Dans plusieurs endroits Clément s'efforce de donner une explication du rapport entre les choses éternelles, et le déroulement temporel de l'histoire humaine. L'on ne peut pas affirmer que le temps est aboli pour le gnostique, parce que son pèlerinage *dure* : le but promis est attendu, car l'accomplissement n'est pas immédiat :

> Nous ne prétendons pas en effet que se produisent au même moment les deux actes qui consistent d'une part à arriver au terme, d'autre part à avoir une pré-connaissance de cette arrivée. L'éternité et le temps ne sont pas choses identiques, ni l'élan du départ et l'accomplissement, en aucune manière. Cependant les deux actes se rapportent à une action unique et c'est un être unique qui est l'objet des deux étapes [1].

C'est une évidence que le temps et l'éternité ne sont pas identiques, et ce manque d'unité constitue un problème pour notre auteur. Mais les deux aspects de l'aspiration chrétienne, la promesse, et la réalisation de cette promesse, trouvent leur unité par rapport à la Personne qui est au centre de la promesse, et qui est l'unité propre. La foi, c'est l'effort d'arriver au but, l'élan temporel : la réalisation de l'effort est l'obtention de la promesse, qui est éternelle. Voilà pourquoi le Gnostique est étranger : il est déjà en route pour l'état atemporel. La fin de la piété, c'est le repos éternel en Dieu [2].

Un aspect de la gnose est ce qu'on pourrait appeler l'imitation de l'éternité, c'est-à-dire l'intelligence de l'unité de l'histoire. Le Gnostique connaît le passé, et peut prévoir le futur. La prophétie lui enseigne la forme de l'avenir : par sa compréhension globale l'histoire, il échappe à sa vision partielle. Son intelligence de l'histoire lui offre une sorte de synthèse : son énigme lui est dévoilé — il en saisit l'unité [3].

En conclusion, pour Clément Dieu est inengendré. Il n'y a jamais eu de commencement de sa bonté, elle ne cessera jamais. Dieu et son œuvre sont éternels [4]. Or, étant donné que le but du Gnostique (donc du christianisme) est l'imitation de Dieu — nous rappelons le thème de *l'homoiosis* — il est évident que le chrétien doit essayer d'atteindre cette éternité. Or la structure platonicienne qui est constamment sous-jacente entraîne une conception particulière du temps. Le temps s'asso-

---

[1] *Péd.* I. 6. 28. 4.

[2] *Péd.* I. 13. 102. 2. M. Marrou (Ed. S.C. p. 292) signale que l'idée du repos est chère à Clément pour définir l'idéal gnostique : il n'est pas besoin de souligner l'aspect atemporel du repos — c'est l'opposé du devenir — le « coming to be and passing away ».

[3] *Strom.* I. 17. 81. 4 ; *Strom.* VI. 11. 92. 3.

[4] *Strom.* V. 14. 141. 1 ss.

cie au devenir, au cycle constant du changement. Pour notre auteur l'éternité égale l'immobilité de la Réalité, tandis que le temps égale le changement. Toute la morale de Clément est axée sur cette distinction; il s'ensuit que sa pensée est anti-historique. L'histoire étant l'arène du devenir, la fin du gnostique est inévitablement de s'en évader : son premier pas dans cette direction est constitué par la renonciation au *pathos*, car le *pathos* est surtout du changement. Le Gnostique vit comme un étranger dans l'histoire; son attention est fixée sur l'église céleste, la communauté angélique, et les vérités célestes. Nous concluons donc que la distinction entre les plans ontologiques, fondamentale dans la théologie clémentine, constitue un refus de l'histoire. Le devenir signifie le temps.

Mais J. Daniélou [1] a bien vu que la philosophie chrétienne de l'histoire se sépare néanmoins radicalement du Platonisme. Car l'église, qui débute dans l'histoire et dans le devenir, n'a pas de terme; contrairement à la distinction rigide des Platoniciens entre les plans ontologiques, Clément envisage une église qui se lance dans la foi (le début temporel) et qui *obtient la promesse* (la fin éternelle). L'eschatologie chrétienne envisage un être engendré qui s'élève jusqu'à la gloire céleste. Le temporel aboutit à l'éternel.

Dans cette mesure Clément tient compte de l'histoire. L'incarnation est pour lui une vraie entrée dans la chair et dans le temps du divin : voilà une parabole, dont la signification est que la barrière entre le Réel et le devenir a été franchie [2]. Clément se sert donc de la *kenosis* pour démontrer l'embarras du Platonisme, avec son ontologie rigide. Et comme le Christ est descendu, la cité terrestre montera jusqu'à ce qu'elle devienne la cité céleste.

---

[1] *The Christian Philosophy of History...* p. 172 ss.

[2] Nous utilisons un anachronisme conscient, car la pensée augustinienne sur la Cité de Dieu trouve bien ses racines dans ces quelques textes clémentins. Cf. H.-I. Marrou, *Théologie de l'histoire* p. 129 : « ... rien ne doit demeurer étranger à la préparation du Royaume, à la croissance de la Cité de Dieu : dans toute action humaine on peut découvrir au centre et comme à la racine, le projet de réaliser une valeur qui, de quelque manière, participe aux valeurs absolues ».

CONCLUSION

I. Philon le juif est probablement le représentant le plus important de la tradition qui influence notre auteur. Sans en être le créateur, Philon néanmoins a mis en valeur la notion de la transcendance de Dieu. Précisant d'abord sa pensée par rapport au langage, Philon démontre que Dieu est plus vaste, plus haut, plus « Un » que ne l'admet aucun prédicat. Wolfson a bien vu l'importance de cette contribution à la philosophie patristique, même s'il a tendance à exagérer la position de Philon par rapport à la tradition. Nous avons donc retracé les éléments de la théodicée platonisante : le terme moyen-platonicien est peut-être trop étroit car on trouve chez Clément des réminiscences de l'orthodoxie platonicienne de l'époque, mais aussi de la gnose, et du christianisme philosophique.

Bien qu'il n'y ait aucune « théorie de la connaissance » chez notre auteur, il est vrai que toute sa pensée est axée sur ce problème. Pour Clément *l'agnostos theos* est l'ultime but de l'effort humain. Sa théologie est en quelque sorte commandée par la hardiesse de sa théodicée. Voilà pourquoi nous avons commencé dans les deux parties par le concept du divin ; la théorie de la connaissance découle de la nature de l'objet à connaître. D'une part la transcendance de Dieu dévalorise le nom : Dieu est innommable. Car le nom définit ; il pèse sur l'être dénommé, il l'engloutit. « Il sera toujours possible de capitaliser en celui-ci un groupe d'expériences passées et closes…, et d'y nourrir alors la paresse mentale » [1]. Le nom est d'ailleurs le signe du devenir, ce qui implique deux objections principales à l'idée que Dieu est nommé. D'abord, ce qui est engendré est multiple : nous avons vu, avec E. F. Osborn, que la préoccupation de l'Un et du multiple est centrale dans l'œuvre clémentine. Il s'ensuit que le nom est partiel ; il s'applique à l'être en multiplicité. Sa fonction est de diviser, de donner un aperçu partiel. En second lieu, le nom limite. Dieu est sans bornes ; le nommer serait essayer de le circonscrire. Le nom renferme : Dieu est au-delà du plan des limites. (En revanche, le Logos est circonscrit, et Clément associe explicitement l'idée de limiter à celle de nommer) [2].

Il est à remarquer aussi que le jugement de notre auteur sur le

---

[1] M. Nédoncelle, *Le nom propre peut-il stimuler la pensée ?* … p. 38.

[2] Nous utilisons le terme « nom » comme le fait Clément : c'est-à-dire comme équivalent de prédicat, aussi bien que de nom personnel.

langage est confirmé, dans sa sévérité, par son ontologie. Dans tous les auteurs dont nous avons examiné la théodicée, le sens précis de leur conception du langage est démontré par leur ontologie. C'est dire que le vrai problème est de savoir la position de Dieu, par rapport aux êtres dans le schéma ontologique. Or dans le cas de Clément, Dieu se trouve au-delà de *l'ousia* même : la philosophie du langage découle de l'ontologie. L'exclusion de Dieu même du monde des Idées constitue une façon très marquée d'accentuer la notion de la transcendance, et les conséquences pour la parole sont évidentes. Sa puissance est beaucoup réduite.

En revanche, elle sert à exprimer le Logos, qui en tant qu'Unité - en - multiplicité, est nommable. Il est circonscrit, et le nom peut aussi le fixer. Le Logos est le visage du Père, l'aspect compréhensible. C'est le μυστήριον ἐμφανές, révélé en termes infiniment plus proches que les non-termes qui s'appliquent à l'Etre suprême. Mais le Logos est la monade, ou l'Unité inférieure, la concrétisation de l'abstrait qu'il faut surmonter. La fin de la recherche gnostique se décrit dans le langage mystique (qui était largement à la disposition de Clément, du côté païen et du côté biblique) : mais surtout, l'adoration de Dieu se fait dans le silence, la Σίγη.

II. Le langage est non seulement mal adapté à la tâche de saisir le divin : il est tout à fait fatal. L'ambiguïté du prédicat réside dans le fait que, tout en tâchant de dire l'indicible, il déroute et trompe l'esprit par son aspect trop concret. Il n'y a qu'un remède — celui de la négation, où le prédicat est éliminé. L'esprit devrait enlever successivement les prédicats qui se veulent appliquables au divin, comme on soustrait la notion de la profondeur, et puis celle de la surface etc. pour pouvoir concevoir le point. C'est la Σίγη dans une formulation philosophique : en affirmant une notion par la négation successive, nous arrivons enfin à ce qui n'est plus une notion, mais qui est la gnose.

L'esprit tient trop étroitement à la parole. C'est la mentalité charnelle — la morale et la théorie de la connaissance se mêlent — car un attachement excessif au prédicat est analogue à la soumission aux passions de la chair. Ce désir du concret est à perdre, si l'on veut poursuivre la voie de négation, pour arriver au stade de l'extase. En effet, vue comme partie de la *via eminentiae*, la négation constitue un acte positif — celui d'abandonner un fardeau pour pouvoir continuer son ascension. Par le démenti on avance, car le démenti signifie la suppression des concepts trop limités.

Nous avons discerné deux courants dans la théologie négative :
d'une part on nie parce que Dieu et le prédicat en question sont
radicalement opposés ; d'autre part on nie simplement parce que Dieu
est supérieur au concept proposé supérieur, mais non pas opposé.
Dans ce cas-ci, la négation revêt la forme, non pas d'une rupture, mais
d'un raffinement.

De même, la voie d'analogie admet que le langage peut être instruc-
teur, s'il est soigneusement manié par un processus herméneutique.
Cependant le sens primaire de l'analogie clémentine ne se rapporte
pas au problème de la connaissance, parce que sa signification est
cosmologique. Toutes les dispositions cosmiques du créateur suivent
ce principe, qui assure la cohérence et l'intégralité du monde créé.
Comme le démiurge du *Timée*, la *Pronoia* réalise l'unité du cosmos par
un instrument quasi-mathématique.

Ceci dit, Clément ne manque pas de tirer les conclusions pour le
processus intellectuel. Le caractère analogique de la réalité fournit la
possibilité de l'intellection *horizontale* (dans laquelle on compare et
rapproche des concepts du plan sensible), et de l'intellection *verticale*
(dans laquelle on utilise les notions sensibles afin d'obtenir une idée
du plan céleste). Le fait que tous les êtres manifestent ce principe assure
la possibilité de la conception.

III. Si Clément est philosophe, il est aussi l'homme de lettres et
ethnologue. Comme tant d'autres penseurs dans le milieu hellénistique,
notre auteur s'intéresse à l'ensemble de la culture humaine, sans
limite raciale. De la même façon que la mode intellectuelle de la société
occidentale s'intéresse au mysticisme oriental, Clément participait à
la mode de sa propre ère. Il s'agit d'une préoccupation pour la religion
et la culture égyptienne. Notre auteur manifeste un comparatisme
très développé : toutes les données culturelles peuvent être d'une
valeur pédagogique. Voilà l'explication des catalogues de citations qui
se trouvent à travers les écrits de notre auteur. Il y a, d'ailleurs, plusieurs explications de cette communauté intellectuelle qui se trouve
dans tous les coins du monde connu de Clément : d'abord nous avons
considéré la théorie du plagiat. Thèse de l'apologétique, la notion du
plagiat postule un lien historique entre la culture grecque et celle du
peuple juif : Platon aurait lu les écrits de Moïse. La théorie historique
du comparatisme ne se limite pas à Clément : c'était une explication
courante de « l'intellect commun ».

Voilà l'autre explication importante de la méthode multi-culturelle de notre auteur. La notion du *nous* commun (qui se trouve chez tous les penseurs syncrétistes) affirme que tous les êtres humains partagent une perspective véritable sur le monde. Dans le cas des païens ces notions sont déformées, mais elles peuvent néanmoins s'exprimer ici et là dans leurs écrits. (La « supposition commune » représente aussi un effort pour accorder une certaine saisie de la vérité à tous les peuples sans égard pour leur race, leur origine, ou leurs croyances générales).

Un des exemples les plus importants de la méthode est l'emploi de l'image des mystères, qui avait déjà été approuvé par les auteurs néotestamentaires. Il est même vrai que les mystères excercent une influence sur la conception du christianisme : en tout cas le déroulement du drame du salut est décrit dans la terminologie des mystères.

Clément est donc penseur *ouvert* : pour lui le christianisme ne peut que profiter par son contact avec la culture païenne. En effet, la synthèse théologique qu'il offre ressemble à une « christianisation » des idées directrices de la culture contemporaine : il faut avouer que cette impression peut être fausse. L'usage du vocabulaire des penseurs païens peut être une affectation, adoptée dans un but apologétique.

Mais à notre avis, l'apologétique n'est pas une branche séparée de la pensée clémentine : chez lui on ne distingue pas entre la théologie et la défense de la théologie. Voilà ce qu'il y a d'important dans le fait que Clément adopte une méthode éclectique : sa pensée *est* une synthèse.

IV. Une des grandes vérités qui se retrouvent dans toutes les cultures est la nature obscure et secrète de la vérité. Elle est dissimulée pour deux raisons principales. L'une se rapporte à la discrétion pratiquée par l'initié aux mystères, qui est en fait universellement admise en matière de religion. Il devrait y avoir un arcane, de sorte que le noyau de la révélation est réservé pour ceux qui sont pleinement introduits dans la cercle des croyants. Il est nécessaire de protéger ce qui est précieux contre l'abus : dans cette perspective l'arcane s'associe surtout à la prudence.

Mais l'arcane est plus qu'une simple règle à observer. Il provient de la nature de la vérité, qui est mystérieuse en elle-même. D'abord Dieu voulait qu'il soit révélé de cette façon, car le mystère et le voile ennoblissent les grandes vérités qu'ils entourent. De plus, ce qui est difficilement compréhensible attire l'attention de l'esprit humain : l'homme aime se consacrer à une recherche, à une poursuite. Le voile devant Dieu sert à stimuler cet aspect de son caractère.

Il est aussi vrai que Dieu est obscur à cause de sa transcendance. C'est-à-dire que son obscurité provient des limites des facultés intellectuelles de l'homme. Il est inévitable que Dieu soit entouré de mystère, car sa nature dépasse les conceptions qui sont claires à l'esprit humain.

Cet aspect secret de la doctrine constitue un élément important dans la théorie clémentine du symbole. Si la vérité est voilée, il s'ensuit que sa représentation est énigmatique : elle reflète l'ambiguïté du sujet.

V. Le divin est caché, mais la culture essaie néanmoins de le représenter. La transcendance de Dieu réduit la valeur de la doctrine et de la représentation systématique qui veut le décrire. L'exil de Dieu entraîne la notion que ses représentations ne sont que des symboles. Or, c'est dans cette notion du symbole que notre étude trouve sa synthèse : d'une part le fait d'accentuer la transcendance de Dieu tendait à faire de la pensée religieuse une série de symboles. D'autre part, le comparatisme faisait ressortir la même tendance. Le fait de comparer et assimiler des structures différentes suggérait aussi la notion du symbole.

L'allégorisme met en pratique cette notion du symbolisme de la pensée humaine. L'importance de la position de Clément réside dans le fait que le symbole, et donc l'interprétation allégorique, s'applique à toute l'Ecriture. L'écrit entier est une « forme parabolique », susceptible d'une interprétation christologique, selon laquelle on voit le Christ préfiguré à travers l'histoire du peuple juif. La vérité se trouve donc derrière la parole ; il faut l'esprit gnostique de perception pour pouvoir l'appréhender.

L'interprétation de la parole requiert parfois une connaissance privilégiée. Le sens de l'allégorie possède sa propre cohérence, mais il faut en connaître la clef pour qu'il puisse ressortir du texte en question. La clef n'est livrée qu'à l'initié. Cependant parfois le texte suggère sa propre interprétation : ce n'est pas un hasard, parce que la parole, comme tous les êtres, fait partie du plan des ressemblances. Elle est est donc un miroir qui reflète la vérité : elle n'est pas la vérité elle-même, mais elle lui ressemble. L'herméneutique vise à sonder toutes les profondeurs de la parole : en exploitant sa suggestivité, comme dans l'étymologie, ou en livrant les secrets de sa signification.

L'idée de la signification dérobée derrière le symbole est historiquement importante, car elle représente un des premiers essais chrétiens de la démythisation. La tâche de la théologie est parfois conçue comme le problème d'adapter les structures bibliques à des structures d'une ère qui est fondamentalement différente. L'allégorisme de Clément est un exemple de cette méthode, car il s'efforce ainsi de trouver dans le christianisme un *corpus* de sagesse qui est tout à fait « catholique », du point de vue du monde ancien.

VI. La supposition commune est appréhendée par la foi. La πρόληψις est à la fois la supposition de la foi, et la pensée qui est commune à toutes les cultures. La foi n'est rien d'autre qu'un assentiment volontaire, accordé aux premiers principes. Cet assentiment peut venir au début du raisonnement, comme les *archai*, ou à la fin, comme conclusion.

La foi est en Dieu : il est important de remarquer qu'elle tire sa force de son objet. La foi est puissante, non pas à cause des qualités de l'intellection humaine, mais parce qu'elle participe à la nature même du Père. L'esprit est animé à travers le fil conducteur qu'est la foi. L'évidence à laquelle assentit la foi est la présence de Dieu : la parole de Yahweh devient la vérité qui est évidente en soi.

VII. La gnose, qui ne diffère pas de la foi dans son stade développé, possède aussi l'aspect de l'unité avec le divin. Voici le nœud de la théorie clémentine de la connaissance. L'exercice de l'herméneutique, qui s'applique à tout l'agir humain, mène à la connaissance. La voie de la négation mène jusqu'à la monade (le Christ) mais, après, c'est l'abandon. Dans notre interprétation de Clément, la théologie négative est une arme indispensable dans l'ascension de l'esprit. Mais Clément va plus loin que ne le fait Albinos, par exemple : la transcendance de Dieu est encore plus accentuée, et la négation ne peut donner que des résultats incomplets. Ainsi Clément remplace la νόησις par la γνῶσις : le mysticisme remplace la conception. La fonction de la gnose dans la pensée clémentine est donc de remplir le vide que la notion extrême de la transcendance crée dans la connaissance.

La gnose est une entrée dans la Réalité, une saisie de l'éternité. C'est une μεταβολή, une transformation du caractère. L'être charnel et terrestre devient par métamorphose un être céleste, pur et immortel. La morale du gnostique est axée sur le besoin de s'évader de l'histoire. Le gnostique devient ce qu'il connaît : il s'assimile à son idéal.

Au stade final donc, la connaissance pour Clément n'est pas un mode de comprendre, mais c'est un mode d'être. L'herméneutique aboutit à l'ontologie : le problème du savoir se perd dans le problème de l'être. Après avoir franchi les premières étapes de l'arcane, après s'être mis à l'instruction de la catéchèse, après avoir appris la dialectique chrétienne, le gnostique vise encore plus haut, à l'état de l'époptie. Mais c'est là que le problème de la connaissance cesse de se poser, car le gnostique *est* ce qu'il connaît.

Il est à la fois ami et fils :

> « ... et l'amitié s'achève dans l'assimilation, car la communauté d'être réside dans l'Un [1]».

---

[1] *Strom.* VII. 11. 68. 2.

APPENDICES

I. *La logique de Clément* : ἐνάργεια

L'insistance avec laquelle Clément souligne le caractère contraignant de la révélation chrétienne fait penser qu'il s'agit là d'un thème spécifique, dont les origines sont à rechercher. Effectivement le terme et ses formes apparentées traduisent très souvent cette idée de la *clarté* de la foi : Clément veut affirmer que l'appréhension des vérités chrétiennes n'a rien d'obscur, et que la limpidité de la révélation la place dans la catégorie des vérités qui sont évidentes en soi. Cette position s'accorde avec sa conception de l'écriture, qu'il considère comme une véritable démonstration : les textes bibliques deviennent des arguments. Comme Origène [1], Clément attribue à l'écriture une grande force persuasive. La prophétie démontre très clairement (ἐναργέστατα) les fondements de la foi [2]. Il y a deux sources de la connaissance : la gnose elle-même, et la « claire démonstration » (ἐναργὴς ἀπόδειξις) à partir de l'écriture [3].

Or, le terme ἐνάργεια fait partie du vocabulaire technique épicurien : Epicure postulait certains « critères », qui permettaient de juger de la véracité d'une proposition : la sensation en était un. Pour lui, la perception est la source de la croyance la plus stable (ἡ βεβαιοτάτη πίστις) : la connaissance qui provient de la sensation est d'une vérité manifeste [4]. Les « conceptions générales » (προλήψεις), constituées effectivement par les constatations des sens, possèdent aussi une vérité évidente, et le terme qui exprime cette notion de véracité évidente ou manifeste est précisément ἐνάργεια [5].

La logique clémentine tient compte de ce genre de vérité :

... τὰ πρὸς αἴσθησίν τε καὶ νόησιν ἐναργῶς φαινόμενα [6].

La perception constitue donc une appréhension certaine. En *Stromate* VIII. 3. 8. 1 les choses qui sont τὰ ἐξ ἑαυτῶν πιστὰ sont identifiées

---

[1] *De Principiis*, IV. (p. 292-364 éd. Koetschau).
[2] *Protr.* VIII. 77. 1.
[3] *Strom.* VII. 16. 102. 1 ; cf. *Excerpta...* 75. 1.
[4] *Epicurus*, C. Bailey, (Oxford, 1926) : 52, 63, 81-2.
[5] Diogène Laërce 10. 33 ; voir aussi Sextus Empiricus, *Adv. Math.* 7. 203.
[6] *Strom.* VIII. 2. 7. 3.

avec τὰ πρὸς αἴσθησίν τε καὶ νόησιν ἐναργῆ. Il est possible de
construire des propositions à partir de ce genre de prémisse, mais celles
qui se fondent sur des prémisses probables sont impregnées de l'incer-
titude. La prémisse « qui est évidente à la sensation et à la conception »
est « primaire » (πρῶτος) [1] : cette position est réaffirmée en *Strom.*
VIII. 4. 14. 3 :

> ἀρχὴ δὲ τούτων ἁπάντων ἐστὶ τὸ πρὸς αἴσθησίν τε καὶ νόησιν
> ἐναργές.

Clément offre un témoignage important sur la philosophie épicurienne
dans le contexte de sa discussion de la foi :

> ναὶ μὴν καὶ ὁ Ἐπίκουρος, ὁ μάλιστα τῆς ἀληθείας προτιμήσας
> τὴν ἡδονήν, πρόληψιν εἶναι διανοίας τὴν πίστιν ὑπολαμβάνει ·
> πρόληψιν δὲ ἀποδίδωσιν ἐπιβολὴν ἐπί τι ἐναργὲς καὶ ἐπὶ τὴν
> ἐναργῆ τοῦ πράγματος ἐπίνοιαν [2].

Ici la conception générale (πρόληψις) se définit comme une rencontre
entre l'esprit et l'évidence sensible [3]. Notre auteur accepte cette manière
de concevoir la foi comme la constatation d'une évidence qui permet
l'élaboration ultérieure d'une théologie plus complète [4].

En outre, comme Epicure [5], Clément estime que cette première
constatation évidente peut servir de critère pour juger d'autres affirmations. Des propositions « composées » (σύνθετα), établies à partir
de ces données fondamentales manifestent la même vérité évidente :
la certitude de la prémisse se reflète dans la conclusion.

> τὰ μὲν γὰρ πρὸς αἴσθησιν συμβάντα ἐστὶν ἁπλᾶ τε καὶ ἄλυτα,
> τὰ δὲ πρὸς νόησιν ἁπλᾶ τε καὶ λογικὰ καὶ πρῶτα, τὰ δὲ ἐξ αὐτῶν
> γεννώμενα σύνθετα μέν, οὐδὲν δ'ἧττον ἐναργῆ καὶ πιστὰ καὶ
> λογικώτερα τῶν πρώτων [6].

On peut donc conclure que la logique de Clément reconnaît l'idée
épicurienne de la constatation évidente et sûre, que représente l'αἴσθη-

---

[1] *Ibid.*

[2] *Strom.* II. 4. 16. 3.

[3] J. M. Rist, *Epicurus* p. 28, reproche à Clément de considérer la πρόληψις non comme
une conception mais comme un acte de l'esprit qui produit la conception. Cependant il
me semble que Clément précise bien que la πρόληψις est antérieure aux actes mentaux
tels que le jugement, l'interrogation etc.

[4] *Strom.* II. 4. 17. 2-4.

[5] Voir J. M. Rist, *op. cit.*, p. 29.

[6] *Strom.* VIII. 2. 7. 4.

σις.. Cette clarté est attribuée à la prophétie, ou à l'écriture en général, qui est ainsi considérée comme l'équivalent des *sensa* épicuriens. La foi se caractérise comme une constatation incontestable de ce genre. Je suis tenté aussi de suggérer un rapprochement entre l'incarnation et l'ἐνάργεια. Dans le *Protreptique* [1] il est affirmé qu'autrefois nous avions une vue prophétique (προφητικῶς), et que maintenant nous sommes appelés ἐναργῶς au salut [2]. On peut citer un passage qui est même plus frappant :

> ... ὁ λόγος αὐτὸς ἐναργῶς σὰρξ γενόμενος ... ἐπιδεικνύς [3].

On se demande si Clément a voulu considérer la présence charnelle du Christ comme une ἐνάργεια ; l'incarnation présenterait la même certitude que l'αἰσθητόν.

Quoiqu'il en soit, ces considérations expliquent très bien la fréquence d'un terme qu'on pourrait à tort considérer comme banal, et qui est souvent rajouté par l'auteur pour marquer la présence d'une idée particulière, notamment dans des contextes épistémologiques.

II. *La notion de l'énigme* : αἴνιγμα, αἰνίσσομαι.

Un regard rapide sur l'index de Stählin suffit pour démontrer l'importance de ce concept dans la présentation clémentine de la religion : un élément essentiel de sa phénoménologie religieuse s'exprime dans son emploi très fréquent des termes αἴνιγμα, αἰνίσσομαι etc. Quant au verbe il n'y a guère de problème : cependant il faut noter que la contribution de Lampe dans le *Patristic Greek Lexicon* est nettement insuffisante à cet égard. Il ne nous fournit que cinq références (dont une à Clément, *Strom.* V. 8. 44. 5) avec la traduction suggérée de « hint, signify obscurely ». Mais dans des dizaines d'endroits dans l'œuvre de Clément, le verbe αἰνίττομαι traduit simplement la notion de *signification*. Très souvent notre auteur explique une citation, qu'elle soit tirée de la littérature païenne ou chrétienne, en commencant par ce verbe.

> τὴν γνωστικὴν οἰκοδομὴν κἂν τῇ πρὸς Ῥωμαίους ἐπιστολῇ αἰνισσόμενός φησιν [4].

---

[1] I. 7. 6.
[2] I. 8. 4.
[3] *Péd.* I. 3. 9. 4.
[4] *Strom.* V. 4. 26. 5.

Ici le verbe en question se traduit par « vouloir dire » : ainsi la formule habituelle de Clément est reprise dans cette citation (« En disant
A, il veut dire (αἰνίττομαι) B ... »). Cependant, compte tenu de l'herméneutique de notre auteur, il serait raisonnable de réserver le sens
de « symboliser » au terme en question : puisque les citations de
Clément s'accompagnent très souvent d'une interprétation allégorique,
l'idée de « signification » prend un sens tout particulier. Ceci dit, αἰνίττομαι ne suggère plus l'idée d'obscurité ou de dissimulation. Au contraire : puisque Clément s'en sert si abondamment dans ses interprétations, on pourrait affirmer que le terme évoque plutôt la notion de
dévoilement.

λύκους δὲ ἄλλους ἀλληγορεῖ προβάτων κῳδίοις ἠμφιεσμένους,
τοὺς ἐν ἀνθρώπων μορφαῖς ἁρπακτικοὺς αἰνιττόμενος [1].

Se référant ici à Matthieu 7. 15, Clément emploie le verbe αἰνίττομαι
pour expliquer ce que Jésus « veut dire » par cette parole « allégorique ».
Il faut prendre ce sens comme fondamental : le sens secondaire, celui
de « symboliser » peut être admis dans certains contextes, comme dans
la phrase suivante, par exemple.

... καὶ τοῦτο ἦν ὃ ᾐνίσσετο ἡ Ζαχαρίου σιωπή ... [2].

Ainsi, comme Rufin, le traducteur d'Origène, nous comprenons
αἰνίττομαι dans le sens d'indicare [3].

Quant au substantif, la question est plus nuancée. Lampe distingue
trois sens qui couvrent parfaitement l'évolution du terme depuis
le grec classique : (i) dark saying, riddle; (ii) figure, type; (iii) symbol,
sign. Kittel (Theologisches Wörterbuch zum Neuen Testament, s.v.)
signale que le terme αἴνιγμα avait tendance à s'associer avec les
paroles oraculaires ou prophétiques, perdant ainsi sa spécificité, dé-
signant simplement un symbole, prophétique ou autre.
(a) αἴνιγμα = expression énigmatique.

προφητικῶν αἰνιγμάτων τὴν μυστικὴν ... σιωπήν ... [4].

Indiscutablement l'αἴνιγμα de ce passage est considéré comme
« énigmatique ». D'autres textes qui conservent le sens original du
terme peuvent être cités : Péd. II. 10. 88. 3; Strom. V. 7. 41. 2; Strom.

---

[1] Protr. I. 4. 3.
[2] Protr. II. 10. 1.
[3] De Principiis IV. 2. 5. (12); p. 314 ed. Koetschau.
[4] Protr. I. 10. 1.

VII. 12. 75. 2; *Péd.* II. 10. 89. 1 (?); *Strom.* V. 3. 20. 1. Les termes
αἰνιγματώδης et ἀσαφής sont rapprochés en *Strom.* V. 5. 31. 5. Enfin,
le passage suivant présente très clairement l'obscurité de l'énigme :
la puissance du Christ était ... ἐπικρυπτομένην τῷ τῆς προφητείας
αἰνίγματι [1].

(b) αἴνιγμα = expression révélatrice (dont la signification est claire)

Deux nuances apparemment contradictoires se réunissent dans la
signification du même terme, qui évoque et l'idée d'obscurité et celle
de clarté : la phrase suivante démontre admirablement ce deuxième
sens : δι' αἰνίγματος ... σαφηνίσαντες ... [2]. Ailleurs Clément affirme
que Dieu a choisi les visions et les symboles comme véhicules de sa
révélation, pour que la compréhension de ces symboles (τὴν τῶν
αἰνιγμάτων ἔννοιαν) puisse mener à la vérité [3].

(c) αἴνιγμα = forme symbolique

Ces deux aspects supposent une dimension littéraire du terme. Chez
Clément l'énigme rejoint d'autres formes symboliques qui sont considérées comme la *lingua franca* de l'expression religieuse :

> πάντες οὖν, ὡς ἔπος εἰπεῖν, οἱ θεολογήσαντες βάρβαροί τε καὶ
> Ἕλληνες τὰς μὲν ἀρχὰς τῶν πραγμάτων ἀπεκρύψαντο, τὴν δὲ
> ἀλήθειαν αἰνίγμασι καὶ συμβόλοις ἀλληγορίαις τε αὖ καὶ μετα-
> φοραῖς καὶ τοιούτοις τισὶ τρόποις παραδεδώκασιν ... [4].

Quintilien nous dit que l'énigme est une forme obscure de l'allégorie :
« Haec allegoria, quae est obscurior, aenigma dicitur » [5]. D'autres
textes des rhéteurs grecs, réunis par P. M. Hermaniuk, soulignent à
l'unanimité l'obscurité de la forme énigmatique [6]. Comme nous avons
noté sous (a), cet élément ne manque pas chez Clément, qui affirme
par exemple que les énigmes hébreux dissimulent de la même façon
que ceux des Egyptiens [7]. Autres textes en parlent comme un simple
genre de l'expression symbolique :

> ... τὸ συμβολικὸν τοῦτο καὶ αἰνιγματῶδες εἶδος ... [8].

---

[1] *Strom.* V. 8. 55. 3.

[2] *Péd.* I. 6. 51. 3.

[3] *Strom.* V. 4. 24. 2. Sur la clarté de l'énigme, voir Augustin, *Confessions* 9. 25 :
... ut audiamus verbum eius, non per linguam carnis neque per vocem angeli nec per
sonitum nubis nec per aenigma similitudinis, ...

[4] *Strom.* V. 4. 21. 4.

[5] *Instit. Orat.* II, 1. viii, 6. 52 (Bonnell, Teubner).

[6] *La parabole chez Clément d'Alexandrie...*, p. 28-30.

[7] *Strom.* V. 7. 41. 2.

[8] *Strom.* II. 1. 1. 2.

L'énigme s'associe avec l'allégorie (*Strom.* V. 8. 50. 2) et avec la parabole (*Péd.* III. 12. 97. 3) : c'est la forme la plus apte à communiquer la vérité (*Strom.* II. 1. 1. 2).

En conclusion, il faut souligner que pour Clément l'énigme est un genre de symbole. Mais c'est une forme qui réunit en elle-même deux notions apparemment opposées : la révélation et la dissimulation. Il s'agit là d'une idée théologique fondamentale, du Dieu qui se cache en se révélant [1]; et il est frappant de constater combien cette notion est naturelle dans le vocabulaire clémentin. Le symbole apparaît comme un aperçu de la vérité, et en même temps comme un masque, puisqu'il n'est jamais qu'un véhicule : le symbole n'est pas lui-même la vérité. Or, seul le terme αἴνιγμα est capable d'évoquer avec autant de clarté cette ambiguïté du symbole, et la terminologie clémentine exploite ces nuances au maximum.

---

[1] Cf. Karl Barth, *Dogmatique*, I, *La doctrine de la parole de Dieu* (trad. française, Genève, 1953) p. 164 : « Ce qui se passe, au contraire, c'est que *Dieu lui-même se dévoile précisément en se voilant* — et c'est pourquoi nous n'avons pas le droit de vouloir forcer le mystère ».

BIBLIOGRAPHIE

La liste suivante représente les livres, articles etc. qui ont été consultés : pour une bibliographie plus complète, voir l'*Etude...* d'A. Méhat.

A. ŒUVRES COMPLÈTES DE CLÉMENT

Stählin, O., *Clemens Alexandrinus* (Die Griechischen Christlichen Schriftsteller, Leipzig, 4 vol., 1905-1936)

——, I. *Protrepticus und Paedagogus* (1re éd. 1905 ; 2e éd. 1936).

——, II. *Stromata I-VI* (Ire éd. 1906 ; 2e éd. 1939 ; 3e éd., revue par L. Früchtel, Berlin 1960.)

——, III. *Stromata VII-VIII* ; *Excerpta ex Theodoto* ; *Eclogae Propheticae* ; *Quis dives salvetur* ; *Fragmente* ; 1909.

——, IV. *Register*, 1936.

B. ÉDITIONS, TRADUCTIONS

Wilson, W., *Clement of Alexandria* (*Protr.*, *Péd.*, *Strom.*, *Eclog. Proph.* et *Fragments*) trad. angl., Ante-Nicene Christian Library, 3 vols. ; 4, 12, 24. Londres 1868-1869. Réimprimé New York 1909, et Ann Arbor, Michigan, 1967.

Stählin, O., *Clemens von Alexandreia*, Ausgewählte Schriften (*Protr.*, *Péd.* Q.D.S., *Strom.*, trad. all. intro.). Bibliothek der Kirchenväter, vols. 7, 8, 17, 18, 19, 20 ; Munich, 1934-1938.

Butterworth, G. W., *Clement of Alexandria, Exhortation to the Greeks. The rich man's salvation. To the newly baptised.* Loeb Classical Library Edn., London 1919.

Oulton, J. E. L. et Chadwick, H., *Alexandrian Christianity* (Library of Christian Classics, Vol. 2, 1954.) Cont. *Strom.* III, VII, trad. angl ..

Mondésert, C. et Plassart, A., *Le Protreptique* (texte, trad. franç., intr. notes). Ed. Sources chrétiennes, 2, 2e éd. Paris 1949.

Marrou, H.-I. et Harl, M., *Le Pédagogue I* (texte, trad. franç., intro. notes). Ed. Sources chrétiennes, 70, Paris 1960.

Mondésert, C. et Marrou, H.-I., *Le Pédagogue II*, Ed. S.C. 108, Paris, 1965.

Mondésert, C., Matray, C, et Marrou, H.-I., *Le Pédagogue III*, Ed. S.C. 158, Paris 1970.

Mondésert, C. et Caster, M., *Ier Stromate*. Ed. S.C. 30, Paris 1951.

Mondésert, C. et Camelot, P., *IIe Stromate*. Ed. S.C. 38, Paris 1954.

Bardy, G., *Clément d'Alexandrie* (intro. extraits trad. franç., notes). Paris 1926.

de Genoude, A.-E., *Les Pères de l'Eglise*, IV et V, Paris 1839. (Cette traduction est peu utile).

Hort, F. J. A., et Mayor, J. B., *Clement of Alexandria's Miscellanies, Book VII* (texte trad. angl., comm.). London 1902.

Casey, R. P., *The Excerpta ex Theodoto of Clement of Alexandria* (trad. angl. intro., notes.) London 1934.

C. Principaux textes anciens consultés

Apulée, Ed. R. Helm (I, II) et P. Thomas (III), Teubner.
——, I. *Metamorphoses*, 1955.
——, II i. *Apologia*, 1959.
——, II ii. *Florida*, 1959.
——, III. *De Philosophia*, 1908.
——, *Apologie, Florides, traités philosophiques*, trad. intro. notes. H. Clouard, Paris 1933.
Alexander Polyhistor, Dans *Die Fragmente der griechischen Historiker*, Vol. 3. A, F. Jacoby, Leiden 1940.
Albinos, Dans *Platonis Dialogi*, Vol VI, p. 147 ss.; Ed. C. F. Hermann, Leipzig 1892.
——, *Epitomé*, Ed. P. Louis, Rennes 1945.
Athénagore, *Supplique au sujet des chrétiens*, S.C. 3, éd. G. Bardy, Paris 1943.
Cicéron, *De natura deorum*, ed. J. B. Mayor, intro. comm., t. i-iii, Cambridge 1880-1885.
Eusèbe, *Histoire ecclésiastique*, éd. Ed. Schwartz, Griechischen Christlichen Schriftsteller, IX, 1, 2.
——, *Préparation évangélique*, éd. K. Mras, G.C.S. XLIII. 1, 2.
Justin, *Apologie* et *Dialogue...* dans *Die Ältesten Apologeten*, éd. E. J. Goodspeed, Göttingen 1914.
Maxime de Tyr, *Maximi Tyrii Philosophumena*, éd. H. Hobein, Lipsiae 1910 (Teubner).
Philon d'Alexandrie, *Philonis Alexandrini Opera quae supersunt*, éd. L. Cohn et P. Wendland I-VI, Berlin 1896-1915.
Plotin, *Ennéades*, texte trad. franç., E. Bréhier, I-VI. Edn. Budé, Paris 1924-1938.
Plutarque, *De audiendis poetis* dans *Plutarchi Moralia* I, éd. W. R. Paton, Lipsiae, 1925 (Teubner).
——, *De Iside et Osiride* dans *Plutarchi Moralia* II, éd. W. Nachstädt, W. Sieveking, J. B. Titchener, Lipsiae 1935. (Teubner).
——, *De Pythiae oraculis*. — id.
Stoicorum Veterum Fragmenta, I von Arnim, I-III, Lipsiae 1903-1905. (IV Indices, M. Adler, Lipsiae 1924).

D. Principaux auteurs consultés : Clément d'Alexandrie

Armstrong, A. H., Compte rendu d'E. F. Osborn, *Philosophy...*; Journal of Theological Studies 9 (1958) 149.
Bardy, G., *Clément d'Alexandrie*, Paris 1926.
Bernhard, L., *Zu Klemens' von Alexandrien Stromateon* III. 82. 6. Eine quellenkritische Studie, dans *Perennitas*, Mél. P. Th. Michels, p. 11-18. Münster, 1963.
Billicsich, F., *Das Problem der Theodizee im philosophischen Denken des Abendlandes* t. I., Innsbruck, 1936.
Den Boer, W., *Clément d'Alexandrie et Minuce Félix*, Mnemosyne 11 (1943) 161-190.
Bousset, W., *Jüdisch-christlicher Schulbetrieb in Alexandria und Rom*, (p. 155-271), Göttingen, 1915.
Bratke, E., *Die Stellung des Clemens von Alexandrien zum antiken Mysterienwesen*, Theol. Stud. und Kritiken 60 (1857) 647-708.
Bremond, A., *Le Moine et le Stoïcien*, Revue d'Ascétique et de Mystique (1927) 26-40.
Butterworth, G. W., *The Deification of Man in Clement of Alexandria*, Journal of Theol. Studies 17 (1915/1916) 157-160.

——, *Clement of Alexandria und Art*, ibid. 68-76.

——, *Clement of Alexandria's Protrepticus and the Phaedrus of Plato*, Classical Quarterly 10 (1916) 198-205.

Camelot, P. Th., *Foi et Gnose*. Introduction à l'étude de la connaissance mystique chez Clément d'Alexandrie, Paris 1945.

——, *Clément d'Alexandrie et l'utilisation de la philosophie grecque*, Recherches de science religieuse 21 (1931), 541-569.

Casey, R. P., *Clement and the two divine Logoi*, Journal of Theological Studies 25 (1924) 43-56.

——, *Clement of Alexandria and the beginnings of Christian Platonism*, Harvard Theological Review 18 (1925) 39-101.

Caster, M., *Position de Clément d'Alexandrie*, dans Mél. V. Magnien, p. 23-25, Toulouse 1949.

Clark, F. L., *Citations of Plato in Clement of Alexandria*, Transactions and Proceedings of the American Philological Association 33 (1902) 13-20.

Clasen, H., *Die Arkandisziplin in der alten Kirche*, Diss. Heidelberg 1956.

Collomp, P., *Une source de Clément d'Alexandrie et des homélies pseudo-clémentines*, Revue de Philologie 37 (1913) 19-46.

Cross, F. L., Voir E.

Crouzel, H., *Le « vrai gnostique » de Clément d'Alexandrie d'après W. Völker*, Revue d'Ascétique et de Mystique 31 (1955) 77-83.

Daehne, A. F., *De γνώσει Clementis Alexandrini et de vestigiis neoplatonicae philosophiae in ea obviis*, Lipsiae 1831.

Daniélou, J., *Typologie et allégorie chez Clément d'Alexandrie*, Studia Patristica 4 (1961) 50-57. Voir d'autres titres dans E.

Drioton, E., *Τὰ πρῶτα στοιχεῖα*, Annales du Service des Antiquités d'Egypte, 42 (1943) 169-176.

Dudon, P., *La Gnose de Clément d'Alexandrie interprétée par Fénélon*, Revue d'Ascétique et de Mystique 1927 (300-312).

Echle, H. A., *Sacramental initiation as a christian mystery-initiation according to Clement of Alexandria*, dans Mélanges Odo Casel, p. 54-64, Dusseldorf 1951.

Eibl, H., *Die Stellung des Klemens von Alexandrien zur griechischen Bildung*, Zeitschrift für Philosophie und philosophische Kritik 164 (1917) 33-59.

Enslin, M. S., *A gentleman among the Fathers*, Harvard Theological Review 47 (1954) 213 ss.

Ermoni, V., *The christology of Clement of Alexandria*, Journal of Theol. Studies 5 (1904) 123-126.

Eylert, F. R., *Clemens von Alexandrien als Philosoph und Dichter*. Leipzig, 1932.

de Faye, E., *Clément d'Alexandrie*, Paris 1898.

Festugière, A. -J., *Notes sur les Extraits de Théodote de Clément d'Alexandrie et sur les fragments de Valentin*, Vigiliae Christianae 3 (1949) 193-207.

Finan, Th., *Hellenism and Judeo-Christian history in Clement of Alexandria*, Irish Theological Quarterly 28 (1961) 83-114.

Floyd, W. E. G., *Clement of Alexandria's treatment of the problem of evil*. Oxford, 1971.

Früchtel, L., *Clemens Alexandrinus und Albinus*, Philologische Wochenschrift 57 (1937) 591-592.

Gemoll, W., *Xenophon bei Clemens Alexandrinus*, Hermes (1918) 105-107.

Guilloux, P., *L'ascétisme de Clément d'Alexandrie*, Revue d'Ascétique et de Mystique 3 (1922) 282-300.

Hermaniuk, M., *La parabole chez Clément d'Alexandrie*, Ephemerides Lovanienses Theologicae, 21 (1945) 5-60.

Jackson, J., *Minutiae Clementinae*, Journal of Theological Studies 32 (1931) 357-370; 394-407.

Lattey, C., *The Deification of Man in Clement of Alexandria*, Journal of Theol. Studies 17 (1916) 257-262.

Lazzati, G., *Introduzione allo studio di Clemente Alessandrino*, Pubblicazioni dell'Università Cattolica del S. Cuore, t. 32, Milan 1939.

Lebreton, J., *La Théorie de la connaissance religieuse chez Clément d'Alexandrie*, Recherches de science religieuse 18 (1928) 457-488.

——, *La théologie de la Trinité chez Clément d'Alexandrie*, Recherches de science religieuse 34 (1947) 55-76, 142-179.

Lilla, S., *Middle Platonism, Neoplatonism and Jewish-Alexandrine philosophy in the terminology of Clement of Alexandria's Ethics*. Archivio ital, per la storia della pietà 3 (1962) 1-36.

——, *Clement of Alexandria*. A Study in Christian Platonism and Gnosticism. Oxford, 1971.

Lucassen, L. H. *A propos de Clément d'Alexandrie Strom. II. 16. 1-4*, Mnemosyne 9 (1956) 332-33.

Mayer, A., *Das Bild Gottes im Menschen nach Clemens von Alexandrien*, Rom 1942.

Marrou, H.-I., *Morale et spiritualité chrétienne dans le Pédagogue de Clément d'Alexandrie*, Studia Patristica 2 (1957) 538-546.

——, *Humanisme et christianisme chez Clément d'Alexandrie d'après le Pédagogue*, Entretiens Hardt III, 1955, 181-200.

Marsh, E., *The use of ΜΥΣΤΗΡΙΟΝ in the Writings of Clement of Alexandria*, Journ. of Theol. Stud. 37 (1936) 64-80.

Méhat, A., *Etude sur les Stromates de Clément d'Alexandrie*, Paris, 1966.

——, *Les ordres d'enseignement chez Clément d'Alexandrie et Sénèque*, Studia Patristica 2 (1957) 351-357.

——, *« Pénitence seconde » et « péché involontaire » chez Clément d'Alexandrie*, Vigiliae Christianae 8 (1954) 225-233.

——, *Remarques sur quelques passages du IIe Stromate de Clément d'Alexandrie*, Revue des Etudes grecques 69 (1956) 41-49.

Meifort, J., *Der Platonismus bei Clemens Alexandrinus*, Heidelberger Abhandlungen zur Philosophie und ihrer Geschichte, Heft 17, 1928.

Merki, H., *ΟΜΟΙΩΣΙΣ ΘΕΩ von der platonischen Angleichung an Gott zur Gottahnlichkeit bei Gregor von Nyssa*, Paradosis 7, Fribourg (Suisse) 1952.

Moingt, J., *La Gnose de Clément d'Alexandrie*, Recherches de science religieuse 37 (1950) 195-251, 398-451, 537-564, 38 (1951) 81-118.

Molland, E., *Clement of Alexandria on the origin of Greek Philosophy*, Symbolae Osloenses 15/16 (1936) 57-85.

Mondésert, Cl., *Clément d'Alexandrie*, Paris 1944.

——, *Vocabulaire de Clément d'Alexandrie*, Recherches de science religieuse 42 (1954) 258-265.

——, *A propos du signe du Temple*. Un texte de Clément d'Alexandrie, Recherches de science religieuse 36 (1949) 580-584.

Mortley, R., *Αναλογία chez Clément d'Alexandrie*, Revue des études grecques 84 (1971) 80-93.

✗——, *The Theme of Silence in Clement of Alexandria*, Journal of Theological Studies, 24 (1973) 197-202.

Muckle, J. T., *Clement of Alexandria's attitude towards Greek Philosophy*, Mél. G. Norwood, 139-146.

——, *Clement of Alexandria on philosophy as a divine testament for the Greeks*, Phoenix 5 (1951) 79-86.

Munck, J., *Untersuchungen über Klemens von Alexandria*, Stuttgart 1933.

Nautin, P., *Notes sur le Stromate I de Clément d'Alexandrie*, Revue d'Histoire Ecclésiastique 47 (1952) 618-631.

——, *Notes critiques sur le Stromate II de Clément d'Alexandrie*, Rev. d'Hist. Eccl. 49 (1954) 835-841.

Ogg, G., *A note on Stromateis I. 144. 1 - 146. 6.* Journal of Theol. Studies 46 (1945) 59-63.

Orbé, A., Voir E.

Osborn, E. F., *Teaching and Writing in the First Chapter of the « Stromateis » of Clement of Alexandria*, Journal of Theol. Stud. 10 (1959) 335-343.

——, *The Philosophy of Clement of Alexandria*, Cambridge 1957.

Patrick, J., *Clement of Alexandria*, Edinburgh et London 1914.

Pépin, J., Voir E.

Pire, D., *Sur l'emploi des termes Apatheia et Eleos dans les œuvres de Clément*, Revue des sciences philosophiques et théologiques 27 (1938) 427-431.

Pohlenz, M., *Klemens von Alexandreia und sein hellenisches Christentum.* Göttingen Nachrichten, Phil.-Hist. Klasse 1943, p. 103-180.

Preische, H., *De γνώσει Clementis Alexandrini*, Thèse, Iéna, 1871.

Prestige, C. L., *Clement of Alexandria Stromata 2, 8 and the meaning of hypostasis.* Journal of Theological Studies 30 (1929) 270-272.

Prümm, K., *Glaube und Erkenntnis im zweiten Buch der Stromata des Klemens von Alexandrien*, Scholastik 12 (1937) 17-57.

Quatember, F., *Die christliche Lebenshaltung des Klemens von Alexandreia*, Vienna 1947.

Rüther, Th., *Die sittliche Forderung der Apatheia bei Klemens von Alexandria*, Freiburg, 1949.

Schmidt, P. J., *Clemens von Alexandria in seinem Verhältnis zur griechischen Religion und Philosophie*, Diss. Wien 1939.

Scherer, W., *Klemens von Alexandrien und seine Erkenntnis-prinzipien*, Munich 1907.

Seller, R. V., Voir E.

Spanneut, M., *Le Stoïcisme des Pères de l'Église de Clément de Rome à Clément d'Alexandrie*, Paris 1957.

Stelzenberger, J., *Ueber Syneidesis bei Klemens von Alexandria*, Münchener Theologische Zeitschrift 4 (1953) 27-33.

Tollinton, R. B., *Clement of Alexandria*, 2 t., London 1914.

Tresmontant, Cl., Voir E.

Treu, U., *Etymologie und Allegorie bei Klemens von Alexandrien*, Studia Patristica 4, 191-211.

Valentin, P., *Héraclite et Clément d'Alexandrie*, Recherches de science religieuse 46 (1958) 27-59.

Van Eijk, A. H. C., *The Gospel of Philip and Clement of Alexandria*. Vigiliae Christianae, 25 (1971) 94-120.

Vergote, J., *Clément d'Alexandrie et l'Ecriture égyptienne*. Essai d'interprétation de Stromates V. 4., 20-21. Chroniques d'Egypte 31 (1941) 21-38.

Völker, W., *Der wahre Gnostiker nach Clemens Alexandrinus*, Berlin 1952. (Coll. Texte und Untersuchungen, 57).

——, *Basilus Ep. 366 und Clemens Alexandrinus*, Vigiliae Christianae 7 (1953) 23-26.

Witt. R., *ΥΠΟΣΤΑΣΙΣ*, dans Mél. J. Rendell Harris, p. 33, London 1923. Voir E.

——, *The Hellenism of Clement of Alexandria*, Classical Quarterly 25 (1931) 195-204.

Wolfson, H. A., *Clement of Alexandria on the generation of the Logos*, Church History 20 (1951) 3-11. Voir E.

Wytzes, J., *The Twofold way* I, II. (II = Platonic influences in the work of Clement of Alexandria). Vigiliae Christianae 11 (1957) 226-225, 14 (1960) 129-53.

——, *Paideia and Pronoia in the works of Clemens Alexandrinus*, Vigiliae Christianae 9 (1955) 148-158.

E. Titres consultés : autres auteurs-général

Alès, A. D., *Le mot « oikonomia »*. Rev. des études grecques 32 (1919) 8-9.

Almquist, H., *Plutarch und das Neue Testament*, Uppsala, 1946.

Altmann, A., *Homo Imago Dei in Jewish and Christian Theology*. Journal of Religion, 48 (1968) 235-259.

Altizer, T. J. J., Ed. *Truth, Myth and Symbol*, Englewood Cliffs, Prentice-Hall, 1962.

——, *The Gospel of Christian Atheism*, 1967.

Andresen, C., *Logos und Nomos*. Die Polemik des Kelsos wider das Christentum. Berlin, 1955.

Angus, S., *The Mystery-religions and Christianity*, London, 1925.

Armstrong, A. H., *The Background of the doctrine « that the intelligibles are not outside the intellect »*, Les Sources de Plotin, Entretiens Hardt, 391-425.

——, A. Mac C., *The Methods of the Greek physiognomists*, Greece and Rome 5 (1958) 52-56.

Aubin, P., *L'« Image » dans l'œuvre de Plotin*, Recherches de science religieuse 41 (1953) 348-79.

Bacht, H., *Religionsgeschichtliches zum Inspirationsproblem*. Die pythischen Dialoge Plutarch's von Chäronea. Scholastik 17 (1942) 50-69.

Bardy, G., *La théologie de l'Eglise de saint Clément de Rome à saint Irénée*. Unam Sanctam 13 (1945) 134 ss.

Barnard, L. W., *Justin Martyr in Recent Study*, Scottish Journal of Theology 22 (1969) 152-164.

Barnes, H. E., *Neo-platonism and analytical psychology*, Philosophical Review 54 (1945) 558-77.

Beaujeu, J., *La religion de Plutarque*. Inform. littéraires 11 (1959) 207-213, 12 (1960) 18-23.

Beierwaltes, W., *Die Metaphysik des Lichtes in der Philosophie Plotins*, Zeitschrift für Philosophische Forschung 15 (1961) 334-362.

Benoît, A., *Remarque sur l'eschatologie de Saint Augustin*, dans Gottesreich und Menschenreich, mél. Ernst Staehelin, p. 1-9.

Berreth, J., *Studien zum Isisbuch in Apuleius 'Metamorphosen*, Diss. Tübingen, 1933.

Betz, H. D., *The Delphic Maxim ΓΝΩΘΙ ΣΑΥΤΟΝ in Hermetic Interpretation*. Harvard Theological Review 63 (1970) 465-484.

Bevan, E. R., *Symbolism and Belief*, London, 1962.

———,*Hellenism and Christianity*, London 1921.

Bonsirven, J., *Exégèse rabbinique et exégèse paulinienne*, Paris 1939.

Brandon, S. G. F., *B.C. and A.D. The Christian philosophy of History*. History Today 15 (1965) 191-199.

Bréhier, E., *Les idées philosophiques et religieuses de Philon d'Alexandrie*, Paris, 1908.

———, *La philosophie de Plotin*, Paris 1961 (2e édition).

Buckley, M. J., *Saint Justin and the ascent of the mind to God*, Personalist 44 (1963) 89-104.

Bultmann, R., *Zur Geschichte des Lichtsymbolik in Altertum*, Philologus 97 (1948) 1-36.

Casel, Odo., *De philosophorum Graecorum silentio mystico*. Giessen 1919.

Caster, M., *Lucien et la pensée religieuse de son temps*, Paris 1937.

Chadwick, H., Compte rendu de Wolfson, *Philo*. Class. Review 63 (1949) 24.

———, *Early Christian thought and the Classical Tradition*, Oxford, 1966.

———, *Origen, Contra Celsum*. (Intro. trad. angl. notes) Cambridge. 1965.

Charles, A., *Analogie et pensée sérielle chez Proclus*, Revue internationale de philosophie 87 (1969) 69-88.

Christiansen, Irmgard., *Die Technik der allegorischen Auslegungswissenschaft bei Philon von Alexandrien*, Tübingen, 1969.

Cilento, V., *Parmenide in Plotino*, Giornale critico della Filosofia italiana, 43 (1964) 194-203.

Clerc, C., *Plutarque et le culte des images*, Revue de l'histoire des religions, 70 (1914) 252-262.

Colon, J.-B., *A propos de la « mystique » de saint Paul*. Revue des sciences religieuses, 15 (1935) 157-183, 325-353.

Courcelle, P., *Pythagorisme et Christianisme*, Revue des études anciennes 49 (1957) 108-118.

Cross, F. L., *The Early Christian Fathers*, London, 1960.

Daniélou, J., *Origène et Maxime de Tyr*, Recherches de science religieuse 34 (1947) 359-361.

———, *The Conception of History in the Christian tradition*, Journal of Religion 30 (1950) 171-179.

———, *Message évangélique et culture hellénistique aux IIe et IIIe siècles*, Paris, 1961.

———, *Les traditions secrètes des Apôtres*, Eranos Jahrbuch 31 (1962) 199-214.

———, *Les symboles chrétiens primitifs*, Paris, 1961.

———, *Sacramentum Futuri*, Paris, 1950.

Daube, D., *The New Testament and Rabbinic Judaism*, London, 1956.

Dodd. C. H., *According to the Scriptures*, London, 1953.

Dodds, E. R., *Numenius and Ammonius*, Entretiens Hardt 5, Vandœuvres-Genève, 1957, 2-61.

———, *Tradition and Personal Achievement in the Philosophy of Plotinus*, Journal of Roman Studies 50 (1960) 1-7.

Den Boer, W., *Hermeneutic problems in early christian literature*, Vigiliae Christianae I (1947) 150-167.

Dörrie, H., *Die Erneuerung des Platonismus im ersten Jahrhundert vor Christus*. Dans *Le Néoplatonisme* : Actes du Colloque de Royaumont 1969, p. 17-33.

Emmet, D., *Theoria and the way of life*, Journal of Theological Studies 17 (1966) 38-52.

Festugière, A.-J., *Pensée grecque et pensée chrétienne*, Revue de Théologie et Philosophie, 11 (1961) 113-122.

——, *La Révélation d'Hermès Trismégiste*, I-IV, 1949-1954; Paris.

——, *L'idéal religieux des Grecs et l'Evangile*, Paris 1932.

Flacelière, R., *Sur quelques passages des Vies de Plutarque*, Revue des études grecques, 61 (1948) 67-103, 391-429.

Flessemann - Van Leer, E., *Tradition and Scripture in the Early Church*, Assen, Holland, 1955.

de Gandillac, M., *La Sagesse de Plotin*, Paris, 1966.

Geffcken, J., *Der Ausgang des griechisch-römischen Heidentums*, Heidelberg, 1920.

George, S., *Der Begriff « analogos »* *im Buch der Weisheit*, dans Parusia, Festschrift Hirschberger.

Gérold, Th., *Les Pères de l'Église et la musique*, Paris, 1931.

Goodenough, E. R., *By Light, Light*. The mystic gospel of Hellenistic Judaism, New Haven, 1935.

Grant, R. M., *Gnosticism and Early Christianity*, New York and London, 1959.

——, *The Letter and the Spirit*. London, 1957.

Grenet, P., *Les origines de l'analogie philosophique dans les dialogues de Platon*, Paris, 1948.

Gross, J., *La divinisation du chrétien d'après les Pères grecs*, Paris, 1938.

Gundry, D. W., *The religion of a Greek gentleman of the first century A.D.*, Hibbert Journal 44 (1945/6) 344-52. (Plutarque).

Guyot, H., *L'infinité divine depuis Philon le juif jusqu'à Plotin*, Paris, 1906.

Guillet, J., *Les exégèses d'Alexandrie et d'Antioche*. Conflit ou malentendu? Recherches de science religieuse 34 (1947) 257-302.

Hadot, P., *Etre, vie, pensée chez Plotin et avant Plotin*. Entretiens Hardt 5, 1957, 107-157.

Haight, E. H., *Apuleius and his Influence*, New York, 1963.

Hanson, R. P. C., *Origen's Doctrine of Tradition*, London 1954.

——, *Allegory and Event*, London, 1959.

——, *Interprétation of Hebrew Names in Origen*, Vigiliae Christianae 10 (1956) 103-123.

Harl, M., *Origène et la fonction révélatrice du Verbe incarné*, Paris, 1958.

Harris, V., *Allegory to Analogy in the interpretation of the Scriptures*, Philol. Quarterly 45 (1966) 1-23.

Hathaway, R. F., *The Neoplatonist Interpretation of Plato* : *Remarks on its decisive characteristics*. Journal of the History of Philosophy, 7 (1969) 19-26.

Hermann, L., *Le dieu-roi d'Apulée*, Latomus 18 (1959) 110-116.

——, *Le procès d'Apulée fut-il un procès de christianisme?* Revue de l'Univ. libre de Bruxelles, N.S. 4 (1951/2) 339-350.

Hersman, Anne Bates, *Studies in Greek Allegorical Interpretation*. Chicago 1906.

Höffding, H., *Der Begriff der Analogie*, Leipzig, 1924.

Huber, G., *Das Sein und das Absolute*. Studien zur Geschichte der ontologischen Problematik in der spätantiken Philosophie, Basel, 1955.

Judge, E.A., *The Early Christians as a scholastic community*, Journal of Religious History 1 (1960) 4-15, 2 (1961) 125-137.

Klein, F.-N., *Die Lichtterminologie bei Philon von Alexandrien und in den hermetischen Schriften*, Leiden, 1962.

Koniaris, G. L.. *Emendations in the text of Maximus of Tyre.* Rheinisches Museum f. Philologie, N.F. 108 (1965) 353-370.

——, *On the text of Maximus Tyrius,* Class. Quarterly, NS. 20 (1970) 81-91.

Lampe, G. W. H., *The Seal of the Spirit,* London, 1951.

Langerbeck, H., *The philosophy of Ammonius Saccas and the connection of Aristotelian and Christian elements therein,* Journal of Hellenic Studies 77 (1957) 67-74.

Leisegang, H., *Die Gnosis,* Stuttgart 1949. (Trad. *La Gnose,* Paris 1951).

Lévy, Isidore., *La légende de Pythagore de Grèce en Palestine,* Paris, 1927.

Le Blond, J.-M., *L'Analogie de la Vérité.* Recherches de science religieuse, 34 (1947) 129-141.

Lloyd, G. E. R., *Polarity and Analogy,* Cambridge, 1966.

Lods, M., *Etudes sur les sources juives de la la polémique de Celse contre les Chrétiens.* Revue d'histoire et de philosophie religieuses, 1941, 1-31.

Loenen, J. H. M. M., *Albinos' Metaphysics,* Mnemosyne 9 (1956) 296-319; 10 (1957) 35-56.

Loisy, A., *Les Mystères païens et le mystère chrétien,* Paris, 1930.

de Lubac, H., « *Typologie* » *et* « *Allégorisme* », Rech. de science religieuse, 34 (1947) 180-226.

Lyttkens, H., *The Analogy between God and the World,* Uppsala, 1953.

MacLeod, C. W., *ΑΝΑΛΥΣΙΣ :* *a study in Ancient Mysticism,* Journal of Theological Studies, 21 (1970) 43-55.

Marrou, H.-I., *Théologie de l'histoire,* Paris, 1968.

Merlan, Ph., *From Platonism to Neoplatonism,* The Hague, 1960.

Milburn, R. L. P., *Early Christian Interpretations of History,* London, 1954.

Molland, E., *The Conception of the Gospel in Alexandrian Theology,* Oslo, 1938.

Mondolfo, R., *L'infinità divina da Filone ai Neoplatonici e i suoi precedenti,* Atene e Roma, (Sér. 3) 1 (1933) 192-300.

Mortley, R. J. *The Bond of the Cosmos : a significant metaphor. Tim.* 31 c ff. Hermes 97 (1969) 372-373.

——, *Apuleius and Platonic Theology,* American Journal of Philology, 1973.

Nédoncelle, M., *Le nom propre peut-il stimuler la pensée ?,* Sociétés de Philosophie de la Langue française : Actes du XIIIᵉ Congrès, Genève 1966, p. 35 ss.

——, *Existe-t-il une philosophie chrétienne ?* Paris, 1956.

——, *L'indigence spirituelle du devenir collectif,* dans *Philosophies de l'histoire,* Paris, 1956.

Nock, A. D., *The exegesis of Timaeus 28c,* Vigiliae Christianae 16 (1962) 79-86.

Oldfather, W. A., Canter, H. V., Perry, B. E., *Index Apuleianus.*

Orbe, A., *Estudios Valentinos,* T. I-V, Rome 1958, 1955, 1961, 1966, 1956. J'ai consulté surtout t. I, p. 324-332.

Otto, W. F., *Dionysos, Mythos und Kultus.* Frankfurter Studien z. Religion und Kultur d. Antike, IV, 1933. Trad. angl. R. B. Palmer, Indiana, 1965.

Pease, A. S., *Caeli enarrant,* Harvard Theological Review 34 (1941) 163-200.

Pelletier, M. Th., *Les idées religieuses et philosophiques chez Apulée,* Mémoire de diplôme, Paris, 1948.

Pépin, J., *Interprétations anciennes du Fragment 62 d'Héraclite,* Dialogue 8 (1970) 549-563.

——, *Idées grecques sur l'homme et sur Dieu,* Paris, 1971.

——, *Les deux approches du christianisme,* Paris, 1961.

——, *Théologie cosmique et théologie chrétienne*, Paris, 1964.

——, *Mythe et allégorie*, Paris, 1958.

Pollard, J. E., *The Origins of Arianism*, Journal of Theological Studies N.S. 9 (1958) 103-111.

Praechter, K., *Zum Platoniker Gaios*, Hermes 51 (1916) 510-529.

Prümm, K., *Mysterion von Paulus bis Origenes*, Zeitschrift für katholische Theologie 61 (1937) 391-425.

Reinhardt, K., *Kosmos und Sympathie*, Munich, 1926,

——, *Poseidonios*, Munich, 1921.

Reumann, J., Οικονομία *as « ethical accommodation » in the Fathers, and its pagan backgrounds*. Studia Patristica 3, 370-379.

Ricœur, P., *Le conflit des interprétations*, Paris, 1969.

Rist, M., *Two Isiac Mystics : Plutarch the theologian and Apuleius the priest*, Chicago, 1936.

Rist, J., *The Neoplatonic One and Plato's Parmenides*, Trans. and Proceedings of the American Philol. Assn. 93 (1962) 389 ss.

——, *Plotinus : The Road to Reality*, Cambridge, 1967.

——, *Epicurus : an Introduction*, Cambridge, 1972.

Robbins, F. E., *Posidonius and the Sources of Pythagorean Arithmology*, Classical Philology 15 (1920) 309-322.

Rohde, E., *Psyche*, 2 t. Trad. franç., A. Raymond, Paris, 1952.

Rougier, L., *Celse, ou le conflit de la civilisation antique et du christianisme primitif*, Paris, 1925.

Scott-Moncrieff, Ph., *De Iside et Osiride*, Journal of Hellenic Studies, 29 (1908) 79-90.

Scott, K., *Plutarch and the Ruler Cult*, Trans. and Proc. of the American Philol. Assn., 60 (1929) 117-135.

Sellers, R. V., *Two Ancient Christologies* (Alexandria and Antioch), London, 1940.

Simon, M., *Verus Israel*, Paris 1948.

——, *Hercule et le Christianisme*, Paris, 1955.

——. *Recherches d'Histoire Judéo-Chrétienne*, Paris - La Haye, 1962.

Soury, G., *Aperçus de philosophie religieuse chez Maxime de Tyr, platonicien éclectique*, Paris, 1942.

——, *La démonologie de Plutarque*. Paris, 1942.

Tarrant, D., *Greek Metaphors of Light*, Class. Quarterly N.S. 10 (1960) 181-7.

Theiler, W., *Die Vorbereitung des Neuplatonismus*, Berlin, 1930.

Thesleff, H., *An Introduction to the Pythagorean writings of the Hellenistic period*, Acta Acad. Aboensis Hum. 24 (1961).

Tresmontant. Cl., *La Métaphysique du christianisme et la naissance de la philosophie chrétienne*, Paris, 1961.

Vaganay, L., *L'Evangile de Pierre*, Paris, 1930.

Vallette, P., *L'Apologie d'Apulée*, Paris 1908.

Völker, W., *Die Verwertung der Weisheits-Literatur bei den christlichen Alexandrinern*, Zeitschrift f. Kirchengeschichte 64 (1952/3) 1-33.

Whittaker, J., *ΕΠΕΚΕΙΝΑ ΝΟΥ ΚΑΙ ΟΥΣΙΑΣ*, Vigiliae Christianae 23 (1969) 91-104.

——, *Ammonius on the Delphic E*, Class. Quarterly 19 (1969) 185-192.

——, *Timaeus 27 d ff.* Phoenix 23 (1969) 181-185.

——, *Neopythagoreanism and Negative Theology*, Symbolae Osloenses 44 (1969) 109-125.

——, *Moses Atticising*, Phoenix 21 (1967) 196-201.

Wiles, M. F., *The Making of Christian Doctrine*. A study in the principles of early doctrinal development. Cambridge, 1967.

Wilson, R. McL., *The early history of the exegesis of Gen. I. 26*. Studia Patristica 1, 1957, 420-437.

Witt, R. E., *Albinus and the History of Middle Platonism*, Cambridge, 1937.

Wolfson, H. A., *Negative attributes in the Church Fathers and the Gnostic Basilides*, Harvard Theol. Review 50 (1957) 145-156.

——, *The Knowability and Describability of God in Plato and Aristotle*. Harvard Studies in Classical Philology 56/57 (1947) 233-249.

——, *Religious Philosophy*. Cambridge, Mass. 1961.

——, *Philo*, 2 tomes. Cambridge, Mass. 1948.

——, *Albinus and Plotinus on divine attributes*, Harvard Theol. Review 45 (1952) 115-30.

——, *The Philosophy of the Church Fathers*, 2e éd. rev. Cambridge, Mass. 1964.

INDEX ANALYTIQUE

INDEX D'AUTEURS ET D'ÉCRITS ANCIENS

INDEX DES PASSAGES DE CLÉMENT

INDEX D'AUTEURS MODERNES

INDEX DES SIGLES ET DES RÉFÉRENCES

I. En ce qui concerne Clément, nous avons employé le système suivant, qui tient compte du livre, du chapitre, et du paragraphe; cette méthode paraît plus utile que celle de citer par page et ligne les éditions de Stählin ou de Migne.

Protr. I. 33. 1 = Protreptique, chap. I, para. 33, n° 1.
Péd. III. 9. 43. 2. = Pédagogue, livre III, chap. 9, para. 43, n. °2.
Strom. V. 4. 26. 1. = Stromate V^e, chap. 4, para. 26, n° 1.
Excerpta = Excerpta ex Theodoto.
Eclog. Prophet. = Eclogae Propheticae.
  Nous citons toujours d'après l'édition de Stählin/Früchtel (voir Bibliographie).

II. En général les références sont évidentes, ou elles sont à lire par rapport à la Bibliographie. La présence d'un mot principal (ou quelques mots) suivi de trois points indique que les renseignements nécessaires se trouvent dans la Bibliographie.

III. Certains sigles restent à expliquer.

Fr. Vors   *Fragmente der Vorsokratiker*, Diels-Kranz.
H.E.   Eusèbe, *Histoire ecclésiastique.*
Kittel   *Theologisches Worterbuch zum Neuen Testament*, éd. G. Kittel, Stuttgart.
P.G.   *Patrologia Graeca*, J.-P. Migne.
S.C.   Sources   chrétiennes.
S.P.   Studia   Patristica.
En outre, les ouvrages de Philon sont désignés ainsi :
De post. Caini.   *De posteritate Caini.*
De vit. Mosis   *De vita Mosis.*
De somniis, Somn.   *De somniis.*
De sac. Ab. et Caini   *De sacrifiis Abelis et Caini.*
Leg. Alleg.   *Legum Allegoriae.*
De Praem. et Poen.   *De praemiis et poenis.*
De mut. nominum, Mut. Nom. *De mutatione nominum.*
Quis rerum Div. Heres   *Quis rerum divinarum heres sit.*
Quod. deterius   *Quod deterius potiori insidiari soleat.*
De Fug. et Invent.   *De fuga et inventione.*
Opif.   *De opificio mundi.*
Plant.   *De plantatione.*
Ebr.   *De ebrietate.*
Quaest. Gen.   *Quaestiones in Genesim.*